Proibido

Premiações da Autora

Young Minds Book Award

Deutscher Jugendliteraturpreis for Preis der Jugendjury *(Finalista)*

Premio Speciale Cariparma for European Literature

Times Educational Supplement NASEN Book Award

Branford Boase Book Award *(Finalista)*

UKLA Book Award *(Finalista)*

Lancashire Book of the Year Award *(Finalista)*

Stockport Schools' Book Award

Carnegie Medal *(Finalista)*

Waterstone's Book Prize *(Finalista)*

TABITHA SUZUMA

Proibido

Tradução
Heloísa Leal

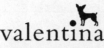

valentina
Rio de Janeiro, 2024
9ª Edição

Copyright © 2010 *by* Tabitha Suzuma
Publicado mediante contrato com Random House Chidren's Publishers UK

TÍTULO ORIGINAL
Forbidden

CAPA
Raul Fernandes

FOTO DE CAPA
Ilona Wellmann/Trevillion Images

DIAGRAMAÇÃO
editoríârte

Impresso no Brasil
Printed in Brazil
2024

CIP–BRASIL. CATALOGAÇÃO NA PUBLICAÇÃO
SINDICATO NACIONAL DOS EDITORES DE LIVROS, RJ

S972p
9.ed.

Suzuma, Tabitha
    Proibido / Tabitha Suzuma; tradução Heloísa Leal. – 9. ed. – Rio de Janeiro: Valentina, 2024.
    304p.; 23 cm.

    Tradução de: Forbidden
    ISBN 978-85-65859-36-3

    1. Romance inglês. I. Leal, Heloísa. II. Título.

14-13933

CDD: 813
CDU: 821.111-3

Todos os livros da Editora Valentina estão em conformidade com
o novo Acordo Ortográfico da Língua Portuguesa.

Todos os direitos desta edição reservados à

EDITORA VALENTINA
Rua Santa Clara 50/1107 – Copacabana
Rio de Janeiro – 22041-012
Tel/Fax: (21) 3208-8777
www.editoravalentina.com.br

Para Akiko, com amor

AGRADECIMENTOS

Gostaria de poder dizer que escrever *Proibido* foi fácil. Mas não foi. Na verdade, deve ter sido a coisa mais difícil que já fiz na vida... Portanto, devo profundos agradecimentos a todos aqueles que me ajudaram e apoiaram durante essa jornada difícil. Em primeiro lugar, o livro jamais teria existido se não fosse pela paixão e a confiança inabalável de meu editor, Charlie Sheppard, que não apenas lutou por sua criação, como continuou a lutar para mantê-lo vivo, nas várias ocasiões em que eu quis desistir. Também gostaria de oferecer meus mais sinceros agradecimentos a Annie Eaton, que foi uma grande incentivadora e continuou acreditando plenamente em mim e no livro. As editoras Sarah Dudman e Ruth Knowles trabalharam com grande afinco e sou muito grata por sua paciência, experiência e dedicação. Meu agradecimento também se estende a Sophie Nelson e à equipe de design gráfico pela inestimável contribuição.

Sou especialmente grata pelo fantástico apoio de minha família. Minha mãe não apenas revisa meus livros incansavelmente em todos os estágios, como também me ajuda a encontrar tempo e energia para escrevê-los. Tansy Roekaerts faz críticas construtivas de todos os meus livros e sempre sabe como me ajudar quando me sinto perdida. Tiggy Suzuma é o orgulho da minha vida e consegue fazer com que eu ria durante os momentos difíceis e não leve tudo a sério demais. Também conto com a opinião inestimável de Thalia Suzuma, além de sua ajuda prática e orientação profissional. Finalmente, tenho sorte de ter como melhor amiga Akiko Hart, que, não apenas me ajuda a escrever, como, principalmente, a viver.

Você pode fechar os olhos para as coisas que não quer ver, mas não pode fechar o coração para as coisas que não quer sentir.

Anônimo

LOCHAN

Observo as casquinhas pretas, secas, esturricadas que se espalham pela tinta branca descascada dos parapeitos. É difícil acreditar que já tenham estado vivas. Imagino como seria ficar trancado nessa caixa de vidro sem ar, assando lentamente por dois longos meses sob o sol implacável, vendo o mundo exterior – o vento sacudindo as árvores verdes bem à sua frente –, e você se atirando sem parar contra a parede invisível que te isola de tudo que é real, está vivo e é necessário até por fim se render, queimado, exausto, esmagado pela impossibilidade da tarefa. A que altura uma mosca desiste de tentar fugir por uma janela fechada? Será que o instinto de sobrevivência a leva a insistir até não ser mais fisicamente capaz, ou ela finalmente aprende, depois da enésima trombada, que não há saída? A que altura você decide que já chega?

Desvio os olhos das pequenas carcaças e tento me concentrar na teia de equações do 2º Grau que enchem o quadro. Uma fina camada de suor cobre minha pele, grudando os fios de cabelo à testa, colando a camisa do uniforme ao corpo. O sol jorra pelas janelas de tamanho industrial a tarde inteira, e eu fico aqui, feito um idiota, sentado nesse solão de rachar, meio cego pelos raios violentos. O sulco da cadeira de plástico machuca minhas costas porque eu sento meio inclinado, com uma perna esticada para frente, o calcanhar apoiado na calefação baixa que se estende ao longo da parede. Os punhos da camisa pendem frouxos em torno dos pulsos, manchados de tinta e sujeira. A folha vazia me encara, branca de doer, enquanto resolvo as equações numa caligrafia letárgica, quase ilegível. A caneta desliza entre meus dedos pegajosos; tiro a língua do céu da boca e tento engolir. Não consigo. Estou sentado assim há quase uma hora, mas sei que é inútil tentar encontrar uma posição mais confortável. Levo um tempão para fazer as contas, inclinando a ponta da caneta que trava no papel e faz um leve som arranhado — se eu terminar logo, não vou ter nada para fazer além de ficar olhando para moscas mortas. Minha cabeça dói. O ar está pesado, saturado da transpiração de trinta e dois adolescentes espremidos numa sala quente demais. Um peso no meu peito torna difícil respirar. É muito mais do que essa sala árida, esse ar estagnado. O peso apareceu na terça-feira, no momento em que atravessei os portões da escola para enfrentar mais um trimestre. A semana ainda nem tinha acabado, e eu já me sentia como se estivesse aqui por toda a eternidade. Entre os muros desse lugar, o tempo escorre feito cimento. Nada mudou. As pessoas ainda são as mesmas — rostos vazios, sorrisos desdenhosos. Olho para além delas quando entro na sala de aula e elas olham para além de mim, através de mim. Estou aqui mas não estou aqui. Os professores me dão presente na chamada mas ninguém me vê, pois há muito me aperfeiçoei na arte de ser invisível.

Temos uma nova professora de inglês, a Srta. Azley. Uma moça inteligente da Austrália, com uma cabeleira crespa presa por um lenço estampado nas cores do arco-íris, pele bronzeada e enormes argolas douradas nas orelhas. Ela parece um peixe fora d'água numa escola cheia de professores de meia-idade cansados de guerra, os rostos vincados por rugas de amargura e desencanto. Sem dúvida, algum dia, como essa gorduchinha tagarela da Austrália, eles entraram na profissão cheios de esperança e energia, determinados a fazer uma diferença, seguir o conselho de Gandhi e ser a mudança que queriam ver no mundo. Mas agora, após décadas de regulamentos, burocracia interna e táticas de controle de multidão, a maioria já pendurou as chuteiras e está só aguardando a aposentadoria precoce, o chá com biscoitos na sala dos professores sendo o ponto alto do seu dia. Mas a nova professora não teve o benefício do tempo. Na verdade, ela não parece ser muito mais velha do que alguns dos alunos na sala. Um bando de garotos irrompe numa cacofonia de assobios até ela se virar, dando um olhar de desprezo para eles que os faz ficar sem graça e abaixar a cabeça. Mesmo assim, quando ela manda que todos arrumem as carteiras em semicírculo, começa o maior corre-corre, e com todos aqueles empurrões, lutas, mesas batidas e cadeiras arrastadas, ela tem sorte que ninguém se machuque. Apesar do tumulto, a Srta. Azley continua impassível – quando todo mundo finalmente senta, ela dá uma olhada no círculo malfeito e abre um largo sorriso.

– Melhorou. Agora posso ver todos vocês direito, e vocês a mim. No futuro, espero que já deixem a sala preparada antes de eu chegar, e não se esqueçam de pôr as carteiras novamente no lugar no fim da aula. Qualquer um que eu pegar saindo antes de fazer a sua parte vai ficar encarregado da disposição das carteiras durante uma semana. Fui clara? – Sua voz é firme, mas não parece cruel. Seu sorriso sugere que ela é até capaz de ter senso de humor. Para nossa surpresa, não se ouve um resmungo ou queixa dos baderneiros incorrigíveis.

Então, ela anuncia que devemos nos apresentar. Depois de falar de sua paixão por viagens, seu novo cachorro e o emprego anterior em publicidade, ela se vira para a menina à direita. Disfarçadamente, empurro o mostrador do relógio para o lado interno do pulso e fixo os olhos nos segundos que fogem. Passei o dia inteiro esperando por isso – o último período – e, agora que chegou, mal consigo aguentá-lo. Um dia inteiro contando as horas e as aulas, e agora, que só restam minutos, eles parecem intermináveis. Faço contas de cabeça, calculando o número de segundos que faltam até a campainha tocar pela última vez. Num susto, percebo que Rafi, o idiota à minha direita, está soltando o verbo sobre astrologia – quase todo mundo na sala já fez sua apresentação. Quando ele finalmente para de falar sobre constelações, faz-se um súbito silêncio. Levanto o rosto e vejo que a Srta. Azley está olhando para mim.

– Eu passo. – Examino a unha do polegar e murmuro a resposta automática de sempre antes de levantar os olhos.

Mas, para meu horror, ela não pegou a deixa. Será que não leu a minha ficha? Ela ainda está olhando para mim.

– Desculpe, mas poucas atividades na minha aula são opcionais – informa. Risinhos no grupo de Jed.

– Então, vamos passar o dia inteiro aqui.

– Ninguém te contou? Ele não fala inglês…

– Ou qualquer outro idioma. – Risos.

– Talvez fale marciano!

A professora os silencia com um olhar.

– Desculpe, mas não é assim que as coisas funcionam na minha aula.

Segue-se outro silêncio. Fico brincando com o canto do bloco, os olhos da turma queimando meu rosto. O tique-taque regular do relógio na parede é abafado pelo meu coração palpitando.

— Por que não começa me dizendo seu nome? — A voz dela se abrandou um pouco. Demoro um segundo para entender a razão. Então percebo que minha mão esquerda parou de brincar com o bloco e está tremendo em cima da folha em branco. Trato de escondê-la depressa debaixo da mesa, murmuro meu nome e dou um olhar cúmplice para o meu vizinho. Ele vai logo começando seu monólogo sem dar tempo à professora para protestar, mas posso ver que ela voltou atrás. Agora ela sabe. A dor no peito diminui e o rosto para de arder. O resto da aula é dedicado a um debate intenso sobre os méritos de estudar Shakespeare. A Srta. Azley não me convida para participar.

Quando os gritos da campainha finalmente ecoam no interior do prédio pela última vez, a turma se dissolve no caos. Fecho o livro com força, enfio-o na mochila, levanto e saio da sala depressa, mergulhando no turbilhão da hora de ir para casa. Por toda a extensão do corredor, alunos superexcitados jorram das portas, aumentando a corrente humana, e eu lá, levando mil esbarrões e pancadas de ombros, cotovelos, mochilas, pés... Consigo descer um lance de escadas, depois outro, e já estou quase na secretaria quando sinto alguém pousar a mão no meu braço.

— Whitely. Só um instante.

Freeland, nosso orientador vocacional. Sinto os pulmões soltarem o ar.

O professor grisalho com o rosto magro e enrugado me leva até uma sala vazia, indica uma carteira e então, constrangido, se encosta à beira de outra.

— Lochan, como tenho certeza de que você já sabe, este é um trimestre muito importante para você.

O discurso do A-Level* novamente. Balanço de leve a cabeça, me obrigando a enfrentar os olhos do professor.

— E também é o começo de um novo ano letivo! — anuncia Freeland em tom entusiasmado, como se eu precisasse ser lembrado desse fato. — Novos começos. Uma nova vida... Lochan, sabemos que nem sempre você acha as

---

* Advanced Level: espécie de vestibular feito por alunos na Inglaterra, no País de Gales e na Irlanda do Norte ao completarem 18 anos. (N. da T.)

coisas fáceis, mas estamos esperando grandes realizações de você neste período. Você sempre foi um excelente aluno de língua inglesa, mas, agora que está no último ano, esperamos que nos mostre do que é capaz em outras áreas.

Outro aceno de cabeça. Uma olhada involuntária na porta. Não sei se gosto do rumo que a conversa está tomando. O Sr. Freeland solta um suspiro pesado.

— Lochan, se quer entrar na University College, é fundamental, como já sabe, que comece a ter uma participação mais ativa nas aulas...

Volto a assentir.

— Entende o que estou dizendo?

Pigarreio.

— Entendo.

— Participação em classe. Entrar nas discussões de grupo. Contribuir para as aulas. Responder quando lhe fizerem perguntas. Levantar a mão de vez em quando. É só o que lhe pedimos. Suas notas sempre foram impecáveis. Não temos quaisquer queixas nesse sentido.

Silêncio.

Minha cabeça está doendo de novo. Por quanto tempo mais será que isso vai se arrastar?

— Você parece distraído. Está prestando atenção no que estou dizendo?

— Estou.

— Ótimo. Olhe, você tem um grande potencial e não queremos que o desperdice. Se precisar de ajuda novamente, você sabe que podemos arranjar...

Sinto o rosto começar a arder.

— N-não. Está tudo bem. Sinceramente. Mas obrigado pela oferta. — Pego a mochila, passo a alça pela cabeça, cruzando-a no peito, e me dirijo para a porta.

— Lochan — chama o Sr. Freeland quando saio. — Pense no assunto.

Até que enfim. Estou indo para Bexham, a escola logo se tornando invisível às minhas costas. Acabaram de dar quatro horas, mas o sol ainda está castigando, a luz branca e brilhante batendo na lataria dos carros que a reflete em raios desconexos, o calor cintilando sobre o asfalto. A rua é dominada pelo trânsito, fumaça de canos de descarga, berreiro de buzinas, crianças saindo de escolas e uma barulheira generalizada. Estou esperando por esse momento desde que o despertador me arrancou do sono hoje de manhã, mas, agora que finalmente chegou, sinto um vazio tão estranho. Como se fosse criança de novo, descendo a escada depressa, só para descobrir que Papai Noel se esqueceu de deixar nossos presentes – que Papai Noel, na verdade, é apenas a bêbada deitada no sofá da sala, inconsciente, cercada por três amigos. Eu estava tão obcecado em vir embora da escola que até esqueci o que fazer, agora que consegui fugir. A euforia que esperava não se materializou e estou me sentindo perdido, nu, como se estivesse antecipando algo maravilhoso, mas de repente esquecesse o que era. Caminhando pela rua, ziguezagueando por entre a multidão, tento pensar em alguma coisa – qualquer coisa – para me dar esperança.

Num esforço para sair daquele estranho estado de espírito, começo a correr pelos paralelepípedos rachados da calçada, passando pela sarjeta atulhada de lixo, a brisa suave de setembro soprando os cabelos da minha nuca, os tênis de sola gasta avançando sem som pelo pavimento. Afrouxo a gravata, puxando o nó até o meio do peito, e abro os botões mais altos da camisa. É sempre bom esticar as pernas depois de um dia longo e tedioso na Belmont, driblar, tirar um fino e pular sobre as frutas e legumes esmagados que ficaram de xepa das barracas da feira. Viro a esquina e entro na ruela estreita que conheço tão bem, com suas longas fileiras de casinhas de tijolos gastos que vão se elevando gradualmente, na inclinação da ladeira.

É a rua em que moro há cinco anos. Só nos mudamos para a casa paga pelo governo depois que nosso pai embarcou para a Austrália com a nova esposa, e a nossa pensão foi cortada. Antes disso, tínhamos alugado uma casa caindo aos pedaços do outro lado da cidade, mas numa das zonas um pouco melhores. Nunca nadamos em dinheiro, pois nosso pai era poeta, mas, mesmo assim, as coisas eram mais fáceis sob muitos aspectos. Mas isso já faz muito, muito tempo. Nossa casa agora é o número 62 da Bexham Road: um cafofo de dois andares, três cômodos, de alvenaria cinza, espremido entre uma longa fileira de casas geminadas, com garrafas de Coca-Cola e latas de cerveja brotando das ervas daninhas entre o portão quebrado e a porta laranja desbotada.

A rua é tão estreita que os carros, com janelas cobertas por tábuas ou para-lamas amassados, são obrigados a estacionar com duas rodas no meio-fio, o que torna a caminhada pelo centro da rua mais fácil do que pela calçada. Chutando uma garrafa PET amassada na sarjeta, vou driblando-a pelo caminho, as pisadas do tênis e os arranhões do plástico quebrado no asfalto ecoando ao meu redor, logo acompanhados pela cacofonia de um cachorro latindo, gritos da pelada que uns garotos jogam e um reggae jorrando por uma janela aberta. A mochila se agita e bate na minha coxa, e eu sinto que o mal-estar começa a se dissipar. Enquanto corro pelos garotos que jogam a pelada, uma figura familiar deixa as balizas para trás e eu troco a garrafa PET pela bola, driblando com a maior facilidade os baixinhos vestindo camisas grandes demais do Arsenal, enquanto eles vão me seguindo pela rua, protestando, aos gritos. O pimentinha louro mergulha na minha direção: um hippiezinho com cabelos claríssimos até os ombros, a camisa branca da escola toda manchada de sujeira e caindo frouxa por cima da calça cinza rasgada. Ele consegue ficar à minha frente e, recuando o mais rápido possível, grita, frenético:

— Pra mim, Loch, pra mim, Loch! Passa pra mim!

Aos risos, faço o que ele pede e, dando pulos vitoriosos, meu irmão de oito anos pega a bola e volta correndo para os companheiros, gritando:

— Eu tomei a bola dele, eu tomei a bola dele! Vocês viram?

Depois de bater a porta, entro no fresquinho relativo da casa e me encosto à porta para recuperar o fôlego, afastando os cabelos úmidos da testa. Em seguida, vou para o corredor estreito, meus pés automaticamente empurrando para o lado um monte de blazers, mochilas e tênis escolares que atravancam o chão. Na cozinha encontro Willa em cima da bancada, tentando alcançar uma caixa de sucrilhos no armário. Ela fica paralisada ao me ver, a mão na caixa, os olhos azuis arregalados sob a franja loura:

— Maya se esqueceu de me dar lanche hoje!

Avanço para ela, rosnando, pego-a pela cintura com um só braço e a viro de cabeça para baixo, enquanto ela dá gritinhos de terror e alegria, seus longos cabelos louros se abrindo em leque às costas. Em seguida, ponho-a sentada sem a menor cerimônia numa cadeira da cozinha e chapo na sua frente a caixa de sucrilhos, a garrafa de leite, uma tigela e uma colher.

— Só meia tigela, não mais do que isso — aviso com um dedo em riste. — Nós vamos jantar mais cedo hoje, e eu tenho um monte de deveres para fazer.

— Quando? — Willa não parece estar convencida, espalhando os sucrilhos pela mesa de carvalho arranhada que fica no centro da nossa cozinha caótica. Apesar das Regras da Casa revisadas que Maya colou na porta da geladeira, é óbvio que Tiffin não encosta nas latas de lixo transbordantes há dias, que Kit nem começou a lavar a louça do café da manhã empilhada na pia, e que Willa mais uma vez deu sumiço na sua vassoura em miniatura e só conseguiu *aumentar* a sujeira do chão já coberto de migalhas.

— Cadê mamãe?

— Ela está se vestindo.

Esvazio os pulmões com um suspiro e saio da cozinha, subindo a estreita escadinha de madeira de dois em dois degraus, ignorando o cumprimento de minha mãe, enquanto procuro pela única pessoa com quem sinto vontade de falar. Mas, quando vejo a porta aberta do quarto vazio, lembro que ela está presa em uma atividade depois da aula, e meu peito torna a se esvaziar. Volto para o som familiar de uma estação de rádio jorrando aos berros da porta aberta do banheiro.

Minha mãe está inclinada sobre a pia em direção ao espelho coberto de manchas e rachaduras, dando os últimos retoques no rímel e espanejando fiapos invisíveis da frente do vestido prateado justo. O ar está empesteado de laquê e perfume. Quando ela me vê aparecer por trás do seu reflexo, sua boca pintada de vermelho se entreabre num sorriso de óbvia alegria.

— Oi, menino bonito!

Ela abaixa o rádio, se vira para mim e estende o braço para um beijo. Sem me afastar da porta, estalo um beijo no ar, um vinco de seriedade involuntário entre minhas sobrancelhas.

Ela começa a rir.

— Olha só para você... de uniforme novamente, e quase tão sujo quanto os meninos! Você precisa cortar o cabelo, meu amor. Ai, ai... posso saber por que essa cara amarrada?

Recosto-me no batente da porta, jogando o blazer no chão.

— É a terceira vez esta semana, mãe — reclamo, cansado.

— Eu sei, eu sei, mas eu não posso perder isso. Davy finalmente assinou contrato com o novo restaurante, e quer sair comigo para comemorar! — Ela abre a boca numa exclamação de prazer, mas, como minha expressão não degela, vai logo mudando de assunto: — Como foi o seu dia, amorzinho?

Esboço um sorriso irônico.

— Foi ótimo, mãe. Como sempre.

— Maravilha! — ela exclama, preferindo ignorar o sarcasmo na minha voz. Se há uma coisa em que minha mãe é mestra é cuidar da própria vida. — Em um aninho, aliás, menos, você vai ficar livre de toda essa baboseira da escola. — Seu sorriso aumenta. — E em breve vai finalmente fazer dezoito anos, e se tornar o homem da casa!

Encosto a cabeça no batente da porta. *O homem da casa.* Ela me chama assim desde que eu tinha doze anos, quando meu pai foi embora.

Virando-se de novo para o espelho, ela aperta os seios sob o corpete do vestido decotado.

— Que tal estou? Recebi meu salário hoje, e resolvi fazer umas comprinhas. — Abre um sorriso travesso como se fôssemos cúmplices nessa pequena extravagância. — Olha só essas sandálias douradas. Não são lindas?

Não consigo retribuir seu sorriso. E me pergunto quanto ela já gastou do salário mensal. Há anos que minha mãe é viciada em fazer compras para levantar o astral. Ela tenta se agarrar desesperadamente à sua juventude, à época em que sua beleza virava cabeças na rua, mas essa beleza está desaparecendo dia após dia, o rosto prematuramente envelhecido pelos anos de vida desregrada.

— Você está ótima — respondo feito um autômato.

Seu sorriso diminui um pouco.

— Lochan, por favor, não fique assim. Preciso da sua ajuda hoje. Dave vai me levar a um lugar chiquérrimo! Você conhece aquele restaurante que abriu na Stratton Road, em frente ao cinema?

— OK. OK. Tudo bem, divirta-se. — Com um esforço considerável, mudo de expressão e consigo tirar o tom de ressentimento da voz. Não há nada de tão errado assim com Dave. Da longa série de homens com quem minha mãe se envolveu desde que meu pai a trocou por uma colega de trabalho, Dave é o mais inofensivo. Nove anos mais moço do que ela e dono do restaurante onde ela agora trabalha como chefe das garçonetes, no momento ele está separado da mulher. Mas, como os namorados anteriores de minha mãe, ele parece ter a mesma ascendência estranha sobre ela que todos os homens têm, o mesmo dom de transformá-la numa garotinha risonha, dengosa, bajuladora, louca para gastar o dinheiro tão suado em presentes supérfluos para o "seu homem" e vestidos justos e provocantes para si mesma. Hoje, mal passa das cinco, e o rosto dela já está corado de expectativa enquanto se produz para o tal jantar, sem dúvida tendo passado a última meia hora escolhendo o que vestir. Puxando para trás os cabelos louros com permanente e luzes recémfeitas, está agora experimentando um penteado exótico e me pedindo para fechar o colar de falsos brilhantes — um presente de Dave — que ela jura serem verdadeiros. Suas curvas generosas mal cabem no vestido que a própria filha de dezesseis anos não aceitaria usar nem em mil anos, e o comentário "coroa metida a broto", que volta e meia escuto nos jardins dos vizinhos, ecoa nos meus ouvidos.

Fecho a porta do quarto e me recosto nela por alguns momentos, apreciando o pequeno espaço acarpetado que é só meu. Nunca foi um quarto, apenas um canto usado como despensa com uma janela sem cortinas, mas consegui enfiar uma cama dobrável nele há três anos, quando me dei conta de que dividir um beliche com irmãos tinha sérias desvantagens. É um dos poucos lugares onde posso ficar totalmente sozinho: sem alunos com olhares maldosos e sorrisos irônicos; sem professores me bombardeando de perguntas; sem corpos berrando e me empurrando. E também disponho de um pequeno oásis de tempo antes de nossa mãe sair com o namorado, o jantar ter que ser preparado e começarem as brigas sobre comida, deveres de casa e a hora de dormir.

Solto a mochila e o blazer no chão, descalço os sapatos e sento na cama apoiando as costas à parede, os joelhos dobrados à minha frente. O quarto, geralmente bem arrumado, ainda exibe todos os sinais frenéticos de alguém que não ouviu o alarme tocar: o despertador atirado no chão, a cama desfeita, a cadeira coberta de roupas de dormir, o chão atulhado de livros e papéis derrubados das pilhas na escrivaninha. As paredes descascadas são vazias, salvo por uma pequena foto de nós sete, tirada durante nossas férias anuais em Blackpool, dois meses antes de meu pai ir embora: Willa, ainda bebê, no colo de nossa mãe, Tiffin com o rosto sujo de sorvete de chocolate, Kit pendurado num banco de cabeça para baixo e Maya tentando levantá-lo. Os únicos rostos nítidos são o meu e o de meu pai – com os braços nos ombros um do outro, sorrindo para a câmera. Raramente dou uma olhada na foto, apesar de tê-la salvado da fogueira de minha mãe. Mas gosto de senti-la perto de mim, como um lembrete de que aqueles dias felizes não foram apenas fruto da minha imaginação.

MAYA

Minha chave emperra na fechadura de novo. Solto um palavrão e dou um chute na porta, como sempre. No momento em que saio do sol do fim de tarde para o corredor escuro, sinto que as coisas já estão meio fora dos eixos. Como previsto, a sala está um caos — sacos de batatas fritas, mochilas de livros, cartas da escola e deveres de casa abandonados por todo o carpete. Kit está comendo sucrilhos direto da caixa, de vez em quando tentando acertar um na boca aberta de Willa do outro lado da sala.

— Maya, Maya, olha só o que o Kit sabe fazer! — avisa Willa, excitada, enquanto penduro o blazer e a gravata no cabideiro. — Ele acerta os sucrilhos na minha boca mesmo de longe!

Apesar da sujeirada de sucrilhos pisados no chão, não posso deixar de sorrir. Minha irmãzinha é a menina de cinco anos mais fofa do mundo. As bochechas com covinhas, coradas de esforço, ainda são rechonchudas como as de um bebê, o rostinho iluminado por uma doce inocência. Desde que perdeu os dentes da frente, ela pegou a mania de enfiar a ponta da língua no espaço quando sorri. Os cabelos louros batem na cintura, finos e lisos como fios de ouro, a cor combinando com os brinquinhos nas orelhas furadas. Por baixo da franja que cresceu demais, seus olhos grandes exibem uma expressão permanente de susto, da cor das águas profundas. Ela já trocou o uniforme por um vestidinho de verão cor-de-rosa, com uma estampa floral, no momento o seu favorito, e está pulando de um pé para o outro, adorando as palhaçadas do irmão adolescente.

Olho para Kit com um sorriso.

— Pelo visto, vocês dois tiveram uma tarde muito produtiva. Espero que ainda lembrem onde fica o aspirador de pó.

Kit responde atirando um punhado de sucrilhos na direção de Willa. Por um momento chego a pensar que vai me ignorar, mas então ele declara:

— Não é um jogo, é um exercício de pontaria. Mamãe não liga, ela saiu com o Amante Garotão de novo, e quando chegar em casa vai estar chumbada demais pra notar.

Abro a boca para repreender Kit pelo linguajar, mas Willa lhe dá corda, e vendo que ele não está aborrecido nem se queixando, decido fazer vista grossa e me jogo no sofá. Meu irmão de treze anos mudou muito nos últimos meses: um crescimento súbito durante o verão acentuou seu tipo já longilíneo, os cabelos louros foram tosados para destacar o brilhantinho falso que usa na orelha, e os olhos cor de mel endureceram. Alguma coisa no seu jeito também mudou. A criança ainda está lá, mas enterrada sob uma dureza inédita: a mudança nos olhos, o queixo desafiador, a risada agressiva e sem humor, tudo isso lhe confere um ar estranho, hostil. Mesmo assim, durante breves momentos espontâneos como esse, quando ele está apenas se divertindo, a máscara escorrega um pouco, e posso ver meu irmão de novo.

— Lochan vai fazer o jantar hoje? — pergunto.

— É óbvio.

— Jantar… — A mão de Willa corre à boca, alarmada. — Lochie já chamou a gente e disse que não ia chamar de novo.

— Ele estava blefando… — Kit tenta interceptar Willa, mas ela já disparou pelo corredor em direção à cozinha, sempre ansiosa para agradar. Sento direito no sofá, bocejando, e Kit começa a atirar sucrilhos na minha testa.

— Não faz isso. É só o que a gente tem para o café da manhã, e duvido que você queira comer esses que caíram no chão. — Levanto do sofá. — Vamos lá. Vamos ver o que Lochan fez para o jantar.

— Aquela porcaria de espaguete de novo… Quando é que ele faz outra coisa? — Kit atira a caixa de sucrilhos aberta na poltrona, entornando metade do conteúdo nas almofadas, seu bom humor evaporando em um segundo.

— De repente, você poderia aprender a cozinhar. Aí nós três poderíamos nos revezar.

Kit me lança um olhar de desprezo e passa à minha frente, entrando na cozinha com um andar arrogante.

— Fora, Tiffin. Eu já disse, *tira* essa bola da cozinha. — Lochan está segurando uma panela fumegante com uma das mãos e tentando imobilizar Tiffin pela porta com a outra.

— Gooool! — berra Tiffin, chutando a bola para baixo da mesa. Eu a apanho, jogo-a no corredor e seguro Tiffin quando tenta passar por mim.

— Socorro, socorro, ela está me estrangulando! — grita ele, fazendo uma mímica de asfixia.

Vou manobrando-o até uma cadeira.

— Senta aí!

Ao ver a comida ele obedece, pega o garfo e a faca e improvisa um rufar de tambor na mesa. Willa começa a rir e pega seus talheres para imitá-lo.

— Não senhora... — digo a ela em tom de advertência.

Seu sorriso se desfaz, e por um momento ela parece humilhada. Sinto uma pontada de culpa. Willa é meiga e dócil, enquanto Tiffin está sempre estourando de energia e louco para aprontar. Em função disso, ela está sempre vendo o irmão fazer o que quer sem ser repreendido. Andando apressada de um lado para o outro da cozinha, distribuo os pratos, sirvo água e torno a guardar os ingredientes nos seus respectivos lugares.

— OK, gente, manda ver. — Lochan... Quatro pratos e uma tigela cor-de-rosa da Barbie. Macarrão com queijo derretido, macarrão com queijo derretido e molho de tomate, macarrão com molho de tomate mas sem queijo derretido, com brócolis — que Kit e Tiffin se recusam a comer — escondidinho com jeito dos lados.

— Oi, moço. — Seguro sua manga antes de ele voltar para o fogão, e sorrio. — Você está bem?

— Estou em casa há duas horas, e eles já pintaram o diabo. — Ele me dá um olhar de desespero exagerado, e eu rio.

— Mamãe já saiu?

Ele faz que sim.

— Você lembrou de comprar leite?

— Lembrei, mas a gente precisa fazer uma compra maior.

— Eu vou ao mercado amanhã depois da aula. — Lochan vira o corpo a tempo de interceptar Tiffin, que já saltava para a porta. — Opa!

— Eu já acabei, eu já acabei! Não estou mais com fome!

— Tiffin, quer fazer o favor de sentar à mesa como uma pessoa normal e jantar direito? — Lochan está começando a levantar a voz.

— Mas os pais do Ben e do Jamie só vão deixar eles jogarem por mais meia hora! — protesta Tiffin aos gritos, o rosto escarlate debaixo dos cabelos de um louro quase branco.

— São seis e meia! Você não vai mais sair para jogar agora à noite!

Tiffin se atira na cadeira, furioso, braços cruzados, joelhos no peito.

— Isso não é justo! Eu te odeio!

Lochan tem o bom-senso de ignorar a manha de Tiffin e, em vez disso, se dirige a Willa, que desistiu de tentar usar o garfo e está comendo o espaguete com os dedos, a cabeça inclinada para trás, chupando cada fio pela ponta.

— Olha aqui. — Lochan mostra a ela. — Você enrola assim…

— Mas ele fica caindo do garfo!

— É só pegar um pouquinho de cada vez.

— Eu não consigo — choraminga ela. — Lochie, corta pra mim?

— Willa, você tem que *aprender*…

— Mas com os dedos é mais fácil!

O lugar de Kit continua vazio enquanto ele circula pela cozinha, abrindo e batendo portas de armários.

— Deixa eu te poupar tempo: a única comida que sobrou é a que está em cima da mesa — informa Lochan, pegando o garfo. — E eu não coloquei arsênico nela, portanto é improvável que venha a te matar.

— Que ótimo. Quer dizer que ela esqueceu de deixar dinheiro pra gente comprar comida de novo? É claro, não está nem aí, vai jantar com o Amante Garotão no Ritz.

— O nome dele é Dave — observa Lochan por trás de uma garfada de espaguete. — Ficar se referindo a ele nesses termos não faz com que você pareça nem um pouco descolado.

Engolindo a comida, consigo atrair o olhar de Lochan e fazer um aceno de cabeça quase imperceptível. Kit está se preparando para uma briga, e Lochan, geralmente tão hábil em evitar confrontos, parece cansado, tenso e se dirigindo cegamente para uma colisão frontal.

Kit bate a porta do último armário com tanta força que todos se assustam.

— O que faz você pensar que eu estou tentando parecer descolado? Não sou eu que tenho que botar um avental porque a mãe está muito ocupada abrindo as pernas pra...

Lochan se levanta da cadeira em um segundo. Tento alcançá-lo, mas não consigo. Ele se atira em cima de Kit e o segura pelo colarinho, imprensando-o contra a geladeira.

— Se você falar desse jeito outra vez na frente dos menores, eu vou...

— Vai o quê? — Kit está com a mão do irmão mais velho em volta do pescoço e, apesar do sorrisinho arrogante, reconheço uma centelha de medo em seus olhos. Lochan nunca o ameaçou fisicamente, mas nos últimos meses a relação dos dois se deteriorou muito, e Kit começou a se rebelar cada vez mais contra Lochan por motivos que ainda me esforço por compreender. Mesmo assim, apesar do choque inicial, de algum modo ele consegue levar a melhor com aquela expressão debochada, aquele olhar de desprezo para o irmão quase cinco anos mais velho.

De repente, Lochan parece se dar conta do que está fazendo. Ele solta Kit e recua depressa, perplexo com seu próprio rompante.

Kit se endireita, um sorriso sarcástico se esboçando lentamente nos lábios.

— É, foi o que eu imaginei. Um banana. Como na escola.

Ele foi longe demais. Tiffin está em silêncio, mastigando devagar, os olhos ressabiados. Willa observa Lochan, dando puxões nervosos na orelha, o jantar esquecido. Lochan olha para a porta pela qual Kit acabou de sair. Esfrega as mãos no jeans e solta um longo suspiro para se acalmar antes de se virar para Tiffin e Willa.

— Vamos lá, gente, vamos acabar de jantar. — Sua voz treme de falsa animação.

Tiffin olha para ele com ar de dúvida.

— Você ia dar um soco nele?

— Não! — Lochan parece profundamente chocado. — Não, é claro que não, Tiff. Eu nunca machucaria Kit. Nunca machucaria nenhum de vocês. Pelo amor de Deus!

Tiffin recomeça a jantar, inconvicto. Willa não diz nada, chupando os dedos um por um com toda a seriedade, seus olhos irradiando um ressentimento silencioso.

Lochan não volta a sentar. Parece perdido, mordendo o canto do lábio, seu rosto contraído. Eu me recosto na cadeira, segurando seu braço.

— Ele só estava tentando te deixar nervoso, como sempre...

Ele não responde. Apenas respira fundo outra vez, antes de olhar para mim e perguntar:

— Você se importa de terminar isso?

— Claro que não.

— Obrigado. — Ele dá um sorriso forçado para me tranquilizar e sai da cozinha. Momentos depois, ouço a porta de seu quarto bater.

Consigo convencer Tiffin e Willa a terminarem de comer, e então ponho o prato quase intacto de Lochan na geladeira. Kit que coma o pão dormido que está em cima da bancada, não estou nem aí. Dou banho em Willa e, ignorando os protestos de Tiffin, obrigo-o a entrar no chuveiro. Depois de passar o aspirador na sala, decido que dormir mais cedo não lhes faria mal algum, e então me faço de surda para os protestos furiosos de Tiffin porque ainda está claro lá fora. Dando um beijo nos dois quando já estão deitados no beliche, Willa passa os braços pelo meu pescoço e me aperta por um momento.

— Por que Kit está com raiva do Lochie? — sussurra.

Eu me afasto um pouco para poder olhá-la nos olhos.

— Querida, Kit não está com raiva do Lochie — digo, cautelosa. — Kit só anda meio mal-humorado ultimamente.

Seus olhos azul-escuros se enchem de alívio.

— Então, no fundo eles se amam?

— É claro que sim. E *todo mundo* ama você. — Dou outro beijo na sua testa. — Boa noite.

Confisco o Gameboy de Tiffin e deixo os dois ouvindo um audiolivro, e então desço e vou até o fim do corredor, onde uma escada portátil encostada na parede leva ao sótão minúsculo, e grito para Kit abaixar a música. No ano passado, depois de ele ficar se lamuriando por ter que dividir o quarto com os irmãos mais novos, Lochan o ajudou a tirar do sótão nunca usado todo o entulho que os donos anteriores deixaram. Embora o espaço seja tão pequeno que mal dê para ficar em pé, é a toca de Kit, o canto dele, onde passa a maior parte do tempo quando está em casa, as paredes inclinadas, pintadas de preto, cheias de fotos de roqueiras, as tábuas secas e rachadas cobertas por um tapete persa que Lochan desencavou em algum bazar de caridade. Isolado do resto da casa por aquela escadinha inclinada que Tiffin e Willa já foram expressamente proibidos de subir, é o esconderijo perfeito para alguém como Kit. A música se reduz a um baixo difuso e monótono quando finalmente fecho a porta de meu quarto e começo a fazer o dever de casa.

A casa finalmente está quieta. Ouço o audiolivro chegar ao fim, a casa ficando em silêncio. Meu despertador marca as oito e vinte, e a luz dourada do verão está escurecendo rapidamente. A noite cai, os postes na rua se acendendo um após outro, lançando uma luz funérea sobre o livro à minha frente. Termino um exercício de compreensão e me pego olhando para meu reflexo na vidraça escurecida. Por impulso, levanto e vou para o patamar.

Minhas batidas são hesitantes. Se fosse eu, provavelmente teria saído de casa, mas Lochan não é assim. Ele é maduro demais, sensato demais. Nunca, nem uma única vez, em todas as noites desde que papai foi embora, ele saiu — nem mesmo quando Tiffin lambuzou os cabelos de melado e se recusou a tomar banho, ou quando Willa chorou por horas a fio porque alguém tinha feito um corte de cabelo moicano na sua boneca.

No entanto, as coisas têm ido ladeira abaixo nos últimos tempos. Mesmo antes da sua metamorfose adolescente, Kit já tinha o hábito de fazer cenas sempre que mamãe resolvia passar a noite fora. A orientadora da escola dizia que ele se culpava por papai ter ido embora, que ainda alimentava a esperança de que ele pudesse voltar e, portanto, se sentia profundamente ameaçado por qualquer um que tentasse tomar o lugar do pai. Pessoalmente, sempre suspeitei que o motivo era muito mais simples: Kit não gosta que os menores recebam toda a atenção por serem pequenos e fofinhos, nem que Lochan e eu fiquemos dizendo a todos o que fazer, enquanto ele está preso nessa terra de ninguém, o filho do meio arquetípico, sem um cúmplice. Agora que Kit ganhou o necessário respeito na escola ao entrar para uma gangue que foge para fumar maconha no parque na hora do almoço, ele se revolta profundamente com o fato de ainda ser considerado apenas uma das crianças da casa. Quando mamãe sai, o que acontece cada vez com mais frequência, é Lochan quem assume o controle, como sempre foi: Lochan, em cujas costas ela joga todas as obrigações quando precisa fazer hora extra ou está a fim de passar a noite fora com Dave ou as amigas.

Ninguém responde às minhas batidas, mas quando desço para a sala encontro Lochan adormecido no sofá. Um livro escolar pesado está no seu peito, as páginas abertas, e folhas cobertas de cálculos em garranchos quase ilegíveis atulham o tapete. Abrindo os dedos que seguram o livro, recolho as coisas e as empilho na mesa de centro, puxo o cobertor que está dobrado nas costas do sofá e o cubro. Então, sento na poltrona e dobro as pernas, encostando o queixo nos joelhos, vendo-o dormir sob a suave luminosidade laranja dos postes que entra pela janela sem cortinas.

Antes que houvesse qualquer coisa, havia Lochan. Quando olho para o passado, com seus dezesseis anos e meio, Lochan sempre esteve nele. Indo para a escola ao meu lado, me empurrando num carrinho de supermercado a toda a velocidade por um estacionamento vazio, vindo me socorrer no pátio da escola quando provoquei uma rebelião por chamar a queridinha da turma de "burra". Ainda me lembro dele parado lá, com os punhos apertados, uma expressão atipicamente feroz, desafiando todos os meninos para uma briga apesar de estarem em esmagadora maioria. E de repente me dei conta de que, enquanto eu tivesse Lochan, nada e ninguém jamais poderia me fazer mal. Mas eu tinha oito anos na época. Amadureci muito desde aqueles dias. Agora sei que Lochan nem sempre vai estar aqui, que não vai poder me proteger eternamente. Embora ele vá se candidatar a uma vaga na University College, aqui mesmo em Londres, e diga que vai continuar morando em casa, ainda pode mudar de ideia e perceber que essa é sua chance de fugir. Nunca antes imaginei minha vida sem ele; como essa casa, ele é o meu único ponto de referência em meio a uma existência difícil, em meio a um mundo instável e assustador. A ideia de ele ir embora me faz sentir um terror tão extremo que chego a ficar sem fôlego. Eu me sinto como uma daquelas gaivotas cobertas de petróleo após um vazamento, me afogando num mar negro de alcatrão e pavor.

Dormindo, Lochan parece um menino novamente – dedos manchados de tinta, camiseta cinza amarrotada, calça jeans puída e pés descalços. As pessoas dizem que há uma forte semelhança familiar, mas eu não a vejo. Antes de mais nada, ele é o único de nós com olhos verde-esmeralda, claros como vidro lapidado. Seus cabelos arrepiados são negros como a noite, cobrindo a nuca e chegando aos olhos. Seus braços ainda estão bronzeados do verão, e mesmo à meia-luz posso ver o tênue contorno dos bíceps. Ele está começando a desenvolver um porte atlético. Como custou muito a entrar na puberdade, por um tempo até eu fui mais alta do que ele, o que me levou a ficar implicando com ele sem dó nem piedade, chamando-o de "meu irmãozinho", num tempo em que ainda achava graça nesse tipo de coisa. Claro que ele aguentou calado, como faz com tudo.

Mas nos últimos tempos as coisas começaram a mudar. Apesar do fato de ser extremamente tímido, a maioria das meninas na minha turma está a fim dele – o que me faz sentir uma mistura conflitante de raiva e orgulho. Mesmo assim ele ainda é incapaz de conversar com os colegas, raramente sorri fora destas paredes, e sempre, sempre exibe a mesma expressão distante, atormentada, com um toque de tristeza nos olhos. Em casa, no entanto, quando os pequenos não estão dando muito trabalho ou quando trocamos piadas e ele se sente relaxado, às vezes ele mostra um lado totalmente diferente: o gosto da travessura, um sorriso de covinhas, um senso de humor autodepreciativo. Mas mesmo durante esses breves momentos sinto que ele está escondendo uma parte mais sombria e infeliz de si mesmo – a parte que faz um esforço enorme para sobreviver na escola, no mundo exterior, um mundo onde, por alguma razão, ele jamais se sentiu em paz.

O motor de um carro dá um estouro na rua, me arrancando dos meus pensamentos. Lochan solta um gemido e se levanta às pressas, desorientado.

– Você pegou no sono – explico a ele, com um sorriso. – Acho que a gente podia comercializar as fórmulas da trigonometria como um novo tratamento contra a insônia.

– Merda. Que horas são? – Ele parece em pânico por um momento, empurrando o cobertor para trás, virando o corpo, pondo os pés no chão, passando os dedos pelos cabelos.

– Nove e pouco.

– E quanto às...

– Tiffin e Willa já estão dormindo, e Kit está ocupado bancando o adolescente revoltado no quarto dele.

– Ah. – Ele relaxa um pouco, esfregando os olhos com as laterais das mãos e piscando com ar de sono, olhos fixos no chão.

– Você parece pregado. Talvez devesse deixar o dever pra lá por hoje e ir dormir.

– Não, eu estou bem. – Ele gesticula em direção à pilha de livros na mesa de centro. – De todo modo, tenho que terminar de repassar tudo isso antes da prova de amanhã. – Acende o abajur, lançando um pequeno círculo de luz no chão.

— Você devia ter me dito que tinha uma prova. Eu teria feito o jantar.

— Ah, mas você fez o resto. — Uma pausa encabulada. — Obrigado por... cuidar das crianças.

— Sem problemas. — Bocejo, ficando de lado para pendurar as pernas no braço da poltrona, e afasto os cabelos do rosto. — Talvez de agora em diante seja melhor a gente deixar o jantar de Kit numa bandeja diante da escada. Tipo assim, um serviço de quarto. E aí quem sabe a gente pode ter um pouco de sossego.

Um sorriso muito tênue se esboça em seus lábios, mas então ele vira a cabeça, olhando pela vidraça nua, e ficamos em silêncio.

Respiro fundo.

— Ele se comportou muito mal, Loch. Aquele lance sobre a escola...

Ele parece ficar paralisado. Quase posso ver os músculos se retesarem sob a camiseta. Ele está sentado de lado no sofá, um braço estendido sobre o encosto, um pé no chão, o outro debaixo do corpo.

— É melhor eu terminar isso...

Reconheço minha deixa. Tenho vontade de dizer algo a ele, algo do tipo: *É tudo uma encenação. Pelo menos, todos os outros estão fingindo. Kit pode estar andando com uma turminha que se rebela contra a autoridade, mas eles têm tanto medo quanto qualquer um. Debocham dos outros e implicam com as pessoas sozinhas porque assim se sentem por cima. E eu não sou muito melhor. Posso parecer confiante e extrovertida, mas passo a maior parte do tempo rindo de piadas de que não acho a menor graça, dizendo coisas que não penso nem sinto — porque, no fundo, é o que todos estamos tentando fazer: nos adaptar, de um jeito ou de outro, fingir desesperadamente que somos todos iguais.*

— Boa noite, então. Não estuda até tarde demais.

— Boa noite, Maya. — De repente ele sorri, covinhas se formando nos cantos da boca. Mas quando paro diante da porta e dou uma olhada, ele está folheando um livro da escola, seus dentes roendo a eterna ferida vermelha no lábio inferior, a dolorosa carne viva.

Você pensa que ninguém entende, sinto vontade de lhe dizer, *mas está errado. Eu entendo. Você não está sozinho.*

LOCHAN

Nossa mãe parece velha e gasta à luz cruel da manhã nublada. Ela segura uma caneca de café em uma das mãos, um cigarro na outra. Seu cabelo oxigenado está um ninho de nós, e o delineador borrado escorreu, formando meias-luas negras sob os olhos injetados. Seu robe de seda cor-de-rosa está amarrado por cima de um vestido minúsculo, e esse desleixo é um claro sinal de que Dave não passou a noite aqui em casa. Na verdade, nem me lembro de ouvi-los chegar. Nas raras ocasiões em que eles vêm para cá juntos, ouvimos a porta da sala sendo batida, os risos abafados, as chaves caindo na soleira, os psius altos e mais pancadas, seguidos por gargalhadas quando ele tenta subir a escada com ela montada nas costas. Os outros já aprenderam a ignorar a barulheira e continuar dormindo, mas eu sempre tive sono leve e as vozes abafadas me forçam a reconhecer que estou consciente, enquanto fecho os olhos com força e tento ignorar os gemidos, gritos e rangidos rítmicos das molas no quarto dela.

Terça-feira é o dia de folga de nossa mãe, o que significa que, para variar, é ela quem prepara o café da manhã e leva os menores para a escola. Mas já são quinze para as oito, Kit ainda não apareceu, Tiffin está tomando café de cueca, Willa não tem meias limpas e está se queixando disso para quem quiser ouvir. Vou pegar o uniforme de Tiffin e o obrigo a se vestir na cozinha, já que nossa mãe parece incapaz de fazer outra coisa senão dar goles de café e fumar um cigarro atrás do outro à janela. Maya vai procurar as meias de Willa e ouço-a esmurrar a porta de Kit, avisando aos gritos que ele vai se dar mal se receber outra advertência por chegar atrasado. Mamãe termina de fumar o último cigarro e vem sentar com os filhos à mesa, falando de planos para o fim de semana que sei que jamais vão se concretizar. Tanto Willa quanto Tiffin começam a falar na mesma hora, encantados com a atenção, o café da manhã esquecido, e sinto meus músculos se retesarem.

— Vocês têm que sair de casa em cinco minutos, e esse café da manhã precisa ser tomado antes disso.

Mamãe segura meu pulso quando passo.

— Lochie-Loch, senta aí um minuto. Nunca tenho uma chance de conversar com você. Nunca nos sentamos assim, feito uma família.

Com um esforço monumental, engulo a frustração.

— Mãe, a gente precisa estar na escola em quinze minutos, e eu tenho uma prova de matemática logo na primeira aula.

— Nossa, como ele é sério! — Ela me puxa para uma cadeira ao seu lado, segurando meu queixo. — Olha só para você, tão pálido e estressado, *sempre* estudando. Quando eu tinha sua idade, era a menina mais bonita da escola, e *todos* os rapazes queriam sair comigo. Pois eu matava aula e passava o dia inteiro no parque com um dos meus namorados! — Dá uma piscadinha cúmplice para Tiffin e Willa, que soltam gargalhadas histéricas.

— Você beijava o seu namorado na boca? — pergunta Tiffin, com um sorrisinho safado.

— Ah, beijava, sim, e não era só na boca. — Pisca para mim, passando os dedos pelos cabelos desgrenhados com um sorriso de menina.

— Eca! — Willa balança as pernas violentamente debaixo da mesa, jogando a cabeça para trás de nojo.

— Você lambia a língua dele como fazem na tevê? — insiste Tiffin.

— Tiffin! — chamo-o às falas. — Para de dizer besteira e termina de tomar o seu café.

Tiffin pega a colher de má vontade, mas abre um sorriso quando mamãe faz que sim depressa para ele, com um sorriso maroto.

— Aaaargh, que nojo! — Começa a fazer sons de vômito no momento em que Maya entra, tentando convencer Kit a segui-la.

— O que é um nojo? — pergunta ela, enquanto Kit se joga na cadeira, mal-humorado, encostando a cabeça na mesa com um baque.

— Nem queira saber — vou logo avisando, mas Tiffin faz um resumo da ópera para ela mesmo assim.

Maya faz uma careta.

— Mãe!

— Essa historinha abriu o meu apetite — resmunga Kit, irritado.

— Você tem que comer alguma coisa — insiste Maya. — Você ainda está em fase de crescimento.

— Não está não, ele está em fase de encolhimento! — Tiffin cai na gargalhada.

— Cala a boca, seu merdinha.

— Loch! Kit me chamou de merdinha!

— Senta aí, Maya — diz mamãe com um sorriso meloso. — Ah, olha só para vocês, tão elegantes de uniforme! E nós tomando café todos juntos, como uma família!

Maya dá um sorriso forçado para ela, passando manteiga numa torrada, e a coloca no prato de Kit. Sinto o pulso começar a disparar. Não posso sair até estarem todos prontos, ou há uma boa chance de Kit matar aula de novo e mamãe prender Tiffin e Willa em casa até as dez da manhã. E eu não posso me atrasar. Não por causa da prova... mas porque não posso ser o último a chegar à sala de aula.

— Nós temos *mesmo* que ir — informo a Maya, que ainda tenta convencer Kit a tomar o café, mas ele continua esparramado na cadeira, a cabeça jogada nos braços.

— Ah, por que os meus coelhinhos estão com tanta pressa hoje? — queixa-se mamãe. — Maya, quer convencer o seu irmão a relaxar? Olha só para ele... — Dá uma esfregada no meu ombro, sua mão como uma queimadura através do tecido da camisa. — Tão tenso.

— É que Loch tem uma prova e nós vamos *mesmo* nos atrasar se não andarmos depressa — responde Maya com delicadeza.

Mamãe ainda está segurando meu pulso com força com a outra mão, me impedindo de levantar para pegar minha xícara de café como sempre faço.

— Você não está mesmo nervoso por causa de uma bobagem como uma prova, está, Loch? Porque há coisas muito mais importantes na vida, entende? Não me faltava mais nada, você virar um nerd igual ao seu pai, sempre com o nariz enfiado num livro, vivendo feito um vagabundo só para conseguir uma porcaria de um doutorado que não serve para nada. E olha só o que ele fez com aquele diploma grã-fino de Cambridge... virou uma porcaria de um

34

poeta, pelo amor de Deus! Teria ganhado muito mais varrendo as ruas! – Dá um muxoxo de desprezo.

Levantando a cabeça de repente, Kit pergunta, em tom sarcástico:

– Quando foi que Lochan já levou pau numa prova? Ele só está com medo de chegar atrasado e…

Maya ameaça enfiar a torrada pela goela abaixo de Kit. Consigo me soltar da mão de mamãe e saio apressado pela sala, pegando o blazer, a carteira, as chaves, a mochila. Esbarro em Maya no corredor e ela me diz para ir nessa, que ela dá um jeito de fazer com que mamãe saia a tempo com os menores e Kit chegue à escola. Aperto seu braço em agradecimento e então saio, correndo pela rua vazia.

Chego à escola faltando segundos para a prova começar. O imenso prédio de concreto se ergue diante de mim, espalhando seus tentáculos, sugando os outros prédios feios e menores com suas passarelas desoladas e túneis infinitos. Chego à sala pouco antes de o professor entrar e começar a distribuir as provas. Depois de minha corrida de quinhentos metros, mal posso enxergar, manchas vermelhas pulsando diante dos olhos. O Sr. Morris para diante da minha carteira e eu sinto o fôlego travar na garganta.

– Você está bem, Lochan? Parece ter corrido uma maratona.

Faço que sim depressa e pego a folha sem levantar os olhos.

A prova começa e a sala fica em silêncio. Adoro provas. Sempre adorei provas, testes de qualquer tipo. Desde que sejam escritos. Desde que tomem a aula inteira. Desde que eu não tenha que falar ou tirar os olhos da folha até a campainha tocar.

Não sei quando isso começou – essa mania – mas está crescendo, me asfixiando, me sufocando como um parasita venenoso. Eu invadi a coisa. A coisa me invadiu. Nós borramos nossos contornos, nos tornamos uma criatura amorfa, que se infiltra, que se expande. Às vezes até consigo me distrair, me enganar para não pensar no assunto, me convencer de que estou bem. Em casa, por exemplo, com minha família, posso ser eu mesmo, ser normal outra vez. Até a noite passada. Até que o inevitável aconteceu, e começou a correr à boca pequena na Belmont que Lochan Whitely é um esquisitão antissocial. Embora Kit e eu nunca tenhamos nos dado muito bem, sou atingido pela consciência de que ele sente vergonha de mim: uma sensação horrível no peito, paralisante, sinistra. Só pensar nisso já basta para fazer o chão se inclinar sob a carteira. Eu me sinto como se estivesse numa ladeira escorregadia, e não tivesse escolha senão despencar. Sei tudo e mais alguma coisa sobre ter vergonha de um parente – o número de vezes que desejei que minha mãe agisse como uma mulher adulta em público, já que não fazia isso em particular. É horrível sentir vergonha de alguém que você ama; é uma coisa que te rói por dentro. E, se você deixar que te afete, se desistir da luta e se entregar, a vergonha acaba por se transformar em ódio.

Não quero que Kit sinta vergonha de mim. Não quero que ele me odeie, embora eu mesmo tenha a sensação de odiá-lo às vezes. Mas aquele garoto problemático, revoltado e ressentido ainda é meu irmão; ainda é minha família. Família: a coisa mais importante de todas. Meus irmãos podem me deixar doido às vezes, mas são meu sangue. São tudo que já conheci. Minha família sou eu. É a minha vida. Sem eles, eu caminho pelo planeta sozinho.

Os outros são desconhecidos, são *estranhos*. Nunca se transformam em amigos. E mesmo que se transformassem, mesmo que eu descobrisse, por algum milagre, um jeito de me ligar a alguém de fora da família, como essa pessoa poderia se comparar àqueles que falam a minha língua e sabem quem eu sou sem que eu precise dizer? Mesmo que eu fosse capaz de enfrentar seus olhos, mesmo que fosse capaz de falar sem as palavras travarem na garganta, incapazes de aflorar, mesmo que os olhos delas não queimassem minha pele e me fizessem ter vontade de correr um milhão de quilômetros, como poderia vir a amá-las do jeito como amo meus irmãos e irmãs?

A campainha toca e sou um dos primeiros a levantar da carteira. Enquanto vou passando por fileiras e mais fileiras de alunos, todos parecem olhar para mim. Eu me vejo configurado em seus olhos: o cara que sempre se esconde nos fundos da sala, que nunca diz nada, que sempre senta sozinho numa das escadas no pátio durante o recreio, curvado sobre um livro. O cara que não sabe falar com as pessoas, que balança a cabeça quando zoam dele, que falta à aula sempre que há algum tipo de apresentação para fazer. Ao longo dos anos eles aprenderam a me deixar em paz. No começo, quando entrei nessa escola, eram piadinhas e empurrões o tempo todo, mas com o tempo eles se entediaram. De vez em quando, algum novo aluno tentava puxar conversa. E eu também. Tentava mesmo. Mas quando só te ocorrem respostas monossilábicas, quando você fica totalmente afônico, o que mais pode fazer? O que mais *os outros* podem fazer? As meninas são as piores, principalmente hoje em dia. Elas se esforçam mais, são mais persistentes. Algumas até me perguntam por que nunca falo – como se eu pudesse responder a isso. Elas me paqueram, tentam me fazer sorrir. São até bem-intencionadas, mas o que não compreendem é que sua simples presença faz com que eu sinta vontade de morrer.

Mas hoje, felizmente, sou deixado em paz. Não falo com ninguém a manhã inteira. Meus olhos localizam Maya no refeitório, e ela dá uma espiada na menina que está sempre ao seu lado falando pelos cotovelos, e então revira os olhos. Sorrio. Enquanto vou traçando minhas garfadas desse cozido aguado de carne com batatas, fico vendo-a fingir que presta atenção à amiga, Francie, embora não pare de me lançar olhares furtivos, inventando mil caretas para me fazer rir. Sua camisa branca do uniforme, vários números grande demais, está para fora da saia cinza, vários centímetros curta demais. Ela está com o tênis da aula de educação física porque não sabe onde deixou os sapatos. Está sem meias, e um enorme Band-Aid, cercado por uma multidão de manchas roxas, cobre seu joelho ralado. Seus cabelos ruivos batem na cintura, longos e retos como os de Willa. Sardas pontilham suas maçãs do rosto, acentuando a palidez natural da pele. Mesmo quando ela está séria, seus olhos azul-escuros sempre têm um brilho que sugere que ela está prestes a sorrir. Durante o último ano ela passou de bonita a linda, uma beleza incomum, frágil, perturbadora. Os caras dão em cima dela o tempo todo, é um horror.

Depois do almoço, pego meu exemplar de *Romeu e Julieta*, que na verdade li anos atrás, e me refugio no quarto degrau da escadaria norte, diante do prédio de ciências, que é a menos usada de todas. É assim que minhas horas perdidas se acumulam, exatamente como minha solidão. Mantenho o livro aberto para o caso de alguém se aproximar, mas não estou nem um pouco a fim de lê-lo novamente. Em vez disso, do meu assento de concreto, fico vendo um avião traçar uma linha branca no azul-turquesa do céu. Olho para a minúscula aeronave, encolhida pela distância, e me assombro com a vasta expansão que há entre todas as pessoas no enorme Boeing superlotado e eu.

MAYA

— *Quando* você vai me apresentar a ele? — reclama Francie, chateada. Da nossa posição de sempre diante do muro baixo no fim do pátio, ela seguiu meu olhar até a figura solitária curvada nos degraus da escada diante do prédio de ciências. — Ele ainda é solteiro?

— Eu já te disse um milhão de vezes: ele não gosta de gente — respondo, curta e rasteira. Olho para ela. Francie emana uma espécie de energia inquieta, a adrenalina que é tão natural nos extrovertidos. Tentar imaginá-la saindo com meu irmão é quase impossível. — Como você pode saber se gostaria dele?

— Porque ele é um tremendo tesão! — exclama Francie, enfática.

Balanço a cabeça com um sorriso.

— Mas vocês dois não têm nada em comum.

— O que você quer dizer com isso? — Ela faz um súbito ar magoado.

— Que ele não tem nada em comum com ninguém — me apresso a tranquilizá-la. — Ele é apenas diferente. Ele... ele não tem o hábito de conversar com as pessoas.

Francie joga os cabelos para trás.

— É, foi o que ouvi dizer. Fechado como uma ostra. Ele sofre de depressão?

— Não. — Brinco com uma mecha de cabelo. — A escola fez com que ele visse uma terapeuta no ano passado, mas foi perda de tempo. Em casa, ele fala. É só com as pessoas que ele não conhece, com pessoas fora da família.

— E daí? Ele é tímido.

Suspiro, em dúvida.

– Eu diria que é um pouco pior do que isso.

– Mas por que ele é tímido? – pergunta Francie. – Quer dizer, ele já se olhou no espelho recentemente?

– Ele não é assim só na presença das meninas – tento explicar. – Ele é assim com todo mundo. Ele nem responde às perguntas na sala de aula. É como uma fobia.

Francie solta um assobio, incrédula.

– Nossa, ele sempre foi assim?

– Não sei. – Paro de brincar com o cabelo por um momento e reflito. – Quando nós éramos menores, éramos como gêmeos. Nós nascemos com treze meses de diferença, por isso todo mundo pensava mesmo que fôssemos gêmeos. Nós fazíamos tudo juntos. Tipo assim, tudo mesmo. Um dia ele teve amigdalite e não pôde ir à escola. Papai me obrigou a ir e eu passei o dia inteiro chorando. Nós tínhamos até uma linguagem secreta só nossa. Às vezes, quando nossos pais brigavam, nós fingíamos que não falávamos inglês, e então não falávamos com mais ninguém, só um com o outro, pelo resto do dia. Nós começamos a ter problemas na escola por causa disso. Diziam que nós nos recusávamos a nos socializar, que não tínhamos amigos. Mas estavam enganados. Nós tínhamos um ao outro. Ele era meu melhor amigo no mundo. E ainda é.

Encontro a casa mergulhada em silêncio ao voltar da escola. O corredor está vazio, sem malas e blazers. *Talvez ela tenha levado as crianças ao parque*, penso, esperançosa. Então, quase solto uma risada. Quando foi a última vez que isso aconteceu? Entro na cozinha – canecas de café frio, cinzeiros transbordando e sucrilhos congelando no fundo de tigelas. Leite, pão e manteiga ainda em cima da mesa, a torrada que Kit não comeu já endurecida no prato, olhando para mim como uma acusação. A mochila de livros de Tiffin esquecida no chão. A gravata abandonada de Willa… Um som na sala me leva a girar nos calcanhares. Volto pelo corredor, vendo as sardas de sol pontilhando as superfícies empoeiradas.

Encontro mamãe olhando para mim do sofá com ar abatido, debaixo do edredom de Willa, um pano molhado cobrindo a testa.

Fico olhando para ela, boquiaberta.

– Que foi que houve?

— Acho que estou com intoxicação alimentar, benzinho. Estou com uma enxaqueca medonha, e vomitei o dia inteiro.

— As crianças... — começo a dizer.

Seu olhar se apaga e volta a se acender, como a chama de um fósforo oscilando no escuro.

— Eles estão na escola, amorzinho, não se preocupe. Eu os levei hoje de manhã... ainda estava me sentindo bem aquela hora. Foi só depois do almoço que comecei a...

— Mãe... — Sinto minha voz começar a se erguer. — São quatro e meia!

— Eu sei, benzinho. Vou me levantar em um minuto.

— Era você quem tinha que ir buscar os dois! — Agora estou gritando. — A aula deles acaba às três e meia, lembra?

Minha mãe olha para mim com uma expressão horrível, vazia.

— Mas hoje não é você ou Lochan?

— Hoje é terça! Seu dia de folga! Você sempre pega os dois na escola no seu dia de folga!

Mamãe fecha os olhos e solta um gemidinho, modulado para despertar piedade. Sinto vontade de bater nela. Em vez disso, corro para o telefone. Ela desligou a campainha, mas a luz vermelha da secretária eletrônica pisca sem parar, acusadora. Quatro mensagens da St. Luke's, a última curta e grossa, insinuando que essa não é a primeira vez que a Sra. Whitely se atrasa tanto. Na mesma hora aperto a tecla do redial, o ódio martelando no peito. Tiffin e Willa vão ficar apavorados. Vão achar que foram abandonados, que nossa mãe os deixou, como vive ameaçando fazer quando bebe.

A secretária da escola atende e eu já vou logo pedindo mil desculpas. No ato ela me interrompe:

— Não é sua mãe quem deveria estar ligando, querida?

— Nossa mãe não está passando bem — digo depressa. — Mas eu vou sair agora e chegar aí em dez minutos. Por favor, diga a Willa e a Tiffin que eu já estou indo. Por favor, por favor, diga a eles que nossa mãe está bem e que Maya já está a caminho.

— Bem, sinto muito, mas eles não estão mais aqui. — A secretária parece um pouco aborrecida. — A babá acabou vindo buscá-los meia hora atrás.

Meus joelhos dobram. Caio sentada no braço do sofá. Meu corpo ficou tão mole que quase deixo o fone cair.

— Nós não temos babá.

— Ah...

— Quem era essa pessoa? Como ela era? Deve ter dado um nome!

— A Srta. Pierce deve saber quem foi. As professoras não deixam as crianças saírem com qualquer um, como você sabe. — Novamente a voz altiva, agora com um tom defensivo.

— Preciso falar com a Srta. Pierce. — Minha voz treme em minha calma mal controlada.

— Sinto muito, mas a Srta. Pierce foi embora quando a babá finalmente pegou as crianças. Posso tentar encontrá-la no celular...

Mal consigo respirar.

— Por favor, peça a ela para voltar direto para a escola. Eu a encontro aí.

Desligo, literalmente trêmula. Minha mãe levanta o pano do rosto:

— Benzinho, você parece aborrecida. Está tudo bem?

Já estou correndo pelo corredor, enfiando os sapatos, pegando as chaves, o celular, apertando a tecla de discagem rápida, saindo e batendo a porta. Ele atende no terceiro toque.

— O que aconteceu?

Dá para ouvir os risos e o vozerio ao fundo, logo ficando mais baixo quando ele sai da revisão que o prendeu na escola agora à tarde. Tanto ele quanto eu deixamos os celulares ligados em todas as ocasiões. Ele sabe que eu só ligaria durante o horário escolar numa emergência.

Conto depressa os fatos dos últimos cinco minutos.

— Estou indo para a escola deles agora. — Um caminhão me brinda com uma buzinada quando atravesso a rua principal correndo.

— Te vejo lá — diz ele.

Quando chego à St Luke's, encontro os portões fechados. Começo a sacudi-los e chutá-los até o zelador ficar com pena de mim e vir destrancá-los.

— Calma — diz ele. — Por que o pânico?

Ignorando-o, corro para a porta da escola e começo a esmurrá-la. Alguém a destranca pelo interfone e eu avanço pelo corredor iluminado por lâmpadas fluorescentes que, sem o caos das crianças, parece fantasmagórico e irreal. Vejo Lochan no finzinho, falando com a secretária da escola. Deve ter corrido até aqui também. Graças a Deus, graças a Deus. Lochie vai saber o que fazer.

Ele não notou minha chegada, de modo que paro de correr e adoto um andar digno, ajeitando as roupas e respirando fundo várias vezes para me acalmar. Depois de vários atritos com figuras em posições de autoridade, aprendi que se você começa a ficar nervoso ou irritado, eles te tratam como uma criança e exigem falar com seus pais. Lochan se tornou mestre na arte de parecer calmo e articulado nessas circunstâncias, mas tenho plena consciência do esforço terrível que é para ele. Quando me aproximo, noto que suas mãos tremem descontroladas ao lado do corpo.

— A Srta. P-Pierce foi a única pessoa a ver os dois saírem? — pergunta ele. Posso perceber que está fazendo um esforço enorme para olhar nos olhos da secretária.

— Foi — responde a horrorosa loura oxigenada que sempre desprezei. — E a Srta. Pierce nunca...

— Mas tem que haver... tem que haver outro número onde ela possa ser encontrada! — Sua voz é clara e firme. Ninguém além de mim conseguiria detectar o sutil tremor nela.

— Eu já disse, eu tentei. O celular dela está desligado. Mas, como também já disse, deixei uma mensagem na secretária do telefone da casa dela...

— Por favor, será que a senhora não poderia continuar insistindo nesse número?

A secretária resmunga algo e volta a entrar no escritório. Seguro a mão de Lochan. Ele se assusta como se tivesse levado um tiro, e por baixo do exterior calmo posso ver que está em pânico também.

— Ela só fala nessa tal da babá — diz ele, ofegante, voltando para o corredor e segurando minha mão. — Mamãe disse alguma coisa a você sobre pagar a alguém para vir buscar as crianças?

— Não!

— Onde é que ela está agora?

— Deitada no sofá com um pano na cabeça — sussurro. — Quando perguntei onde estavam Tiffin e Willa, disse que achou que era nossa vez de vir buscá-los!

Lochan está respirando com força. Posso ver o peito subindo e descendo rápido sob a camisa do uniforme. Não vejo a mochila e o blazer, e ele tirou a gravata. Demoro um momento para perceber que está tentando disfarçar o fato de que ainda é um adolescente.

— Tenho certeza de que é algum tipo de mal-entendido — afirma, um otimismo desesperado animando a voz. — A mãe de alguma criança deve ter chegado tarde e levado os dois. Está tudo bem. Nós vamos resolver isso, Maya. Certo? — Ele aperta minhas mãos e me dá um sorriso tenso.

Faço que sim, me forçando a respirar.

— Certo.

— É melhor eu voltar e falar com a...

— Quer que eu faça isso? — pergunto em voz baixa.

Seu rosto fica vermelho na mesma hora.

— É claro que não! Eu posso... posso resolver isso...

— Eu sei — volto atrás depressa. — Eu sei que pode.

Ele se afasta de mim, prestes a entrar no escritório, e solta um suspiro alto.

— Nada... nada ainda?

— Não. Ela pode estar presa no trânsito. Aliás, ela pode estar em qualquer lugar.

Lochan solta um suspiro exasperado.

— Olhe, eu tenho certeza de que a professora não deixaria os dois saírem com uma estranha, assim, sem mais nem menos. M-mas a senhora precisa entender que, neste exato momento, eles estão desaparecidos. Por isso, acho que seria melhor se ligasse para o diretor, o subdiretor ou... ou alguém que possa ajudar. Vamos ter que notificar a polícia, e provavelmente eles vão querer falar com os responsáveis pela direção da escola.

No corredor, onde Loura Oxigenada não pode me ver, me encosto a uma parede e aperto os lábios com as costas da mão. Polícia quer dizer autoridades. Autoridades quer dizer Agência de Serviço Social. Lochan deve mesmo achar que Tiffin e Willa foram sequestrados, se está disposto a correr o risco de envolvê-los.

Minhas pernas estão cada vez mais bambas, por isso sento nos degraus da escada. Não entendo como Lochan pode aguentar ser tão controlado e sensato, até que noto a mancha úmida de suor nas costas da camisa, o tremor crescente nas mãos. Sinto vontade de ir até lá e segurá-las, dizer que tudo vai ficar bem. Só que não sei se isso é verdade.

O diretor, um sujeito corpulento e grisalho, chega na mesma hora que a Srta. Pierce, a professora de Willa. Ficamos sabendo que ela esperou mais de meia hora com as crianças, até que uma senhora, uma certa Sandra não sei das quantas, apareceu com instruções para pegá-las, conforme disse.

— Mas a senhora perguntou o sobrenome dela, não? – Lochan está dizendo pela segunda vez.

— Naturalmente nós temos um registro dos pais, guardiães ou babás de cada criança. Mas a única informação de contato que já nos deram para Tiffin e Willa foi o nome da mãe e um telefone domiciliar – explica a Srta. Pierce, uma jovem com o rosto vermelho e contraído numa careta azeda. – E, apesar de todas as nossas tentativas, não conseguimos entrar em contato com ela. Então essa senhora chegou, dizendo que era amiga da família e que haviam lhe pedido para buscar as crianças, e nós não tínhamos nenhum motivo para duvidar dela.

Vejo as mãos de Lochan se fecharem em punhos às suas costas.

— Mas a senhora tem a obrigação de verificar com quem as crianças vão para casa! – Ele está começando a perder a paciência; as rachaduras começam a aparecer.

— Eu diria que os pais é que têm a obrigação de buscar os filhos dentro do horário – rebate a Srta. Pierce, irritada, e, de repente, sinto vontade de agarrar sua cabeça, bater com ela na de Loura Oxigenada e gritar: *Vocês não se dão conta de que enquanto estão aí, bancando as santinhas e empurrando a culpa feito uma batata quente, um pedófilo pode estar fugindo com os meus irmãozinhos?*

— Onde é que estão os pais nisso tudo? – interrompe o diretor. – Por que só os irmãos estão aqui?

Sinto a respiração travar na garganta.

— Nossa mãe está doente no momento – informa Lochan, e assim que solta a frase bem ensaiada percebo o quanto está se esforçando para manter a voz calma.

— Doente demais para vir a uma escola que fica a um pulo da sua casa e descobrir o que aconteceu com os próprios filhos? – pergunta a Srta. Pierce.

Silêncio. Lochan encara a professora, os ombros subindo e descendo rapidamente. *Não reaja,* imploro a ele em silêncio, pressionando os lábios com os nós dos dedos.

— Bem, acho que podemos alertar as autoridades – diz o diretor, por fim. – Tenho certeza de que é um alarme falso, mas, obviamente, precisamos tomar todas as precauções.

Lochan está começando a dar para trás, puxando os cabelos num gesto característico de extrema angústia.

— Certo. Sim, claro. Mas será que pode nos dar um minuto?

44

Ele se afasta da porta do escritório e corre até mim.

— Maya, eles querem chamar a polícia... — Sua voz está trêmula, o rosto reluzente de suor. — Eles vão bater lá em casa. Mamãe... vai ter que ser envolvida... Ela está sóbria?

— Não sei. De ressaca, com certeza!

— Talvez... talvez eu devesse ficar aqui e esperar a polícia, enquanto você volta e tenta dar um jeito nela. Esconde as garrafas, abre todas as janelas. — Ele está apertando meus braços com tanta força que chega a doer. — Faz o que for possível para se livrar do cheiro. Diz a ela para chorar, ou... qualquer coisa que faça com que pareça histérica, e não...

— Lochan, eu já entendi. Pode deixar. Vai lá e liga para a polícia. Pode deixar que eles nunca vão saber que...

— Eles vão levar as crianças e nos separar... — A voz dele falha.

— Não vão, não. Lochie, liga para a polícia... isso é mais importante!

Afastando-se, ele leva as mãos ao nariz e à boca, os olhos imensos, e balança a cabeça para mim. Jamais o vi com um ar tão apavorado. Então ele se vira, volta a atravessar o corredor e entra no escritório.

Desabalo numa corrida em direção às pesadas portas duplas no fim do corredor. O piso de vinil preto e branco desaparece ritmicamente debaixo de meus pés. As cores vistosas nas paredes parecem dançar... O grito súbito às minhas costas me dilacera como uma bala no peito.

— Eles encontraram o número de Sandra!

Com uma mão na porta, paro. O rosto de Lochan brilha de alívio.

Quando eles finalmente atravessam as portas da escola depois de mais uma torturante espera de dez minutos, Tiffin está soprando bolas cor-de-rosa, a boca cheia de chiclete, e Willa brande um pirulito:

— Olha só o que eu ganhei!

Dou um abraço tão apertado em Willa que posso sentir seu coração batendo contra o meu. Seus cabelos com cheirinho de xampu de limão estão no meu rosto, e tudo que posso fazer é abraçá-la, beijá-la e tentar mantê-la em meus braços. Lochan está com um braço em volta de Tiffin, que se contorce, aos risos, tentando se libertar.

Está claro que nenhum dos dois faz a menor ideia de que algo errado aconteceu, por isso me controlo para não chorar. Sandra não é ninguém mais sinistro do que uma senhora de meia-idade, babá de um dos meninos da outra turma. Segundo ela, Lily Whitely telefonou pouco depois das quatro, explicando que estava doente demais para sair de casa e perguntando se podia lhe fazer o favor de ir buscar as crianças. Sandra teve a bondade de voltar à escola, pegar Willa e Tiffin e tentar deixá-los em casa. Mas, como ninguém atendeu quando tocou a campainha, enfiou um bilhete por baixo da porta e os levou para a casa de Callum, o menino de quem cuida, aguardando o telefonema de Lily.

Enquanto atravessamos o pátio, seguro as mãos de Tiffin e Willa com força, tentando ao máximo participar do ti-ti-ti dos dois sobre o inesperado "passeio". Ouço Lochan agradecendo a Sandra e vejo-o anotar o número de seu celular, dizendo a ela para lhe ligar caso Lily volte a pedir algum "favor" desse tipo. Assim que saímos da escola, Tiffin tenta se soltar da minha mão, procurando por algo na sarjeta para chutar e driblar pela rua afora. Prometo jogar Batalha Naval com ele durante meia hora se segurar minha mão até em casa. Para minha surpresa, ele concorda, pulando para cima e para baixo feito um ioiô na ponta do meu braço, ameaçando deslocá-lo, mas não me importo. Desde que ele continue segurando minha mão, não dou a mínima.

Seguimos Lochan até em casa. Ele vai avançando à nossa frente, em passos largos, e algo me impede de tentar alcançá-lo. Tiffin e Willa parecem não se incomodar: ainda estão contando mil histórias sobre o novo Playstation com que jogaram. Começo a fazer um discurso sobre os perigos de se confiar em estranhos, mas então fico sabendo que eles já foram pegos na escola pela babá de Callum várias vezes.

Assim que chegamos, Tiffin e Willa veem mamãe, ainda meio desmaiada no sofá. Dando gritinhos, correm até ela, encantados por encontrá-la em casa, para variar, e começam a contar suas histórias de novo. Mamãe descobre o rosto, senta e ri, abraçando-os com força.

— Meus coelhinhos — diz. — Vocês se divertiram? Senti saudades o dia inteiro, sabiam?

Fico parada na porta, o contorno afiado do batente machucando o ombro, vendo essa pequena cena se desenrolar em silêncio. Tiffin está exibindo seus dotes de malabarista com velhas bolas de tênis, e Willa tenta convencer mamãe a jogar uma partida de Adivinha Quem?. Demoro um momento para me dar conta de que Lochan foi para o quarto assim que entramos. Então me afasto da porta da sala, totalmente exausta, e subo a escada devagar. Para meu alívio, a música a todo o volume no sótão indica que pelo menos a terceira criança chegou em casa sem maiores contratempos. Entro no quarto, tiro o blazer e a gravata, descalço os sapatos e despenco na cama, esgotada.

Devo ter pegado no sono, porque quando escuto Tiffin gritando *Jantar!*, sento na cama com um sobressalto e descubro uma luz azulada enchendo o quarto. Tirando o cabelo dos olhos, desço a escada, sonolenta.

A atmosfera na cozinha é totalmente destoante. Mamãe se metamorfoseou em borboleta: saia vaporosa, blusa com mangas sino, estampas e cores vibrantes. Ela tomou banho e lavou o cabelo, pelo visto já tendo se recuperado da intoxicação alimentar. A maquiagem pesada a entrega; obviamente, não vai ficar em casa para assistir à novela. Ela preparou sei lá que prato com feijão e salsichas que Kit está remexendo com o garfo, um ar de pouco caso. Tiffin e Willa sentam lado a lado, balançando as pernas e tentando acertar chutes um no outro por baixo da mesa, as bocas exibindo reveladoras manchas de chocolate, ignorando a asquerosa mistura que lhes foi servida.

— Isso não é comida. — Com a cabeça apoiada na mão, Kit olha de cara feia para o prato, remexendo os pedaços de salsicha de um lado para o outro. — Posso sair?

— Cala a boca e come — rebate Lochan com uma rispidez atípica, procurando copos no armário. Kit está prestes a responder, mas então parece mudar de ideia e volta a cutucar a comida. O tom de Lochan sugere que não é hora para discussões.

— Bem, podem começar, meninos — diz mamãe, com um risinho nervoso. — Sei que não sou a melhor cozinheira do mundo, mas posso garantir a vocês que o gosto é muito melhor do que a aparência.

Kit solta um bufo, resmungando algo inaudível. Willa espeta um único caroço de feijão com um dente do garfo e, sem a menor vontade, o leva à boca, dando uma cautelosa lambida nele. Com ar de mártir, Tiffin leva uma garfada de salsichas à boca e então faz uma careta, os olhos se enchendo de lágrimas, prestes a vomitar ou cuspir a comida. Eu me apresso a levar a jarra d'água e encher os copos. Finalmente Lochan senta. Está cheirando a escola e suor, os cabelos negros despenteados num contraste gritante com o rosto pálido. Noto os músculos retesados do queixo, o olhar de fúria, e sinto a tensão irradiar do seu corpo como se estivesse incandescente.

— Vai sair de novo agora de noite, mãe? — pergunta Willa, dando mordidinhas minúsculas num pedaço de salsicha.

— Não, não vai — diz Lochan em voz baixa, sem levantar os olhos. Por baixo da mesa, dou uma cutucada no seu pé em advertência.

Mamãe se vira para ele, surpresa.

— Davey vem me buscar às sete — protesta. — Mas não tem problema, coelhinhos. Eu ponho vocês na cama antes de sair.

— Deixa pra lá — resmunga Tiffin, irritado.

— Sete horas é muito cedo pra ir dormir — comenta Willa, com um suspiro, apunhalando outro caroço de feijão.

— Você não vai sair outra vez hoje — murmura Lochan para ela.

Segue-se um silêncio perplexo.

— Não te disse que ele se sente o dono do pedaço? — Kit levanta o rosto do prato, adorando a chance de meter sua colher torta. — Você vai deixar que ele te dê ordens desse jeito, mãe?

Lanço um olhar de advertência para Kit, balançando a cabeça. Seu rosto volta a ficar sombrio na mesma hora.

— Qual é? Não posso mais nem falar agora?

— Ah, eu não vou chegar tarde... — diz mamãe com um sorriso benigno.

— Você não vai sair! — berra Lochan de repente, dando um tapa violento na mesa. A louça chega a trepidar, e todos se assustam. Sinto uma dor de cabeça nervosa já conhecida começar a espremer minhas têmporas.

Mamãe leva a mão ao pescoço e solta uma exclamação de surpresa, uma espécie de riso estridente.

— Ah, ouve só o grande homem da casa, dizendo à mãezinha dele o que fazer!

— Por aí você imagina o que a gente aguenta — murmura Kit.

Lochan atira o garfo no prato, o rosto vermelho, os tendões salientes no pescoço.

— Duas horas atrás você estava com uma ressaca tão violenta que nem tinha condições de dar um pulo na escola para pegar seus próprios filhos, e não conseguiu lembrar nem que tinha pedido a outra pessoa para fazer isso!

Mamãe arregala os olhos.

— Mas meu bem, você não fica feliz por saber que eu já estou me sentindo muito melhor?

— Isso não vai durar se você sair para passar mais uma noite enchendo a cara! – grita Lochan, agarrando a beira da mesa com ambas as mãos, os nós dos dedos brancos. – Nós quase tivemos que chamar a polícia hoje. Ninguém fazia a menor ideia de onde as crianças estavam. Qualquer coisa podia ter acontecido com elas, e você estaria chumbada demais para notar!

— Lochie! – A voz de mamãe está trêmula como a de uma garotinha. – Eu tive intoxicação alimentar. Não conseguia parar de vomitar. Não quis incomodar você e Maya na escola. O que mais eu podia fazer?

— Intoxicação alimentar é o cacete! – Lochan se levanta com tanta violência que derruba a cadeira com estrondo nos ladrilhos. – Quando é que você vai cair na real e reconhecer que tem um problema com a bebida?

— Ah, *eu* é que tenho um problema! – Mamãe abre os olhos bruscamente, deixando de lado o papel de garotinha. – Eu não sou uma mãe convencional. Tudo bem, pode me processar! Levei uma vida muito dura! E agora, que finalmente conheci um cara maravilhoso, quero sair e me divertir um pouco! Sim, me divertir, uma coisa que você devia experimentar fazer, Lochan, em vez de passar a vida com a cara enfiada num livro como o seu pai. Onde é que estão os *seus* amigos, hein? Quando é que você sai, ou pelo menos traz alguém para casa?

Kit se recostou na cadeira, assistindo à cena com enorme prazer.

— Mãe, por favor, não... – Estendo a mão, mas ela a afasta com um safanão. Sinto seu bafo de bebida; nesse estado, ela é capaz de dizer qualquer coisa, de fazer qualquer coisa. Ainda mais agora que Lochan disse o indizível.

Lochan está petrificado, uma das mãos agarrando o armário para se apoiar. Tiffin está com as mãos nos ouvidos e Willa olha de um rosto para o outro, os olhos arregalados e atentos.

— Vem, gente. – Levanto e puxo-os comigo para o corredor. – Vão para o quarto brincar um pouquinho. Eu levo uns sanduíches para vocês em um minuto.

Willa sobe as escadas como se fugisse, assustada, Tiffin indo atrás dela, de cara amarrada.

— A gente devia ter ficado na casa do Callum – ouço-o murmurar, e suas palavras fazem minha garganta doer.

Sem escolha a não ser voltar para a cozinha numa tentativa de reduzir os danos, encontro mamãe ainda aos gritos, os olhos franzidos sob as pálpebras pesadas.

— E não fica olhando para mim com essa cara não, porque você sabe muito bem do que eu estou falando. Você nunca teve uma namorada nem conseguiu fazer um único amigo, pelo amor de Deus! De que adianta ser um dos melhores da turma, quando a escola vive me dizendo que você precisa ir a um psicólogo porque é tão tímido que não consegue falar com ninguém? O único aqui que tem um *problema* é você!

Lochan não se moveu: está olhando para ela com uma expressão do mais puro horror. Sua falta de reação só serve para jogar mais lenha na fogueira, e ela começa a tentar justificar sua explosão deixando a raiva correr solta.

— Você é igualzinho a ele em tudo, achando que é melhor do que todo mundo, com essas palavras difíceis e notas altas. Você não tem absolutamente nenhum respeito pela sua própria mãe! — grita ela, o rosto contraído de fúria. — Como se atreve a falar comigo desse jeito na frente dos meus filhos!

Fico na sua frente e tento arrastá-la da cozinha.

— Sai com o Dave — imploro. — Vai se encontrar com ele mais cedo. Faz uma surpresa para ele! Vai, mãe, vai nessa.

— Você sempre fica do lado dele!

— Não estou do lado de ninguém, mãe. Só acho que você está começando a ficar muito nervosa, o que não é uma boa ideia, considerando que você não tem passado bem ultimamente. — Consigo empurrá-la até o corredor. Ela pega a bolsa, mas não sem uma última farpa atirada para trás: — Lochan, você pode me acusar de não ser uma mãe normal no dia em que começar a se comportar como um adolescente normal!

Empurro-a pela porta afora, e tenho que fazer um grande esforço para não batê-la com força às suas costas. Em vez disso, eu me encosto à porta, com medo de que ela a destranque e volte a entrar. Fecho os olhos por um momento. Quando torno a abri-los, noto uma figura sentada no alto da escada.

— Tiffin, você não tem que fazer o dever de casa?

— Ela disse que ia botar a gente pra dormir. — Sua voz está ligeiramente trêmula.

— Eu sei — me apresso a dizer. — E ela ia mesmo fazer isso. Mas eu disse que eu mesma faria, porque ela já estava ficando atrasada...

— Não quero que você faça, quero a mamãe! — grita Tiffin e, levantando bruscamente, corre para o quarto, batendo a porta.

De volta à cozinha, encontro Kit com os pés em cima da mesa, se sacudindo de risos silenciosos.

— Eta familiazinha complicada!

— Vai lá para cima. Você não está ajudando — digo a ele em voz baixa.

Ele abre a boca para protestar, mas então se levanta, furioso, a cadeira arranhando os ladrilhos. Pegando o dinheiro para o lanche de Tiffin e Willa na mesa do corredor, ele se dirige à porta da rua.

— Aonde é que você vai? — grito às suas costas.

— Comprar alguma porcaria pra comer!

Lochan está andando de um lado para o outro na cozinha. Parece desorientado, confuso. Seu rosto está vincado por sulcos vermelhos que dão à sua pele um estranho aspecto de carne viva.

— Desculpe. Eu não devia ter começado… — Sua voz treme como se o corpo fosse sacudido. Tento tocar no seu braço mas ele se afasta, como se tivesse levado uma ferroada. Sua dor é quase palpável: a mágoa, o ressentimento, a fúria, tudo enchendo a pequena cozinha.

— Lochie, você tinha todo o direito de perder a cabeça. O que mamãe fez hoje foi imperdoável. Mas ouve… — Fico na sua frente e tento tocá-lo novamente. — Lochie, *me ouve*. Aquelas coisas que ela disse foram só o jeito que encontrou de revidar. Você falou no vício dela e ela não consegue enfrentar a verdade. Por isso, tentou encontrar a coisa mais contundente para atirar na sua cara…

— Ela estava falando sério, quis dizer cada palavra. — Ele puxa os cabelos, esfrega o rosto. — E ela tem razão. Eu não sou… não sou normal. Tem alguma coisa errada comigo, e…

— Lochie, não se preocupe com isso agora, OK? É uma coisa em que você pode trabalhar, uma coisa que vai melhorar com o tempo!

Afastando-se de mim, ele continua a andar de um lado para o outro, como se o movimento contínuo fosse impedi-lo de perder o controle.

— Mas ela se sente como o Kit. Ela se… se… — Ele não tem coragem de pronunciar a palavra. — … envergonha — sussurra finalmente.

— Lochie, para um minuto. Olha para mim.

Seguro-o pelos braços e o imobilizo. Posso senti-lo tremendo sob minhas mãos.

– Está tudo bem. As crianças estão bem e isso é tudo que importa. Não dê ouvidos a ela. Nunca, jamais dê ouvidos a ela. Ela é só uma quarentona amargurada, que nunca amadureceu. Mas ela não se *envergonha* de você. Ninguém se envergonha de você, Lochie. Por Deus, como alguém poderia…! Todos nós sabemos que sem você essa família desmoronaria.

Ele abaixa a cabeça, derrotado. Posso sentir os músculos contraídos nos ombros sob meus dedos.

– Já *está* desmoronando.

Dou uma leve sacudida nele, desesperada.

– Não está não, Lochan. Willa e Tiffin estão bem. Eu estou bem! Kit é o típico adolescente complicado. Nós estamos todos juntos, todos esses anos desde que papai foi embora, desde que o problema de mamãe começou. Nós não fomos mandados para uma instituição, e isso totalmente graças a você.

Há um longo silêncio. Tudo que posso ver é o alto da cabeça de Lochan. Ele se inclina ligeiramente para mim. Passo os braços pelo seu pescoço e o aperto com força. Agora sussurrando, digo:

– Você não é só meu irmão, você é meu melhor amigo.

LOCHAN

Não paro de repetir essa frase mentalmente uma vez atrás da outra durante os dias que se seguem. É uma maneira de apagar todo o resto – o incidente horrível com Tiffin e Willa, a briga com nossa mãe, o inferno constante na escola. Toda vez que me recuso a responder a uma pergunta na sala de aula, cada momento que passo sozinho debruçado sobre um livro é um lembrete do que minha família pensa de mim. Um cara ridículo. Um esquisitão antissocial. Um filho adolescente que não consegue nem arranjar um amigo, que dirá uma namorada. Mas eu tento, tento sim: pequenas coisas, como perguntar as horas ao colega do lado. E aí ele tem que se curvar para a minha carteira e me pedir para repetir a pergunta. Nem eu consigo ouvir o som da minha própria voz. Ainda não entendo isso totalmente; eu consegui conversar com os funcionários da escola na tarde em que Tiffin e Willa desapareceram. Mas aquilo foi uma emergência, e o horror da situação sobrepujou todas as inibições. Conversar com adultos é suportável; falar com gente da minha idade é que é impossível. Por isso não paro de lembrar as palavras de Maya. Talvez haja alguém que não se envergonhe de mim, afinal. Talvez haja *mesmo* um membro da família com quem eu não falhei totalmente.

Mas o vazio se escancara como uma caverna dentro do meu peito. Sinto uma solidão terrível o tempo todo. Mesmo estando cercado por outros alunos, há uma tela invisível entre nós, e por trás da parede de vidro estou gritando – gritando em meu próprio silêncio, gritando para que me notem, que sejam meus amigos, que gostem de mim. E ainda assim, quando alguma menina simpática da aula de matemática se aproxima na cantina e pergunta se pode sentar ao meu lado, eu só balanço a cabeça depressa e me viro, torcendo para que ela não tente puxar conversa. E em casa também é raro ficar sozinho. A casa nunca está em silêncio – mas Kit ainda está naquela fase de bad boy, Tiffin só se interessa pelo Gameboy e os companheiros de pelada, e Willa é meiga, mas apenas uma criança. Eu brinco de twister e esconde-esconde com os menores, ajudo-os com o dever de casa, dou comida, dou banho, leio boas histórias na hora de dormir, o tempo todo tendo que manter o astral por causa deles, usar aquela droga de máscara, e às vezes sinto medo de que ela comece a rachar. Só com Maya posso realmente ser eu mesmo. Nós carregamos esse fardo juntos e ela está sempre do meu lado, sempre ao meu lado. Não quero precisar dela, depender dela, mas preciso e dependo, não resta a menor dúvida.

No recreio, sento no lugar de sempre durante a tarde cansada, vendo a luz fria pouco a pouco se mover ao longo da escada deserta, quando passos vindos de cima me assustam. Cravo os olhos no livro. Às minhas costas, os passos diminuem e eu sinto o pulso acelerar. Alguém passa por mim na escada. Sinto uma perna roçar a manga da minha camisa e me concentro na página de letras borradas à minha frente. Para meu horror, poucos degraus abaixo, os passos cessam de todo.

– Oi! – exclama a voz de uma menina.

Estremeço. Me obrigo a levantar a cabeça. Encontro os olhos castanhos de alguém que vagamente reconheço. Demoro vários segundos para identificá-la. É a menina que está sempre em companhia de Maya. Nem consigo me lembrar do seu nome. E ela está olhando para mim com um sorriso de mil e um dentes.

– Oi – repete.

Pigarreio.

– Oi – murmuro.

Nem sei se ela está me ouvindo. Seus olhos estão fixos em mim, e ela parece esperar mais alguma coisa.

– *As Horas* – comenta, dando uma olhada no meu livro. – Não tem um filme com esse nome?

Faço que sim com a cabeça.

– É bom? – A determinação dela de puxar conversa é impressionante. Faço que sim novamente e volto a ler. – Meu nome é Francie – informa, ainda com um largo sorriso.

— Lochan — respondo.

Ela levanta as sobrancelhas, sugestiva.

— Eu sei.

Sinto meus dedos moldando reentrâncias nervosas nas páginas do livro.

— Maya fala de você o tempo todo.

Não há nada de sutil nessa menina. Os cabelos crespos e a pele morena contrastam com o batom vermelho-sangue, e ela usa uma minissaia obscena de tão minúscula e umas argolas prateadas enormes.

— Você sabe quem eu sou, não sabe? Já me viu com a sua irmã?

Outro aceno, as palavras se evaporando assim que chegam à garganta. Começo a morder o lábio.

Francie olha para mim, pensativa, com um sorrisinho.

— Você não é de falar muito, né?

Meu rosto começa a arder. Se ela não fosse amiga de Maya, a essa altura eu já a teria deixado falando sozinha há muito tempo. Mas Francie parece estar mais curiosa do que achando graça.

— As pessoas dizem que eu nunca paro de falar — continua, despreocupada. — Acham isso um saco.

Saco é apelido.

— Tenho um recado para você — declara ela de repente. — Da sua irmã.

Começo a ficar tenso.

— Q-que recado?

— Não é nada sério — ela se apressa a dizer. — É só que a sua mãe vai levar seus três irmãos menores ao McDonald's hoje à noite, por isso não precisa voltar correndo para casa. Maya quer que você se encontre com ela perto da caixa de correio no fim da rua depois da aula.

— M-Maya pediu a você para v-vir até aqui me dizer isso? — pergunto, esperando que ela ria ao me ouvir gaguejar.

— Bom, não exatamente. Ela estava tentando te mandar um torpedo, mas aí ficou sem tempo porque teve que terminar um trabalho, e eu achei que podia vir eu mesma dar o recado.

— Valeu — murmuro.

— E... eu também queria te convidar para tomar uma Coca comigo e Maya no Smileys, já que, para variar, vocês dois não têm que voltar correndo para casa.

Fico olhando para ela, mudo.

— Isso é um sim? — Ela me dá um olhar esperançoso.

Tenho um branco total. Não consigo pensar numa única desculpa, por mais que tente.

— Hum… tá, tudo bem.

— Legal! — Seu rosto se ilumina. — Te vejo perto da caixa de correio depois da aula!

E vai embora tão rápido quanto chegou.

Quando toca a última campainha, arrumo a mochila com as mãos trêmulas; sou o último a sair da sala de aula. Corro para o banheiro e me tranco num cubículo. Sentado no tampo do vaso depois de urinar, tento me recompor. Ao sair, paro diante dos espelhos. Na luz da tarde o rosto pálido que me olha tem os olhos verdes cintilantes de alguma criatura alienígena. Eu me debruço sobre a pia, encho as mãos em concha de água gelada e as levo ao rosto, afundando as faces nas poças rasas. Tenho vontade de me esconder ali para sempre, mas entra alguém empurrando a porta com força e não tenho escolha senão sair.

Maya e Francie estão paradas perto da caixa de correio no fim da rua, falando pelos cotovelos, seus olhos observando a multidão de passantes. Preciso de toda a força de vontade do mundo para me impedir de dar meia-volta, mas a expressão de expectativa no rosto de Maya me força a seguir em frente. Um sorriso de alegria se abre em seu rosto quando ela me vê.

— Pensei que você ia dar um bolo na gente! — sussurra.

Sorrio de novo, fazendo que sim, as palavras correndo pela minha cabeça como um jorro de bolhas efervescentes.

— Vamos lá, gente! — exclama Francie depois de um momento de silêncio constrangido. — Vamos ao Smileys ou não?

— Claro — diz Maya, e ao se virar para seguir a amiga, sua mão roça a minha num gesto de incentivo… ou talvez de agradecimento.

Felizmente, dessa vez o Smileys ainda está vazio. Sentamos a uma mesinha redonda perto da vitrine e eu me escondo atrás do menu, minha língua esfregando a pele áspera abaixo do lábio.

— Vocês querem comer alguma coisa? — pergunta Francie.

Maya dá uma olhada em mim e eu balanço a cabeça sutilmente.

— Que tal a gente rachar um pão de alho? — sugere Francie. — Estou louca para tomar uma Coca!

Maya se inclina no assento para tentar chamar a atenção do garçom, e Francie se vira para mim.

— E aí, está ansioso para dar o fora da Belmont?

Coloco o menu na mesa, concordando, com um sorriso forçado.

— Você é que tem sorte — continua Francie. — Só mais nove meses, e vai ficar livre desse inferno.

Maya termina de fazer o pedido e volta à conversa unilateral, que até Francie está tendo que se esforçar para manter.

— Lochan vai para a University College — anuncia, orgulhosa.

— Hum, não, eu... ainda vou me candidatar.

— Ah, são favas contadas.

— Nossa, você deve ser muito inteligente! — exclama Francie.

— E é mesmo — concorda Maya. — Os professores acham que ele vai tirar a nota máxima em todas as provas do A-Level.

— Caramba!

Estremeço e olho nos olhos de Maya, implorando para que mude de assunto. Quero discordar, dizer que não estou com essa bola toda, mas sinto o rosto ficando vermelho e as palavras evaporando da cabeça no momento em que consigo formá-las.

Maya me dá uma cotoveladinha.

— Francie também não é nenhuma boba — diz. — Aliás, ela é a única pessoa que conheço que consegue encostar a língua na ponta do nariz.

Todos rimos. Volto a respirar.

— Você acha que é brincadeira? — Francie me desafia.

— Não...

— Ele só está sendo educado... — Maya informa a ela. — Acho que vai precisar de uma prova.

Francie não se faz de rogada. Ela se endireita, estende a língua ao máximo, curva-a para cima e a encosta na ponta do nariz. Um olhar vesgo completa o visual.

Maya cai na gargalhada, se apoiando em mim, e eu me pego rindo também. Até que Francie é legal. Desde que isso não dure muito, acho que vou sobreviver.

De repente, há uma movimentação na porta. Francie se vira na cadeira e eu identifico um grupo de alunos da Belmont pelo uniforme.

— Ei, pessoal! – grita Francie. – Aqui!

Eles avançam fazendo o maior auê, e com a visão borrada reconheço duas meninas da turma de Maya, um menino de uma turma da série acima e Rafi, o cara da aula de inglês. Eles trocam cumprimentos e tapas nas costas, juntam duas mesas e puxam mais cadeiras.

— Whitely! – exclama Rafi, espantado. – Que diabos está fazendo aqui?

— É que, hum, minha irmã...

— Ele está com a gente! – exclama Francie. – Isso é algum crime? Ele é irmão da Maya, você não sabia?

— Sabia, só não achava que o encontraria num lugar desses! – Não há qualquer maldade no riso de Rafi, apenas surpresa sincera, mas agora todo mundo está olhando para mim e as outras duas meninas estão cochichando.

Maya faz as apresentações, mas embora eu possa ouvir as vozes, não consigo mais compreender o que é dito. Emma, que tem feito o possível e o impossível para esbarrar em mim desde o começo do ano, está determinada a conversar comigo. A súbita intrusão dessas pessoas no momento em que eu começava a relaxar, combinada com o fato de que todos me conhecem como o esquisitão da turma, de repente é demais para mim, e eu me sinto encurralado como num pesadelo claustrofóbico. Suas palavras são como martelos batendo no meu crânio. Acabo por me render à correnteza e sinto que começo a me afogar. Suas bocas se movem debaixo d'água, se abrindo e fechando, leio os pontos de interrogações nos seus rostos – a maioria de suas perguntas é dirigida a mim –, mas o pânico fez com que meus sentidos se desligassem. Não consigo mais distinguir uma frase da outra: tudo se transformou num cobertor de barulho. Abruptamente empurro a cadeira e me levanto, pegando a mochila e o blazer. Murmuro que esqueci o celular na escola, levanto a mão em despedida e avanço para a porta.

Percorro uma rua, depois outra. Nem sei ao certo para onde estou indo. De repente, me sinto à beira das lágrimas feito um idiota. Ponho o blazer em cima da mochila e penduro a alça no ombro, caminhando o mais depressa possível, o som do ar rascante nos pulmões, o trânsito abafado pelas marteladas frenéticas do coração. Escuto as pisadas de um par de tênis na calçada atrás de mim e por instinto abro caminho para o corredor passar, mas é Maya, que me segura pelo braço.

— Mais devagar, Lochie, por favor... eu estou com câimbra...

— Maya, que diabos você está fazendo? Volta para os seus amigos.

Ela segura minha mão.

— Lochie, espera...

Paro e arranco a mão bruscamente, me afastando.

— Olha, agradeço pelo esforço, mas prefiro que você me deixe em paz, OK? — Minha voz começa a se elevar. — Eu não te pedi ajuda, pedi?

— Ei, ei! — Ela se aproxima, estendendo a mão. — Eu não estava tentando fazer nada, Loch. Foi tudo ideia da Francie. Só topei porque ela disse que você tinha concordado.

Passo as mãos pelos cabelos.

— Foi a pior ideia do mundo. Eu te fiz pagar o maior mico na frente dos seus amigos...

— Você está louco? — Ela ri, segurando minha mão e balançando meu braço, e nós dois voltamos a caminhar. — Estou dando graças a Deus por você ter vindo embora! Me deu uma desculpa para sair também.

Dou uma olhada no relógio, relaxando um pouco.

— Pois é, já que para variar mamãe está cuidando das crianças, a gente tem a tarde inteira livre. — Arqueio a sobrancelha, jogando verde.

Maya joga os cabelos para trás e um sorriso ilumina seu rosto, seus olhos se arregalando de animação.

— Ahhh, estava pensando em fugir do país?

Abro um sorriso.

— Que tentação... Mas de repente alguma coisa mais simples, tipo pegar um cineminha, que tal?

Ela inclina o rosto para o céu.

— Mas com esse sol? O verão ainda não acabou!

— Tudo bem então, você escolhe.

— Vamos caminhar — diz ela.

— Caminhar?

— É. Vamos pegar um ônibus para Chelsea Harbour. Dar uma olhada nas casas dos ricos e famosos e passear à beira do rio.

MAYA

Enquanto caminhamos por Chelsea Embankment, enfio o blazer e a gravata na mochila, a brisa quente da noite soprando a saia contra as coxas nuas. O sol está começando a ficar laranja, salpicando gotas de ouro na superfície escamada da água, musculosa como o dorso de uma serpente. Essa é a minha hora preferida do dia, em que a tarde mal acabou, sem que a noite já tenha começado; as lânguidas horas de sol se prolongando à nossa frente antes de se dissolverem entre as sombras do poente. Bem acima de nós as pontes estão cheias de trânsito congestionado – caminhões superlotados, carros impacientes e ciclistas irresponsáveis, homens e mulheres suando em seus ternos, loucos para chegar em casa, barcas e rebocadores passando abaixo. O cascalho range sob nossos pés enquanto atravessamos os vastos espaços desertos entre os prédios comerciais com suas fachadas de vidro, passando pelos condomínios luxuosos que se erguem em direção ao céu. O sol está tão forte que o mundo parece um lençol de luz, uma brancura imóvel. Jogo minha mochila para Lochan, começo a correr, pular e saltitar, até que resolvo virar uma cambalhota do tipo *estrela* e me jogo no chão com os braços estendidos, o cascalho áspero sob as palmas das mãos. O sol desaparece por um momento e mergulhamos em frias sombras azuis ao passarmos por baixo da ponte, nossos passos subitamente ampliados, ecoando nos arcos estruturais, assustando um pombo que foge para o céu. Alguns passos à minha esquerda, mantendo uma distância segura das minhas palhaçadas, Lochan continua avançando a passos largos, mãos nos bolsos, mangas arregaçadas até os cotovelos. Uma tênue trama de veias é visível nas suas têmporas, e as olheiras lhe dão um ar atormentado.

Ele me observa por um momento com seu olhar verde intenso e dá um dos sorrisinhos de canto de boca que são a sua marca registrada. Sorrio e viro outra *estrela*, e Lochan aperta o passo para me acompanhar, parecendo achar uma certa graça. Mas, quando seu olhar se desvia, o sorriso se desfaz e ele volta a morder o lábio. Apesar de sua presença ao meu lado, sinto que há um espaço entre nós, uma distância indefinível. Embora seus olhos estejam em mim, sinto que ele não me enxerga totalmente, seus pensamentos em outra parte, inatingíveis. Perco o equilíbrio ao terminar de virar uma *estrela* e despenco em cima dele, quase aliviada por senti-lo concreto e vivo. Ele ri brevemente e me equilibra, mas logo volta a morder o lábio, os dentes esfolando a ferida. Quando éramos menores, bastava eu fazer alguma coisa boba para quebrar o encanto, tirá-lo do transe, mas agora é mais difícil. Sei que há coisas que ele não me diz. Coisas que ele tem na cabeça.

Quando chegamos às lojas, compramos uma pizza e duas latas de Coca numa lanchonete e nos dirigimos para Battersea Park. Dentro dos portões, vagamos até o coração do vasto espaço verde, nos afastando das árvores, nos alinhando com o sol, que agora se põe a oeste e começa a perder o brilho. Sentando com as pernas cruzadas no chão, examino um machucado na canela enquanto Lochan se ajoelha na grama, abrindo a caixa de pizza e me entregando uma fatia. Pego e estendo as pernas, levantando o queixo para sentir o sol no rosto.

— Isso é um milhão de vezes melhor do que ficar com aqueles idiotas da escola — digo a ele. — Foi uma atitude inteligente, sair como você fez.

Mastigando com força, ele me dá um olhar penetrante e percebo que está tentando ler meus pensamentos, procurando o motivo por trás das minhas palavras. Enfrento seus olhos de frente, e o canto de sua boca se curva quando do ele percebe que estou sendo cem por cento honesta.

Desisto de comer antes dele e me recosto sobre os cotovelos, observando-o. É óbvio que está morto de fome. Abro a boca para lhe dizer que está com ketchup no queixo, mas mudo de ideia. Meu sorriso, no entanto, não passa despercebido.

— Que foi? — pergunta ele com um risinho, engolindo o último pedaço e limpando as mãos na grama.

— Nada. — Tento sorrir, mas com aquele queixo listrado de vermelho, cabelos desgrenhados, camisa para fora da calça e punhos frouxos cobrindo as mãos, ele parece uma versão mais alta e morena de Tiffin no fim de um cansativo dia na escola.

— Por que está olhando para mim desse jeito? — insiste, me olhando com ar curioso, um pouco encabulado agora.

— Nada. Só estava pensando no que Francie diz de você.

Uma ponta de cautela aparece em seus olhos.

— Ah, esse papo de novo, não...

— Suas covinhas, segundo ela, são muito fofas. — Contenho um sorriso.

— Ha, ha. — Um sorrisinho e ele abaixa os olhos, puxando a grama, o rubor começando a se espalhar pelo pescoço.

— E você tem um olhar *avassalador*, seja lá o que isso queira dizer.

Uma careta constrangida.

— Sai pra lá, Maya. Você está inventando isso.

— Não estou, não. Estou te dizendo, ela fala mesmo essas coisas. Que mais...? Ah, sim: sua boca, segundo ela, é muito beijável.

Ele engasga, me dando um banho de Coca-Cola.

— Maya!

— Eu não estou brincando! Essas foram as palavras exatas dela!

Ele agora está ficando vermelho feito um pimentão, encarando com força a lata de Coca.

— Posso tomar esse restinho, ou você ainda está com sede?

— Para de tentar mudar de assunto — digo, rindo.

Ele me dá um olhar furioso e bebe o resto de Coca.

— Ela até contou que te viu pela porta aberta do vestiário masculino, e que você é muito...

Ele me dá um chute. Foi meio que brincando, mas doeu.

Fico confusa. Por trás do exterior brincalhão, de repente ele parece aborrecido. Parece que sem querer cruzei alguma linha invisível.

— Tudo bem. — Levanto as mãos, me rendendo. — Mas você pegou o espírito da coisa, não?

— Peguei, muito obrigado. — Dá outro sorriso irônico para mostrar que não está zangado, e então vira o rosto na direção da brisa. Segue-se um longo silêncio e fecho os olhos, sentindo os últimos raios do sol de verão no rosto. A tranquilidade é perturbadora. Gritos abafados nos chegam de um playground que parece estar a um milhão de quilômetros. Em algum lugar entre as árvores, um cachorro solta dois ganidos curtos e finos. Deito de bruços e apoio o queixo nas mãos. Lochan não percebeu que o estou observando, todos os vestígios de humor tendo se apagado totalmente do seu rosto. Com os cotovelos apoiados nos joelhos dobrados, ele contempla o parque e posso sentir sua mente trabalhando. Examinando seu rosto em busca de vestígios de aborrecimento, não encontro nenhum. Apenas tristeza.

— Você está bem?

— Estou. – Ele não se vira.

— Está mesmo?

Ele parece prestes a dizer alguma coisa, mas continua em silêncio. Em vez disso, começa a esfregar a ferida com as costas do polegar.

Sento e tiro a mão do seu rosto com delicadeza. Seus olhos pulam para os meus.

— Maya, eu não vou sair com a Francie.

— Eu sei. Tudo bem. Não tem problema – digo depressa. – Ela vai sobreviver.

— Por que você está tão interessada que a gente namore?

De repente, eu me sinto encabulada.

— Não sei. Acho que… eu pensei que se você saísse com uma amiga minha, pelo menos eu ainda te veria. Você não… As chances de você ir embora seriam menores.

Ele franze a testa, sem compreender.

— É que se você conhecer alguém ano que vem, na universidade… – Sinto uma dorzinha na garganta. Não consigo terminar a frase. – Quer dizer, é claro que eu quero que conheça, mas não que… Eu tenho medo…

Ele me olha fixamente.

— Maya, você deve saber que eu nunca te abandonaria, nem a você nem aos outros.

Forço um sorriso e abaixo os olhos, dando puxões nos talos de grama. *Mas um dia você vai fazer isso*, não posso deixar de pensar. *Um dia todos nós vamos nos afastar para criar nossas próprias famílias. Porque é assim que o mundo funciona.*

— Para ser franco, duvido que eu algum dia vá sair com alguém – diz Lochan em voz baixa.

Levanto os olhos, surpresa. Ele dá uma olhada em mim e então vira o rosto, um silêncio desconfortável caindo sobre nós.

Não posso deixar de sorrir.

— Isso é uma bobagem, Loch. Você é o cara mais bonito da Belmont. Todas as meninas na minha turma são apaixonadas por você.

Silêncio.

— Você está dizendo que é gay?

Os cantos de sua boca se curvam, achando graça.

— Se há uma coisa de que eu tenho certeza é que *não* sou!

Suspiro.

— Que pena. Sempre achei que seria legal ter um irmão gay.

Lochan ri.

— Não perca as esperanças. Ainda restam Kit e Tiffin.

— Kit? Tá legal! Corre um boato de que ele já tem uma namorada. Francie jura que o viu beijando uma menina da oitava série numa sala vazia.

— Vamos torcer para que ele não a engravide — comenta Lochan, ferino.

Sinto um arrepio e tento tirar a ideia da cabeça. Não quero nem pensar em Kit com uma menina. Ele só tem treze anos, pelo amor de Deus.

Suspiro.

— Eu nunca beijei ninguém... ao contrário da maioria das meninas na minha turma — confesso baixinho, passando os dedos pela grama alta.

Ele se vira para mim.

— E daí? — diz, com voz suave. — Você só tem dezesseis anos.

Fico puxando os talos de grama e faço beicinho.

— "Doce menina de dezesseis anos que nunca foi beijada"*... E você? Já...? — Mas me interrompo bruscamente, percebendo o absurdo da pergunta. Tento pensar em algum jeito de mudá-la, mas é tarde demais: Lochan já está cravando as unhas na terra, corando até a raiz dos cabelos.

— Até parece! — Dá um bufo desdenhoso, evitando meus olhos, concentrado no buraquinho que cava na terra. — Como se... como se isso fosse acontecer algum dia! — Com uma risada curta, dá uma olhada em mim como se me implorasse para imitá-lo, e por trás do constrangimento vejo a dor nos seus olhos.

Por instinto eu me aproximo, me contendo para não apertar sua mão, me odiando por ter feito aquela pergunta irrefletida.

— Loch, nem sempre vai ser assim — digo a ele com doçura. — Um dia...

---

* A expressão "*sweet sixteen and never been kissed*" exprime uma ideia de pureza e inocência — algo como "doce virgem" — , razão por que é frequentemente usada com sarcasmo.(N. da T.)

– É, *um* dia. – Ele sorri com naturalidade forçada, dando de ombros, desdenhoso. – Eu sei.

Um longo silêncio se prolonga entre nós. Olho para ele na luz difusa da tarde que se aproxima do fim.

– Você às vezes pensa nisso?

Ele hesita, o sangue ainda ardendo no rosto, e por um momento penso que não vai responder. Ele continua esburacando a terra, ainda evitando meus olhos.

– É claro. – Sua voz sai tão baixa que por um momento chego a achar que posso tê-la imaginado.

Cravo um olhar penetrante nele.

– Quem?

– Nunca houve ninguém especificamente... – Ele ainda se recusa a levantar os olhos, mas, embora se sinta cada vez mais constrangido, não tenta fugir da conversa. – Acho que em algum lugar deve existir... – Balança a cabeça, como se de repente percebesse que falou demais.

– Ih, eu também! – exclamo. – Às vezes nas minhas fantasias eu imagino um cara perfeito. Mas não acho que ele exista.

– Às vezes... – começa Lochan, mas se interrompe.

Fico esperando que ele continue.

– Às vezes... – incentivo-o, com voz suave.

– Eu gostaria que as coisas fossem diferentes. – Ele respira fundo. – Gostaria que não fosse tudo *tão* difícil.

– Eu sei – digo em voz baixa. – Eu também.

LOCHAN

O verão dá lugar ao outono. O ar fica mais seco, os dias mais curtos, nuvens cinzentas e uma chuvinha fina incessante se alternando com um céu azul frio e ventos cortantes. Willa perde o terceiro dente, Tiffin tenta cortar o próprio cabelo quando uma professora substituta o confunde com uma menina, Kit é suspenso durante três dias por fumar maconha. Mamãe começa a passar os dias de folga com Dave e, mesmo quando está trabalhando, geralmente fica no apartamento dele em cima do restaurante para não ter que tomar condução para o trabalho no dia seguinte. Nas poucas ocasiões em que está em casa, raramente fica sóbria por muito tempo, e Tiffin e Willa já desistiram de lhe pedir para brincar com eles ou pô-los para dormir. Muitas vezes tenho que levar as garrafas vazias até a lata de reciclagem depois que escurece.

O trimestre se arrasta. As obrigações são muitas, o tempo curto: os trabalhos continuam se acumulando, eu me esqueço de ir ao mercado, Tiffin precisa de uma calça nova, Willa precisa de sapatos novos, as contas a pagar vão se empilhando, mamãe perde de novo o talão de cheques. Como ela está se afastando cada vez mais da vida familiar, Maya e eu dividimos tacitamente as tarefas: ela limpa, ajuda com o dever de casa, põe as crianças para dormir; eu faço as compras, cozinho, separo as contas, busco Tiffin e Willa na escola. Uma coisa que nenhum de nós dois consegue, no entanto, é domar Kit. Ele agora começou a fumar na nossa frente, embora só tenha permissão para fazer isso na porta de casa ou na rua. Maya conversa calmamente com ele sobre os riscos para a saúde, e ele ri na cara dela. Tento dar uma dura nele e sou brindado com uma rajada de desaforos. Nos fins de semana ele sai com uma gangue de arruaceiros da escola: convenço mamãe a me dar dinheiro para comprar um celular usado para ele, mas ele se recusa a atender quando ligo. Imploro a ela que imponha um horário, mas ela raramente está em casa para cobrar isso de Kit, ou, quando está, acaba ficando na rua até mais tarde do que ele. Eu mesmo imponho um horário e ele imediatamente começa a ficar na rua até ainda mais tarde, como se voltar para casa no horário permitido fosse um sinal de fraqueza, de rendição. E então, o inevitável acontece: uma noite, ele não volta para casa.

Às duas da manhã, depois de ligar para ele várias vezes e cair na caixa postal, telefono para mamãe por puro desespero. Ela está em alguma boate – o barulho ao fundo é ensurdecedor: música, gritos, gargalhadas. Como já é de madrugada, sua voz está arrastada, e ela mal presta atenção ao fato de seu filho ter desaparecido. Rindo e se interrompendo de tantas em tantas palavras para falar com Dave, ela me informa que eu preciso aprender a relaxar, que Kit já é um homem e tem o direito de se divertir. Já estou prestes a observar que ele pode estar caído com a cara na sarjeta, quando de repente percebo que estou gastando saliva à toa. Com Dave ela pode fingir ser jovem novamente, livre de todas as responsabilidades e restrições da maternidade. Ela jamais quis amadurecer; ainda me lembro de nosso pai citando isso como um motivo para ir embora. Ele a acusou de ser uma mãe desnaturada, sendo que a única razão de os dois terem se casado foi ela ter engravidado acidentalmente de mim – um fato que adora jogar na minha cara sempre que temos uma discussão. E agora que só faltam alguns meses para eu ser legalmente considerado um adulto, ela se sente mais livre do que já se sentiu em anos. Dave também tem filhos menores de idade, e já deixou muito claro que não quer assumir os de outra pessoa. Então ela tem a esperteza de mantê-lo a distância, só o trazendo para casa quando todo mundo está dormindo ou na escola. Com Dave, ela se reinventou – uma jovem mulher vivendo um romance apaixonado. Ela se veste como uma adolescente, gasta todo o dinheiro em roupas e tratamentos estéticos, mente sobre a idade e bebe que é um horror – para esquecer a juventude e a beleza que ficaram no passado, para esquecer que Dave não tem a menor intenção de se casar com ela, para esquecer que, na realidade, ela é apenas uma divorciada de quarenta e cinco anos com um emprego sem futuro e cinco filhos indesejados. Ainda assim, compreender as razões do seu comportamento pouco ajuda a diminuir o ódio.

Agora já passa das duas, e estou começando a entrar em pânico. Sentado no sofá, numa posição estratégica para que a luz fraca da lâmpada nua caia diretamente sobre os livros, estou me esforçando há pelo menos três horas para ler minhas notas, as palavras rabiscadas sangrando umas nas outras, dançando na página. Maya veio me dar boa-noite há mais de uma hora, olheiras roxas, as sardas contrastando com a palidez da pele. Ainda estou de uniforme, os punhos eternamente manchados de tinta arregaçados, a camisa meio desabotoada. Do fundo do meu crânio, um raio metálico de dor perfura a têmpora direita. Mais uma vez dou uma olhada no relógio, e minhas entranhas se retorcem de medo e raiva. Olho para meu reflexo fantasmagórico na vidraça escurecida. Meus olhos doem, meu corpo todo lateja de estresse e exaustão. Não tenho a menor ideia do que fazer.

Parte de mim simplesmente quer apagar tudo isso – ir para a cama e apenas torcer para que Kit já tenha voltado quando eu acordar pela manhã. Mas outra parte é forçada a lembrar que ele é pouco mais que uma criança. Uma criança infeliz e autodestrutiva que se envolveu com as pessoas erradas porque elas lhe dão a companhia e a admiração que a família não dá. Ele pode ter se metido numa briga, pode ter tomado um pico de heroína, pode estar cometendo algum crime e desgraçando a vida antes mesmo de começar. Pior ainda, pode ter sido vítima de algum assaltante ou gangue rival – seu comportamento já começou a granjear uma reputação considerável na zona. Ele pode estar caído em algum lugar, sangrando de uma facada ou tiro. Ele pode me odiar, pode se revoltar comigo, pode me culpar por tudo que há de errado na sua vida, mas se eu desistir dele, ele não vai ter mais ninguém. Seu ódio por mim vai ter sido totalmente justificado. Mas o que posso fazer? Ele se recusa a compartilhar qualquer parte de sua vida comigo, por isso não conheço nenhum dos seus amigos, nem sei onde ele costuma bater ponto. E nem tenho uma bicicleta para sair atrás dele pelas ruas.

O relógio agora marca quinze para as três; um atraso de quase cinco horas em relação ao horário permitido nos fins de semana. Na verdade ele nunca chega antes das dez, mas raramente passa muito das onze. Que lugares por aqui estarão abertos a essa hora? As boates exigem a carteira de identidade; ele até tem uma falsa, mas nem um idiota o confundiria com um cara de dezoito anos. Ele nunca se atrasou tanto assim.

O medo serpenteia por minha mente e se enrodilha, seu corpo pressionando as paredes do crânio. Isso não é rebeldia: aconteceu alguma coisa. Kit está em perigo e sem ninguém para ajudá-lo. Estou trêmulo, molhado de suor. Não tenho escolha senão sair e andar pelas ruas, procurando algum bar aberto, uma boate, qualquer lugar. Mas primeiro preciso acordar Maya para que ela possa me ligar se Kit aparecer. Lembro na hora a exaustão estampada no seu rosto e a ideia de tirá-la da cama me horroriza, mas não tenho escolha.

Minha primeira batida à porta é suave demais – tenho medo de acordar os menores. Mas se Kit estiver ferido ou em perigo, não há tempo a perder. Giro a maçaneta e empurro a porta. A luz dos postes entra pela fresta das cortinas iluminando seu rosto adormecido, seu cabelo ruivo espalhado sobre o travesseiro. Ela chutou os lençóis para longe e está deitada de bruços, esparramada como uma estrela-do-mar, a calcinha totalmente exposta.

Eu me curvo e dou uma sacudida de leve nela.

— Maya?

— Hum… – Ela se afasta em protesto.

Tento novamente.

— Maya, sou eu, acorda.

— Hum? – Ela se vira de lado, se apoiando no cotovelo, olhando para mim com ar atordoado, piscando sob uma cortina de cabelos.

— Maya, preciso da sua ajuda. – As palavras saem mais altas do que pretendi, o pânico crescente apertando minha garganta.

— Que foi? – De repente ela está alerta, se esforçando para sentar, afastando os cabelos do rosto. Acende o abajur na mesa de cabeceira e franze os olhos para mim, estremecendo. – Que é que está havendo?

— É Kit. Ele não voltou para casa, e já são quase três horas da manhã. Acho… acho que eu devia ir procurar por ele. Acho que deve ter acontecido alguma coisa.

Ela fecha os olhos com força e então os abre de novo, como se tentasse organizar os pensamentos.

— Kit ainda não voltou para casa?

— Não!

— Você já ligou para o celular dele?

Conto de minhas tentativas frustradas de falar com Kit e mamãe. Maya levanta às pressas e me segue até o corredor, onde procuro pelas chaves.

— Mas Lochie, você tem alguma ideia de onde ele possa estar?

— Não, vou ter que procurar... — Reviro os bolsos do blazer e a pilha de folhetos publicitários e contas não abertas na mesinha do corredor, atirando-as ao ar. Minhas mãos começam a tremer.

— Droga, onde é que estão as minhas chaves?

— Lochie, você nunca vai encontrá-lo procurando nas ruas. Ele pode estar do outro lado de Londres!

Viro-me para ela.

— E que diabos você sugere que eu faça, então?

Chego a me assustar com a força de minha voz. Maya dá um passo para trás. Paro e respiro fundo, cobrindo a boca, e passo as mãos pelos cabelos.

— Desculpe, é que... eu não sei o que fazer. Mamãe não dizia coisa com coisa no telefone. Não consegui convencer aquela desgraçada nem a voltar para casa! — A palavra *desgraçada* me asfixia e mal tenho fôlego para concluir a frase.

— OK — diz Maya depressa. — OK, Lochie. Eu vou ficar na sala e esperar. E te ligo assim que ele aparecer. Você está com o celular?

Tateio os bolsos da calça.

— Não... merda... e minhas chaves...

— Aqui... — Maya alcança o blazer no cabideiro e tira o celular e as chaves do bolso. Pego-os e abro a porta. — Espera! — Ela me atira o blazer.

Eu o visto enquanto saio a passos largos para o ar frio da noite.

Está escuro, todas as casas dormem, menos algumas iluminadas pela instável luz azul das telas de tevê. O silêncio é fantasmagórico — dá para ouvir os caminhões descarregando a quilômetros de distância no acostamento da estrada. Caminho rapidamente até o fim da rua e viro na rua principal. O local está com um ar deserto, mal-assombrado, as portas de metal das lojas abaixadas sobre os interiores escuros. A xepa das barracas de feira ainda imundiça as calçadas, um bêbado sai cambaleando de um supermercado 24 horas e duas jovens em trajes exíguos caminham de braços dados em zigue-zague pela calçada, suas vozes estridentes se entrecruzando no silêncio da noite. De repente um carro, pulsando de música, acelera pela rua, por pouco não atingindo o bêbado, os pneus cantando quando vira a esquina. Vejo um grupo de caras em volta de um bar fechado. Todos se vestem igual: agasalhos cinza de capuz, calças baggy baixas nos quadris, tênis brancos. Mas, quando atravesso a rua e me dirijo a eles, percebo que não têm mais idade para serem da turma de Kit. Viro a cabeça depressa, mas um deles grita: *Ei, o que é que está olhando?*

Ignoro-os e sigo caminho, mãos no fundo dos bolsos, resistindo ao instinto de apertar o passo. Como lobos, eles seguem o cheiro do medo. Por um momento, penso que vão vir atrás de mim, mas apenas o som de seus risos e palavrões me chega aos ouvidos.

Meu coração continua martelando quando chego ao fim da rua e atravesso o cruzamento, minha cabeça a mil por hora. É exatamente por isso que um menino de treze anos não deveria estar vagando pelas ruas a essa hora da madrugada. Aqueles caras estavam entediados: bêbados, drogados ou ambas as coisas, e loucos para arranjar uma briga. Pelo menos um deles devia ter algum tipo de arma – uma garrafa quebrada, se não uma faca. Foram-se os dias das singelas trocas de socos, principalmente por essas bandas. E que chance teria um garoto genioso como Kit contra uma gangue?

Está começando a cair uma chuva fina e os faróis dos táxis que passam recortam o escuro, iluminando o asfalto molhado. Atravesso o cruzamento sem olhar e levo uma buzinada de um taxista irritado. Enxugo o suor do rosto com a manga da camisa, a adrenalina correndo pelas veias. O súbito uivo de um carro da polícia me dá um susto violento; o som morre a distância e eu levo outro susto quando uma cacofonia de gritos dementes explode no meu próprio bolso. Quando tiro o celular de Maya, minhas mãos estão trêmulas.

— Que é? – grito.

— Ele voltou, Lochie. Já está em casa.

— O quê?

— Kit voltou. Acabou de entrar neste exato momento. Pode voltar para casa. Onde você está, aliás?

— Bentham Junction. Te vejo em um minuto.

Guardo o celular no bolso e me viro. Com o peito subindo e descendo, a respiração alterada, fico vendo os carros passarem pela madrugada em alta velocidade. *Tudo bem*, digo a mim mesmo, *se acalma. Ele está em casa. Ele está bem.* Mas sinto o suor escorrendo pelas costas e uma pressão no peito como um balão prestes a estourar.

Estou caminhando depressa demais, respirando depressa demais, pensando depressa demais. Sinto uma dor latejante na cintura e o coração martela no peito. *Ele está em casa,* não paro de repetir. *Ele está bem* – mas não sei por que não me sinto mais aliviado. Na verdade, eu me sinto doente. Tinha certeza absoluta de que acontecera alguma coisa com ele. Por que outro motivo teria deixado de atender o celular, ou de ligar?

Quando me aproximo de casa, os postes de luz se confundem e dançam, e tudo parece estranhamente irreal. Minhas mãos tremem tanto que não consigo destrancar a porta: as chaves não param de escorregar entre os dedos suados. Acabo deixando-as cair e me apoio à porta ao me curvar para procurá-las. Quando a porta se abre subitamente, por pouco não saio catando cavaco pelo vestíbulo iluminado.

– Opa, cuidado. – A mão de Maya me equilibra.

– Onde é que ele está?

O som de risos enlatados chega da sala e eu passo por Maya. Kit está esparramado no sofá, um braço atrás da cabeça e os pés para o alto, rindo de alguma coisa na tevê. Está fedendo a cigarro, bebida e maconha.

De repente, a raiva reprimida durante meses explode no meu corpo feito lava incandescente.

– Onde é que você estava?

Girando o controle remoto na mão, ele espera por um momento antes de desviar os olhos brevemente da tela.

– Isso não é absolutamente da sua conta. – Volta a olhar para a tevê e a rir, aumentando o volume como medida preventiva para abafar qualquer tentativa de conversa.

Avanço e arranco o controle remoto da sua mão.

– Me dá isso aqui, seu babaca! – Ele está de pé em um instante, segurando meu braço e torcendo-o.

– São quatro da manhã! O que é que você estava fazendo, cara?

Luto com ele, tentando empurrá-lo, mas ele é mais forte do que eu esperava. Uma pontada de dor percorre meu braço da mão ao ombro, e o controle remoto cai no chão. Quando Kit se curva para apanhá-lo, seguro-o pelos ombros e o empurro para trás. Ele gira o corpo, e sinto uma dor cegante quando seu punho atinge meu queixo. Eu me atiro em cima dele, segurando-o pelo colarinho, perdendo o equilíbrio e arrastando-o comigo para o chão. Minha cabeça bate na mesa e por um momento as luzes parecem se apagar, mas então volto a mim, mãos ao redor do pescoço dele, que está com o rosto escarlate, os olhos arregalados, saltando fora das órbitas. Ele me dá uma joelhada no estômago, e outra, e mais outra, mas não o solto, não posso soltá-lo, mesmo quando ele me acerta entre as pernas. Há outra pessoa puxando minhas mãos, outra pessoa no caminho, uma pessoa gritando comigo, gritando no meu ouvido: *Para, Lochie, para! Você vai matá-lo!*

Já o soltei, ele se afastou, deu meia-volta rastejando, tossindo e com ânsia de vômito, filetes de saliva pendendo da boca. Alguém atrás de mim está me segurando, imobilizando meus braços junto ao corpo, mas toda a minha força de repente me abandonou e eu mal consigo me manter sentado. Escuto a respiração ofegante de Kit quando ele fica em pé, cambaleando, e de repente aparece à minha frente, alto como um gigante:

— Se encostar em mim de novo, eu te mato. — Sua voz sai rouca e rascante. Ouço-o ir embora, ouço-o subir em passos violentos a escada de madeira, ouço os uivos de uma criança chorando. Tenho a sensação de estar caindo, mas o carpete é sólido embaixo de mim, e a parede dura e fria pressiona minhas costas. Por entre uma vaga névoa vejo Willa rodear a cintura de Maya com as pernas quando ela a põe no colo, murmurando:

— Está tudo bem, está tudo bem, meu amor, foi só uma briguinha boba que eles tiveram. Está tudo bem agora. Vamos voltar para o quarto, vou pôr você na cama, OK?

Elas saem da sala e os uivos vão se afastando, mas continuam acima de mim, e continuam, e continuam.

Minhas pernas estão trôpegas quando vou para o quarto. Já em segurança, sento na beira da cama, os cotovelos nos joelhos, as mãos cobrindo o nariz e a boca, tentando acalmar a respiração descontrolada, a dor no estômago fazendo choques percorrerem o corpo. Sinto o suor escorrendo pelos lados do rosto e não consigo parar de tremer. O halo em volta da lâmpada acima se expande e retrai, criando pontos dançantes de luz. Só agora começo a me conscientizar plenamente do horror do que aconteceu. Nunca tive qualquer tipo de confronto físico com Kit antes, mas hoje provoquei um, quase desejei um; no momento em que pus as mãos no pescoço dele, sinceramente, não queria soltá-lo. Não entendo o que está acontecendo comigo — é como se eu estivesse me desintegrando. Tudo bem, Kit voltou para casa algumas horas atrasado, mas qual é o adolescente que nunca fez isso? Os pais se zangam com os filhos, é claro, gritam com eles, ameaçam, às vezes até os xingam, mas não tentam estrangulá-los.

A batida na porta faz com que outro choque percorra meu corpo. Mas é apenas Maya, parecendo totalmente destroçada ao se encostar no batente da porta.

— Você está bem?

Com as mãos ainda cobrindo a boca, faço que sim, louco para que ela saia, mas sem conseguir falar. Ela me observa com ar sério na penumbra, hesita por um momento, e então acende a lâmpada do teto e entra.

Afasto as mãos do rosto, apertando-as em punhos para não tremerem.

— Estou — respondo, minha voz rouca e trêmula. — Acho que nós todos devíamos ir dormir.

— Você não me parece bem. — Ela fecha a porta e se recosta nela, seus olhos imensos, sua expressão indecifrável. Não sei se está zangada, horrorizada, escandalizada...

— Maya, me perdoe, eu... perdi a cabeça... — Uma dor aguda se espalha pelo meu corpo.

— Eu sei, Loch, eu sei.

Quero dizer a ela o quanto me arrependo. Quero lhe perguntar se Willa está bem. Quero lhe pedir para dar uma olhada em Kit, para ver se ele não está fazendo as malas e planejando fugir, quero que me garanta que não o magoei, embora eu saiba que sim. Mas não consigo pronunciar uma palavra. Apenas o som da minha respiração ofegante enche o espaço. Pressiono as mãos no nariz e na boca para tentar abafar o som, fincando os cotovelos com força nos joelhos num esforço para não tremer, e me pego balançando o corpo para frente e para trás sem saber por quê.

Maya se afasta da porta, vindo sentar ao meu lado na cama.

Por instinto, meus braços se erguem para afastá-la:

— Maya, n-não... eu não preciso...

Ela segura minha mão estendida e a puxa com delicadeza para o colo, passando o polegar na palma em movimentos circulares.

— Tenta relaxar. — Sua voz é suave; suave demais. — Está tudo bem. Todo mundo está bem. Willa já voltou a dormir, e Kit está são e salvo.

Eu me afasto dela, lutando para soltar a mão.

— Eu... só preciso dormir um pouco...

— Eu sei que precisa, mas você tem que se acalmar primeiro.

— Estou tentando!

Seu rosto está contraído de preocupação e tenho consciência de que me ver nesse estado não está ajudando a tranquilizá-la. Seus dedos quentes no meu pulso sobem para acariciar a parte interna do braço, o toque de sua mão confortante.

— Lochie, você não teve culpa.

Mordo o lábio com força e me viro.

— Você não teve culpa – repete ela. – Você sabe disso, Lochie. Kit vem tentando te provocar para fazer alguma coisa assim há séculos. Qualquer um teria estourado.

Sinto uma dor crescente na garganta, uma pressão de advertência no fundo dos olhos.

— Você não pode ficar se culpando por tudo, só porque é o filho mais velho. Nada disso é culpa sua, nem o fato de mamãe beber, nem o de papai ter ido embora, nem o de Kit ficar do jeito que ficou. Não há nada que você pudesse ter feito além do que já fez.

Não sei como ela descobriu tudo isso. Não entendo como consegue ler meus pensamentos desse jeito. Viro o rosto para a parede, balançando a cabeça para lhe dizer que está errada. Solto a mão e esfrego o rosto, tentando bloquear sua visão.

— Lochie...

Não. Não aguento mais isso, não aguento, não aguento. Não vou nem ter tempo de conseguir convencê-la a sair do quarto antes de ser tarde demais. Meus olhos latejam com uma dor crescente. Se eu me mexer, se falar, se chegar mesmo a piscar, vou perder a batalha.

Sua mão toca meu ombro, alisa minhas costas.

— Nem sempre vai ser assim.

Uma lágrima risca o meu rosto. Levo as mãos aos olhos para abortar a próxima. De repente, meus dedos estão molhados. Respiro fundo e tento me conter, mas um pequeno soluço me escapa.

— Ah... Loch, não. Não... não por causa disso! – Maya parece levemente desesperada.

Eu me aproximo ainda mais da parede, desejando poder desaparecer dentro dela. Pressiono o punho com força na boca. Então, o suspiro represado explode dos pulmões com um som de engasgo violento.

— Ei, ei... — Apesar do seu tom calmante, reconheço nele um toque de pânico. — Lochie, por favor, me ouve. Só ouve. O que aconteceu foi horrível, mas não é o fim do mundo. Eu sei que as coisas têm sido muito, muito difíceis ultimamente, mas está tudo bem, Kit está bem. Você é apenas humano. Essas coisas acontecem...

Tento secar os olhos na manga da camisa, mas as lágrimas não param de escorrer e não consigo entender por que me sinto totalmente incapaz de controlá-las.

— Shhh, vem cá... — Maya tenta fazer com que eu me vire para ela, mas a afasto bruscamente. Ela tenta de novo. Frenético, eu me defendo com um braço.

— Não! Para, Maya, pelo amor de Deus! Por favor! Por favor! Eu não posso... não posso! — Os soluços irrompem a cada palavra. Não posso respirar. Estou aterrorizado. Estou perdendo o controle.

— Calma, Lochie. Eu só quero te abraçar, só isso. Me deixa te abraçar. — Sua voz assume o tom que ela usa para acalmar Tiffin e Willa quando estão transtornados. Ela não vai desistir.

Arranho a parede com as unhas, soluços violentos percorrendo meu corpo em ondas de choque, lágrimas ensopando a manga da camisa.

— Socorro — arquejo contra minha vontade. — Não entendo o que está acontecendo comigo!

Maya se encaixa no espaço entre mim e a parede, e de repente não tenho mais onde me esconder. Quando ela me abraça e me puxa para si, tento resistir uma última vez, mas não me resta mais uma gota de força. Sinto seu corpo quente contra o meu — vivo, familiar, tranquilizante. Afundo o rosto na curva do seu pescoço, minhas mãos apertando as costas da camisola como se ela pudesse desaparecer de uma hora para outra.

— Eu... não tive a intenção... não tive a intenção... Maya, eu não tive a intenção!

— Eu sei que não teve, Lochie. Eu sei disso. Eu sei.

Ela está falando com voz mansa, quase sussurrando, um braço me envolvendo com força, o outro afagando meus cabelos, me embalando suavemente. Eu a abraço apertado, os soluços sacudindo meu corpo com tamanha violência que penso que jamais vou conseguir parar.

MAYA

Abro os olhos e vejo um teto desconhecido. Minha cabeça está confusa de sono, e só quando olho para uma escrivaninha cheia de livros do A-level e uma cadeira coberta de calças e camisas jogadas é que lembro onde estou. Sinto um cheiro característico também – não desagradável, mas inconfundivelmente Lochan. Um leve peso no meu peito me faz abaixar os olhos, e com um susto vejo um braço jogado sobre meu corpo, unhas roídas e um grande relógio digital preto no pulso. Lochan dorme profundamente ao meu lado, estendido de barriga para cima, apertado contra a parede, o braço em cima de mim.

Minha memória volta à noite anterior e eu me lembro da luta, de vir até seu quarto e encontrá-lo em péssimo estado, o choque de vê-lo à beira das lágrimas, o sentimento de horror e impotência quando não aguentou mais e começou a chorar – pela primeira vez desde o dia em que papai foi embora. Vê-lo assim me arrastou de volta ao passado, ao dia em que nosso pai deu um pulo em casa para uma "despedida especial" antes de pegar o avião que o levaria com a nova esposa para o outro lado do mundo. Não faltaram presentes, fotos da nova casa com piscina, promessas de feriados em sua companhia e juras de que sempre nos visitaria. Naturalmente, os outros caíram na farsa – ainda eram muito pequenos –, mas Lochan e eu pressentimos que era o fim, que não voltaríamos a ver nosso pai – nunca mais. E a vida não demorou muito a mostrar que tínhamos razão.

Os telefonemas semanais se tornaram mensais, e então passaram a só acontecer em ocasiões especiais, até que por fim cessaram de todo. Quando mamãe contou que a nova mulher dele tinha dado à luz, soubemos que era apenas uma questão de tempo até os presentes de aniversário cessarem também. E cessaram, realmente. Tudo cessou. Até a ajuda de custo do governo. Nós dois, mais velhos, já tínhamos contado com isso — só não imaginamos que ele fosse nos apagar da sua vida tão depressa. Ainda me lembro com nitidez do momento depois da despedida, quando a porta se fechou e o som de seu carro foi morrendo pela rua afora. Aconchegada nos travesseiros com meu novo cachorro de pelúcia e o retrato da casa que sabia que jamais visitaria, de repente fui tomada por um intenso sentimento de revolta e ódio por aquele pai que um dia afirmara me amar tanto. Mas, para minha surpresa e irritação, Lochan pareceu cair na encenação, vibrando com os outros à ideia de irmos de avião para a Austrália em breve. Cheguei mesmo a achar que ele era muito estúpido. Emburrada, ignorei-o o dia inteiro, enquanto ele se obrigava a enfrentar a farsa. Só mais tarde, à noite, quando ele achou que eu já tinha pegado no sono, foi que entregou os pontos — soluçando baixinho no travesseiro, no leito do beliche acima do meu. Nessa noite, ele também estava inconsolável — me repelindo quando tentei abraçá-lo antes de finalmente ceder, deixando que eu me enfiasse debaixo do edredom e chorasse com ele. Prometemos um ao outro que mesmo quando crescêssemos continuaríamos sempre juntos. Finalmente, exaustos e sem mais lágrimas para chorar, pegamos no sono. E agora aqui estamos, cinco anos depois, e tanta coisa mudou, e ainda assim tão pouca.

Parece estranho, estar aqui deitada na cama de Lochan, com ele dormindo ao meu lado. Willa costumava ir para minha cama sempre que tinha pesadelos — eu acordava de manhã e encontrava seu corpinho apertado contra o meu. Mas esse é Lochan: meu irmão, meu protetor. Ver seu braço jogado com tanta naturalidade em cima de mim me faz sorrir; ele o tiraria muito depressa se acordasse. Mas não quero que acorde ainda. Sua perna está pressionada contra a minha, achatando-a um pouco. Ele ainda está de uniforme, o ombro pesando sobre meu braço, prendendo-o à cama. Estou totalmente imprensada — aliás, nós dois estamos: seu outro braço desapareceu na fenda estreita entre o colchão e a parede. Viro a cabeça com cuidado para ver se ele dá algum sinal de estar prestes a acordar. Não. Está dormindo a sono solto, os movimentos de sua respiração longos, fundos, rítmicos, seu rosto virado para mim. Não é sempre que o tenho tão perto assim — não desde que éramos pequenos.

É estranho observá-lo dessa distância: vejo coisas que nunca notei antes. O jeito como seu cabelo, banhado por um raio de sol diagonal que entra pelas cortinas, não é totalmente negro, tem algumas mechas de castanho-dourado. Posso perceber um padrão na fina trama de veias sob a pele das têmporas, até mesmo distinguir os pelos individuais das sobrancelhas. A pálida cicatriz branca acima do olho esquerdo de um tombo de infância ainda não desapareceu de todo, e as pálpebras são franjadas por cílios escuros extremamente longos. Meus olhos seguem o dorso do nariz até o arco do lábio superior, tão bem definido agora que a boca está relaxada. Sua pele é lisa, quase translúcida; a única imperfeição é a ferida autoinfligida abaixo da boca onde os dentes morderam e arranharam a pele sem trégua, deixando uma pequena ferida escarlate: um lembrete de sua batalha incessante com o mundo ao redor. Tenho vontade de alisá-la até desaparecer, apagar a dor, o estresse, a solidão.

E me pego pensando no comentário de Francie. Uma boca beijável… O que isso quer dizer exatamente? Na hora achei engraçado, mas não acho mais. Não gostaria que Francie beijasse a boca de Lochan. Não gostaria que ninguém a beijasse. Ele é meu irmão, meu melhor amigo. De repente, a ideia de alguém vê-lo assim, tão perto, tão exposto, me parece insuportável. E se o magoarem, e se lhe derem um fora? Não quero que ele se apaixone por alguma menina — quero que fique aqui, amando a gente. Amando a mim.

Ele se remexe um pouco, seu braço deslizando pelo meu tronco. Sinto seu calor suado contra o corpo. O jeito como suas narinas se dilatam ligeiramente cada vez que ele inspira me lembra como é tênue e precário o poder que temos sobre a vida. Adormecido, ele parece tão vulnerável que me apavoro.

Gritos e gemidos no andar de baixo. Um tropel escandaloso de passos na escada. Uma pancada violenta na porta. A inconfundível voz de Tiffin gritando, no auge da excitação: *Cheguei! Cheguei!*

O braço de Lochan se contrai e ele abre os olhos, assustado. Por um longo momento apenas me encara, as íris de esmeralda pontilhadas de azul, o rosto imóvel. Então, sua expressão começa a mudar.

— O que… o que está havendo?

Sorrio ao ouvir sua dicção enrolada.

— Nada. Estou presa.

Ele dá uma olhada no próprio braço, ainda jogado sobre meu peito, e o retira depressa, tentando sentar.

— Por que você está...? Que diabos você está fazendo aqui? – Ele parece desorientado e meio em pânico por um momento, o cabelo desgrenhado caindo nos olhos, o rosto embotado de sono. As dobras da fronha deixaram marcas vermelhas no seu rosto.

— Nós ficamos conversando de madrugada, lembra? – Não quero mencionar a briga, ou o que aconteceu depois. – Acho que nós dois apagamos. – Eu me recosto na cabeceira, sento sobre as pernas e me espreguiço. – Não posso me mexer há quinze minutos, porque você estava me achatando.

Ele já se afastou para o outro extremo da cama, se recostando na parede, sua cabeça batendo no cimento com força. Fecha os olhos por um momento.

— Não estou me sentindo bem – murmura como se falasse sozinho, abraçando os joelhos, o corpo mole e sem forças.

Fico preocupada: Lochan não tem o hábito de se queixar.

— Onde é que dói?

Ele solta a respiração, esboçando um sorriso.

— No corpo inteiro.

O sorriso se desfaz porque não o retribuo e ele me fixa com seu olhar carregado de tristeza.

— Hoje é sábado, não é?

— É, mas está tudo bem, mamãe já acordou, ouvi a voz dela há uns minutos. E Kit também já acordou. Acho que estão todos lá embaixo tomando café, almoçando ou sei lá o quê.

— Ah, tá. Que bom. – Lochan suspira de alívio e volta a fechar os olhos. Não gosto do jeito como ele está falando, se recostando na parede, se comportando. Não sei, ele parece prostrado, sofrendo ou totalmente derrotado. Há um longo silêncio. Ele não abre os olhos.

— Lochie? – arrisco, a voz suave.

— Hã! – Ele se assusta e olha para mim, piscando depressa, como se tentasse fazer o cérebro pegar.

— Fica aqui que eu vou trazer um café e um analgésico para você, OK?

— Não, não... – Ele me segura pelo pulso para me impedir. – Eu estou bem. Vou acordar direito quando tomar banho.

— Tudo bem. Tem paracetamol no armário do banheiro.

Ele me dá um olhar apático.

— Tá – responde, a voz sem qualquer entonação.

Nada acontece. Ele não se move. Começo a ficar nervosa.

— Olha só, você não está com boa aparência — digo com delicadeza. — Por que não volta a deitar um pouco, e eu trago o café?

Ele vira a cabeça para mim de novo.

— Não. Sério, Maya, eu estou bem. Me dá só um minuto, OK?

A regra tácita na nossa família é que Lochan nunca fica doente. Mesmo no inverno passado, quando ficou gripado e teve febre alta, ele insistiu que estava bem o bastante para levar as crianças à escola.

— Então vou pegar um café para você — declaro bruscamente, saltando da cama. — Vai tomar um banho quente, e...

Ele me detém, agarrando minha mão antes que eu chegue à porta.

— Maya...

Eu me viro, apertando seus dedos.

— Que é?

Os músculos de seu queixo se retesam e ele engole em seco. Seus olhos parecem examinar os meus, na esperança de alguma coisa — um sinal de compreensão, talvez.

— Não posso... acho sinceramente que eu não conseguiria... — Ele se interrompe, respirando fundo, e eu espero. — Acho que eu não tenho energia para encarar toda aquela mão de obra do almoço hoje. — Olha para mim como se pedisse perdão.

— Ora, é claro que eu vou cuidar disso, seu bobo! — Penso por um momento e começo a sorrir. — Taí, tenho uma ideia ainda melhor!

— Qual? — De repente, ele parece se encher de esperança.

Abro um largo sorriso.

— Vou me livrar de todos eles... você vai ver.

Fico parada na porta da cozinha por um momento, absorvendo o caos. Eles estão sentados à mesa, com um mar de sucrilhos, bolinhos de chocolate, batatas fritas e latas de Coca-Cola espalhadas à sua frente. Mamãe deve ter mandado Tiffin à loja de conveniência quando descobriu que só tínhamos granola e pão integral para o café. Mas pelo menos ela acordou antes do meio-dia, embora ainda esteja com a camisola cor-de-rosa barata, o cabelo louro despenteado e enormes bolsas sob os olhos injetados. A julgar pelo cinzeiro, já deve ter fumado meio maço, mas, apesar da aparência, está animada e cheia de energia, sem dúvida graças à dose de uísque que farejo no seu café.

— Princesa! — Ela estende os braços. — Você parece um anjo com esse vestido.

— Mãe, essa é a mesma camisola que eu uso há quatro anos — informo a ela com um suspiro.

Ela apenas sorri, complacente, mal tendo assimilado minhas palavras, mas Kit começa a rir, cuspindo alguns sucrilhos em cima da mesa. Fico aliviada de ver que não exibe qualquer sinal da briga com Lochan. Ao seu lado, Tiffin tenta fazer malabarismos com três laranjas da fruteira, sua glicose entrando em órbita. Willa fala tão rápido que ninguém entende, a boca cheia ao máximo, o queixo todo sujo de chocolate. Preparo o café, tiro o saco de granola do armário e começo a cortar o pão em cima da bancada.

— Quer uma barrinha de chocolate? — oferece Tiffin, generoso.

— Não, obrigada, Tiff. E acho que você já deve ter comido chocolate demais por hoje. Lembra o que acontece quando você come muito açúcar?

— Sou mandado pra sala do diretor — responde ele automaticamente. — Mas hoje nós não tá na escola.

— Não *estamos* na escola — corrijo. — Ih, olha só, tive uma ideia ótima para um passeio em família!

— Ah, que maravilha! — mamãe exclama, ávida. — Aonde você vai levá-los?

— Na verdade, eu estava pensando num passeio para a família *inteira* — continuo jovialmente, tendo o cuidado de manter a voz sem ironia. — E nós fazemos questão que você venha, mãe!

Kit me dá um olhar sombrio e desconfiado, bufando de deboche.

— É, vamos pra alguma praia fazer um baita piquenique e fingir que somos uma família feliz.

— Onde, onde? — grita Tiffin.

— Eu estava pensando que a gente podia ir ao...

— Zoológico, zoológico! — grita Willa, quase caindo da cadeira de excitação.

— Não, ao parque! — discorda Tiffin. — A gente pode jogar uma pelada com três de cada lado.

— Que tal ao boliche? — sugere Kit sem mais nem menos. — Eles têm games lá.

Sorrio, indulgente.

— A gente pode fazer as três coisas. Abriu um parque de diversões em Battersea Park. Lá tem um zoológico, e eu acho que o parque que abriu tem até games, Kit.

Uma centelha de interesse surge em seus olhos.

— Mãe, compra algodão-doce pra mim? – grita Tiffin.

— Pra mim também, pra mim também! – secunda-o Willa.

Mamãe dá um sorriso desanimado.

— Um passeio com todos os meus coelhinhos. Que maravilha.

— Mas vocês têm que se vestir correndo – aviso. – Já é quase meio-dia.

— Mãe, anda logo! – grita Tiffin. – Você tem que se maquiar e se vestir agora!

— Só mais um cigarrinho...

Mas Tiffin e Willa já saíram correndo da cozinha para vestir os casacos e calçar os sapatos. Até Kit tirou os pés de cima da mesa.

— Lochan vai vir no nosso passeiozinho? – pergunta mamãe, dando uma tragada funda no cigarro. Noto os olhos de Kit se afiarem subitamente.

— Não, ele tem um monte de deveres de casa atrasados para fazer. – Paro de tirar a mesa de repente e dou um tapa na testa. – Ah, não. Que droga!

— Que foi, benzinho?

— Esqueci completamente. Não posso sair hoje. Prometi aos Davidson que tomaria conta do recém-nascido deles agora à tarde.

Mamãe parece alarmada.

— Não dá para desmarcar e dizer que está doente, ou algo assim?

— Não, eles vão a um casamento e eu já prometi há um tempão que ficaria com o bebê. – Mal posso acreditar que sei mentir tão bem. – Além disso – acrescento, numa indireta –, nós precisamos do dinheiro.

Tiffin e Willa voltam para a cozinha, devidamente encasacados, mas param, na mesma hora sentindo a mudança no clima.

— A genial Maya acabou de se tocar que a gente não pode ir – Kit informa a eles.

— A gente pode ir amanhã! – mamãe exclama, animada.

— Nããão! – Tiffin uiva de desespero. Willa me lança um olhar de acusação, seus olhos azuis magoados.

— Mas vocês podem ir com mamãe – digo com naturalidade, tendo o cuidado de evitar seus olhos.

Tiffin e Willa se viram para ela, olhos suplicantes.

— Mãe! Mãe, por favooor!

— Ah, tá bem, tá bem! — Ela suspira, me lançando um olhar aborrecido, quase zangado. — Tudo pelos meus filhinhos.

Enquanto mamãe sobe para se vestir e Tiffin e Willa correm pela casa num frenesi movido a glicose, Kit torna a pôr os pés na mesa e começa a folhear tranquilamente uma revista em quadrinhos.

— Que desfecho inesperado — murmura, sem levantar os olhos.

Fico tensa, mas continuo a tirar a mesa.

— Que diferença faz? — respondo em voz baixa. — Tiffin e Willa vão sair e se divertir, e você vai ter cinco vezes o dinheiro que costuma carregar no bolso para gastar em games.

— Não estou me queixando — diz ele. — Só acho comovente o jeito como você inventou essa mentira complicada só porque Lochan tem vergonha de enfrentar o fato de que é um filho da mãe violento.

Paro de limpar a mesa, apertando a esponja com tanta força que a água quente e ensaboada escorre por entre meus dedos.

— Lochan não sabe nada sobre isso, OK? — respondo, a voz baixa de raiva reprimida. — A ideia foi minha. Porque francamente, Kit, é fim de semana, Tiffin e Willa merecem se divertir um pouco, e Lochan e eu estamos totalmente arrebentados de tomar conta da casa a semana inteira.

— Aposto que ele está mesmo... depois de tentar me matar ontem. — E me fuzila com os olhos castanhos duros como balas.

Seguro a beira da mesa.

— Pelo que eu me lembro, foi toma lá, dá cá. E Lochan está tão quebrado que mal consegue se mexer.

Um lento sorriso de triunfo se esboça no rosto de Kit.

— Bem, não posso dizer que fiquei surpreso. Se ele não passasse os dias se escondendo nas escadas da escola e aprendesse a lutar como um verdadeiro...

Dou um soco na mesa.

— Não me venha com essa babaquice machista de gangue — sibilo num sussurro furioso. — O que aconteceu de madrugada não foi nenhuma competição doentia! Lochan ficou extremamente abalado. Ele em nenhum momento teve a intenção de machucar você.

— É muita consideração da parte dele — responde Kit, a voz destilando sarcasmo, ainda folheando a revista com uma calma insuportável. — Mas é meio difícil de acreditar, quando apenas algumas horas atrás ele estava com as mãos no meu pescoço.

— Você também teve sua parte nisso. Você deu um soco nele primeiro! — Lanço um olhar nervoso para a porta fechada da cozinha. — Olha, eu não vou discutir com você sobre quem começou o quê. Mas basta se perguntar o seguinte: por que diabos você acha que Lochan ficou tão transtornado? Quantos dos seus amigos têm um irmão que passaria metade da noite esperando que eles voltassem? Quantos têm um irmão que sairia batendo as ruas às três da madrugada por medo de que tivesse acontecido alguma desgraça? Quantos têm irmãos que fazem compras para eles, cozinham para eles, vão às reuniões de pais e os defendem quando são suspensos na escola? Será possível que você não entenda, Kit? Lochan perdeu a cabeça porque se importa com você, porque te ama!

Kit atira a revista na mesa, me dando um susto, seus olhos ardendo de raiva.

— Por acaso eu pedi a ele para fazer alguma dessas coisas? Você acha que eu gosto de depender da porra do meu *irmão* para cada coisinha? Não, você tem razão, meus amigos não têm irmãos mais velhos assim. Eles têm irmãos que saem com eles, tomam porre com eles, ajudam a descolar carteiras de identidade falsas, a entrar em boates e coisas assim. Enquanto eu tenho um irmão que me diz a que horas eu tenho que estar em casa, e aí me enche de porrada porque eu me atrasei! Ele não é meu pai! Ele pode fingir que se importa, mas é só porque tem mania de poder! Ele não me ama como papai amava, mas com certeza acha que pode me dizer o que fazer cada segundo do dia!

— Tem razão — digo em voz baixa. — Ele não te ama como papai amava. Papai se mandou para o outro lado do mundo no momento em que as coisas ficaram difíceis. Lochan podia ter largado os estudos no ano passado, arranjado um emprego e saído de casa. Podia ter resolvido ir para alguma universidade do outro lado do país no ano que vem. Mas não, ele só está se candidatando às que ficam em Londres, embora os professores dele estivessem loucos para que ele tentasse conseguir uma vaga em Oxford ou Cambridge. Mas ele vai ficar em Londres para poder morar aqui e cuidar de nós, para ter certeza de que nós vamos ficar bem.

Kit esboça um sorriso sarcástico.

— Você está delirando, Maya. Sabe por que ele não vai a lugar algum? Porque ele se borra de medo, só isso. Você já viu: ele não consegue nem falar com os colegas de turma sem gaguejar feito um retardado. E ele com certeza não vai ficar aqui por minha causa. Ele vai ficar porque está bêbado de poder, porque adora ficar dando ordens a Tiffin e Willa, porque faz com que se sinta melhor por não conseguir articular uma palavra na escola. E vai ficar porque *adora* você, porque você sempre fica do lado dele em tudo, porque acha que ele é algum tipo de deus, e a irmã é a única amiga que ele tem no mundo. — Balança a cabeça. — Pode ser mais ridículo do que isso?

Fico encarando Kit, encarando a raiva em sua expressão, a cor em seu rosto, mas principalmente a tristeza em seus olhos. Dói ver que ele ainda sofre tanto por causa de papai, e tenho que ficar me lembrando que ele só tem treze anos. Mas não consigo encontrar uma maneira de fazer com que saia do seu círculo de egocentrismo, ainda que por um segundo, e enxergue a situação de outro ponto de vista que não o seu.

Finalmente, em desespero, digo:

— Kit, eu entendo por que você se revolta com a posição de autoridade de Lochan, sinceramente. Mas ele não tem culpa por papai ter ido embora, nem por mamãe ser do jeito que é. Ele só está tentando cuidar da gente porque não há mais ninguém para fazer isso. Eu te juro, Kit, Lochan preferiria mil vezes continuar sendo seu irmão e amigo. Mas pensa bem... nessas circunstâncias, o que ele poderia ter feito? Que escolha ele teve?

Quando a porta da frente finalmente é batida e as vozes excitadas vão se afastando pela rua afora, solto um longo suspiro de alívio e dou uma olhada no relógio da cozinha. Quantas horas será que temos até Willa e Tiffin começarem a brigar, Kit a discutir por causa de dinheiro e mamãe decidir que já fez mais do que o bastante para compensar sua ausência durante a semana inteira? Considerando o tempo do percurso, acho que umas três horinhas — quatro, se tivermos sorte. Sinto que devo começar a aproveitar imediatamente, experimentar todas as coisas que estou sempre planejando fazer, mas empurrando com a barriga porque tem sempre algo mais urgente acontecendo... Mas de repente parece um luxo absurdo ficar aqui sentada na cozinha silenciosa, a luz do sol rendilhada entrando pela janela e aquecendo meu rosto — sem pensar, sem me mexer, sem me preocupar com deveres de casa ou discutir com Kit ou tentar controlar Tiffin ou divertir Willa. Apenas existindo. Sinto que poderia ficar aqui para sempre na tarde ensolarada e deserta, jogada de lado nessa cadeira, meus braços cruzados para trás na curva lisa do encosto, vendo os raios de sol dançarem por entre as folhas, os galhos espiando pela janela, criando sombras ondulantes no chão ladrilhado. O som do silêncio enche o espaço como um cheiro delicioso: sem vozes altas, portas batidas, pés marchando, música ensurdecedora ou vozerio de desenhos animados. Fecho os olhos, o sol quente acariciando meu rosto e pescoço, enchendo minhas pálpebras de uma névoa rosa-choque, e encosto a cabeça nos braços cruzados.

Devo ter pegado no sono, porque de repente o tempo dá um salto e eu me pego sentada num raio brilhante de luz branca, estremecendo e massageando o torcicolo no pescoço e a rigidez nos braços. Me espreguiço e levanto, toda dura, indo encher a chaleira. Quando sigo para o corredor com duas canecas fumegantes e me dirijo à escada, ouço um barulho de papéis às minhas costas e me viro. Lochan se refugiou na sala, entre fichários, livros e um mar de notas espalhadas sobre a mesa de centro e ao seu redor no carpete, sentado no chão, costas no sofá, uma perna estendida embaixo da mesa, a outra dobrada e equilibrando um volume pesado. Está parecendo bem melhor, muito mais relaxado em sua camiseta verde favorita e jeans desbotado, descalço, o cabelo ainda úmido do banho.

— Obrigado! — Tirando o livro do colo, ele aceita a caneca que ofereço. Volta a se recostar no sofá, soprando o café, e eu sento no carpete encostada à parede em frente, bocejando e esfregando os olhos.

— Nunca tinha visto ninguém pegar no sono com a cabeça pendurada no encosto de uma cadeira. O sofá não é confortável o bastante para você? — Seu rosto se alegra com um raro sorriso. — E aí, me diz… como foi que você se livrou da tropa inteira?

Conto a ele sobre a sugestão do parque de diversões, a mentira sobre o bebê dos vizinhos.

— E você conseguiu convencer Kit a participar desse passeiozinho familiar?

— Eu disse a ele que tem games no parque.

— E tem?

— Não faço a menor ideia.

Caímos na risada. Mas o divertimento de Lochan não demora a passar.

— Kit parecia…? Ele estava…?

— Muito bem: o mesmo pitbull de sempre.

Lochan assente, mas seus olhos continuam perturbados.

— Sinceramente, Lochan. Ele está ótimo. Como está indo a revisão? – pergunto depressa.

Empurrando o livro enorme com ar de nojo, ele solta um suspiro longo e trêmulo.

— Não entendo esse troço. E se o Sr. Parris entendesse, pelo menos eu não teria que aprender sozinho de um livro de biblioteca.

Sinto vontade de gemer. Estava esperando que a gente saísse para fazer alguma coisa agora à tarde – dar um longo passeio no parque, tomar um chocolate quente no Joe's ou, luxo dos luxos, pegar um cineminha –, mas só faltam três meses para o simulado, e tentar estudar no feriadão do fim de ano com as crianças em casa o dia inteiro seria um pesadelo. Não posso dizer que estou preocupada demais com meus A/S levels*, porque, ao contrário de Lochan, vou escolher as matérias que acho mais fáceis. Já o meu estranho irmão, por motivos que só ele conhece, escolheu duas das mais difíceis, matemática avançada e física, além de inglês e história, que exigem apresentações. Minha simpatia é limitada: como nosso ex-pai, ele é um acadêmico nato.

Dando goles distraídos no café, ele torna a pegar a caneta e começa a desenhar um diagrama complicado no pedaço de papel mais próximo, classificando as várias formas e símbolos com um código ilegível. Fechando os olhos por um momento, pega o papel e o compara com o diagrama no livro. Então amassa o papel, irritado, atirando-o do outro lado da sala, e começa a morder o lábio.

— Talvez você precise dar uma parada – sugiro, erguendo os olhos do jornal aberto ao meu lado.

— Por que eu não consigo decorar esse troço? – Ele me olha com ar suplicante, como se eu pudesse fazer a resposta aparecer num passe de mágica. Observo seu rosto pálido, as olheiras fundas, e penso: *Porque você está exausto.*

— Quer que eu teste você?

— Quero, obrigado. Me dá só um minuto.

Quando ele volta ao livro, aos diagramas e rabiscos, seus olhos se franzem de concentração e ele continua a roer o lábio. Começo a folhear o jornal a

---

* Teste preliminar do A-Level. (N. da T.)

esmo, minha cabeça lembrando por um segundo o dever de francês enterrado no fundo da minha mochila, antes de decidir que pode esperar. Chego à seção de esportes e, entediada, deito de bruços e pego um dos fichários de Lochan na mesa. Folheando-o, observo com inveja as páginas e mais páginas de redações, invariavelmente acompanhadas por vistos e exclamações elogiosas. Nada a não ser A e A+. Fico pensando se no ano que vem posso tentar fazer os trabalhos de Lochan se passarem como meus. Os professores achariam que virei um gênio da noite para o dia. Uma redação de tema livre recente me faz parar: escrita há menos de uma semana, as margens exibem a lista habitual de superlativos. Mas é o comentário da professora no fim que me chama a atenção:

Uma descrição extremamente evocadora e poderosa do conflito interior de um jovem, Lochan. Uma história magnificamente elaborada sobre o sofrimento e a psique humana.

Abaixo desse panegírico, em letras maiores, ela acrescentou: *Por favor, pelo menos considere a hipótese de lê-la em voz alta na sala. Seria muito inspirador para os outros, e uma boa chance de você praticar antes de fazer sua apresentação.*

Com a curiosidade atiçada, volto à página inicial e começo a ler a redação de Lochan. É sobre um jovem que volta à universidade nas férias de verão para saber se conseguiu se formar. Juntando-se aos alunos aglomerados ao redor do mural com os resultados, o cara descobre, para seu espanto, que tirou o primeiro lugar, o único no seu departamento. Mas, em vez de euforia, ele experimenta apenas uma sensação de vazio, e ao se afastar da multidão de estudantes que abraçam amigos abatidos ou comemoram com outros, ninguém parece notá-lo, nem sequer olha na sua direção. Ele não recebe uma única palavra de parabéns. Minha primeira impressão é de que deve ser algum tipo de história de fantasma – que o cara, em algum momento entre as provas finais e a volta para apurar os resultados, morreu em um acidente, ou algo assim –, mas finalmente o cumprimento de um dos professores, que pronuncia seu nome errado, mostra que me enganei. O cara está vivinho da silva. Mesmo assim, no momento em que dá as costas ao departamento e começa a atravessar o pátio, ele olha os prédios altos que o cercam, tentando calcular qual deles garantiria uma queda fatal.

A história termina e eu levanto a cabeça, atônita, abalada, assombrada com a força da prosa e à beira das lágrimas. Olho para Lochan, que está tamborilando os dedos no carpete, os olhos fechados, repetindo baixinho uma fórmula de física em tom de mantra. Tento imaginá-lo escrevendo esse drama tão comovente e trágico, mas não consigo. Quem criaria uma história dessas? Quem seria capaz de escrever sobre algo assim, com tanta vividez, sem ter sentido essa dor, esse desespero, essa alienação na própria pele...?

Lochan abre os olhos e os fixa em mim.

— A força por unidade de comprimento entre condutores de eletricidade longos, paralelos e retos: F é igual a mu elevado a zero, iota elevado a um, iota ao quadrado sobre dois pi r... Ah, meu Deus, isso tem que estar certo!

— Sua história é incrível.

Ele olha para mim.

— O quê?

— A redação que você escreveu na semana passada. — Dou uma olhada nas páginas em minha mão. — *Prédios Altos*.

Os olhos de Lochan se afiam de repente, e ele fica tenso.

— O que está fazendo?

— Eu estava folheando o seu fichário de inglês e achei isso. — Mostro a redação.

— Você leu?

— Li. Achei um espetáculo.

Ele vira o rosto, parecendo extremamente desconfortável.

— Eu me inspirei num caso que vi na tevê. Será que dá para me testar nisso aqui agora?

— Espera... — Eu me recuso a deixá-lo tirar o corpo fora assim tão fácil. — Por que você escreveu isso? Sobre quem é a história?

— Ninguém. É só uma história, tá legal? — De repente ele parece zangado, seus olhos fugindo depressa dos meus.

Com o texto ainda na mão, não me mexo, cravando nele um olhar longo e duro.

— Você acha que é sobre mim? Pois bem, não é. — Sua voz se ergue, defensiva.

— Tudo bem, Lochan, tudo bem. — Compreendo que não tenho escolha senão dar marcha à ré.

Ele está mordendo o lábio com força, consciente de que não me convenceu.

— Bom, às vezes a gente tira algumas coisas da própria vida, muda um detalhe aqui, exagera outro ali — concede, virando o rosto.

Respiro fundo.

— Você já...? Você às vezes se sente assim?

E me preparo para mais uma resposta irritada. Mas ele apenas fixa os olhos na parede à sua frente, com ar apático.

— Acho que... todo mundo deve se sentir assim... de vez em quando.

Compreendo que isso é o mais perto que vou chegar de uma confissão, e suas palavras fazem minha garganta doer.

— Mas você sabe... que nunca, *jamais* vai ficar sozinho como o cara na sua história, não sabe? — digo depressa.

— Sei, claro que sei. — Ele dá de ombros.

— Porque você sempre vai ter alguém que te ama, Lochan, e só a você, mais do que a qualquer pessoa no mundo.

Ficamos em silêncio por um momento e Lochan volta às suas fórmulas, mas o rosto ainda está vermelho e percebo que ele não consegue prestar atenção. Dou mais uma olhada na mensagem escrita pela professora no fim da redação.

— Mas afinal... você leu isso em voz alta para a turma? — pergunto, animada.

Ele levanta os olhos, com um longo suspiro.

— Maya, você sabe que eu sou um fracasso nesse sentido.

— Mas a história é maravilhosa!

Ele faz uma careta.

— Obrigado, mas mesmo que fosse verdade, não faria a menor diferença.

— Ah, Lochie...

Puxando os joelhos até o peito, ele volta a se recostar no sofá, virando a cabeça para olhar pela janela.

— E eu tenho que fazer essa droga de apresentação em breve – diz em voz baixa. – Não sei... não sei mesmo o que fazer. – Ele parece estar pedindo que eu o ajude.

— Você perguntou à professora se podia entregar o texto como dever de casa?

— Perguntei, mas é aquela australiana doida. Estou te dizendo, ela me persegue.

— Pelos comentários e notas que ela te dá, parece claro que tem você na mais alta conta – observo com diplomacia.

— Não é isso. Ela quer... quer me transformar numa espécie de orador. — Ele solta um riso forçado.

— Talvez esteja na hora de você se permitir ser convertido — sugiro, tímida. — Só um pouquinho. Só o bastante para experimentar.

Um longo silêncio.

— Maya, você sabe que eu não posso. — Ele vira a cabeça bruscamente, vendo pela janela dois meninos de bicicleta fazerem manobras radicais na rua. — Eu me sinto como... se os olhares das pessoas me queimassem. Como se não restasse ar no meu corpo. Aí me dá aquela tremedeira ridícula, meu coração palpita, e as palavras... simplesmente desaparecem. Me dá um branco total, e eu não consigo mais nem entender o que está escrito numa página. Não consigo falar alto o bastante para as pessoas me ouvirem, e sei que elas estão esperando... que eu passe mal para poderem rir. Todos sabem... todos sabem que eu não consigo... — Ele se interrompe, o humor abandonando seus olhos, o fôlego curto e rápido, como se soubesse que falou demais. Seu polegar esfrega a ferida sem dó nem piedade. — Eu sei que isso não é normal. Sei que é uma coisa que preciso resolver. E... eu vou resolver, tenho certeza. Senão, como vou arranjar um emprego? Eu vou encontrar um jeito. Nem sempre vou ser assim... — Ele respira fundo, puxando os cabelos.

— É claro que não — me apresso a tranquilizá-lo. — Assim que você ficar livre da Belmont, aliás, de todo esse sistema educacional idiota...

— Mas eu ainda tenho que descobrir um jeito de enfrentar a universidade, e de trabalhar, depois disso... — Sua voz falha, e eu vejo o desespero em seus olhos.

— Você já conversou com essa professora de inglês? — pergunto. — Ela não me parece ser das piores. Talvez até pudesse ajudar. Te dar umas dicas. Melhor do que aquela terapeuta imprestável que te obrigaram a ver... a que te mandou fazer exercícios respiratórios e perguntou se você tinha sido amamentado em bebê!

Ele começa a rir antes mesmo de mim.

— Ah, meu Deus, eu já tinha quase me esquecido dela... a mulher era louca de pedra! — De repente, ele fica sério. — Mas a questão é que... a questão é que eu não posso... não posso mesmo.

— Você está sempre dizendo isso — observo, com delicadeza. — Mas você se subestima demais, Lochie. Eu tenho *certeza* de que você poderia ler alguma coisa em voz alta na sala de aula. Talvez não começar logo de cara com uma apresentação, mas de repente ler uma das suas redações. Alguma coisa mais curta, um pouco menos pessoal. É como fazer qualquer coisa, entende? Depois que você dá o primeiro passo, o segundo é muito mais fácil. – Abro um sorriso. – Sabe quem disse isso?

Ele balança a cabeça, revirando os olhos.

– Não faço a menor ideia. Martin Luther King?

– Você mesmo, Lochie. Quando tentou me ensinar a nadar.

Ele sorri brevemente ao lembrar, e então solta um lento suspiro.

– Tá. Eu poderia tentar, de repente... – Ele me dá um sorriso implicante: – Assim falou a sábia Maya.

– Exatamente! – Sem aviso fico de pé, decidindo que o nosso raro dia de folga pede um pouco de diversão. – E em troca de toda essa sabedoria, quero que você me faça um favor!

– Ihhh...

Ligo o rádio, sintonizando a primeira estação pop que encontro. Então me viro para Lochan e estendo os braços. Ele solta um gemido, jogando a cabeça nas almofadas.

– Ah, Maya, por favor, diz que está brincando!

– Como é que eu posso praticar sem um parceiro? – argumento.

– Eu pensei que você tinha abandonado as aulas de salsa!

– E abandonei, mas só porque passaram o curso da hora do almoço para depois das aulas. Mas enfim, eu aprendi um monte de passos novos com a Francie. – Empurro a mesa para longe, empilho os livros e papéis e seguro a mão dele. – De pé, parceiro!

Com uma exibição teatral de relutância, ele obedece, mal-humorado, resmungando sobre o dever de casa inacabado.

– Vou restabelecer o fluxo sanguíneo no seu cérebro – prometo a ele.

Tentando não parecer constrangido e derrotado, Lochan fica no meio da sala, as mãos nos bolsos. Aumento o volume alguns decibéis, coloco uma das mãos na dele e pouso a outra no seu ombro. Começamos com alguns passos fáceis. Embora ele passe a maior parte do tempo olhando para os pés, até que dança direitinho. Tem um bom senso de ritmo e aprende novos passos mais depressa do que eu. Mostro a ele os movimentos que Francie me ensinou. Depois que ele pega o jeito, ninguém segura mais a gente! Ele pisa nos meus dedos algumas vezes, mas como estamos descalços, só nos faz rir. Depois de um tempo, começo a improvisar. Lochan resolve me fazer rodopiar e quase me atira contra a parede. Achando isso engraçadíssimo, ele tenta fazer de novo, e de novo. O sol brilha no seu rosto, as partículas de poeira girando à sua volta na luz dourada da tarde. Relaxado e feliz, por um breve momento ele parece estar em paz com o mundo.

Logo estamos sem fôlego, suando e rindo. Depois de um tempo, o estilo de música muda – uma canção com uma batida lenta, mas não importa, porque estou tonta demais dos giros e risos para continuar. Passo os braços pelo pescoço de Lochan e descanso o corpo no dele. Noto o cabelo úmido grudando no seu pescoço e inspiro o cheiro de suor. Fico esperando que ele se afaste e volte a estudar física, agora que nosso momento doido acabou, mas para minha surpresa ele apenas envolve minha cintura e nossos corpos ficam balançando. Pressionada contra ele, posso sentir as batidas fortes do seu coração contra o meu, seu peito se expandindo e contraindo depressa contra o meu, o sussurro quente do seu hálito fazendo cócegas no meu pescoço, sua perna roçando a minha coxa. Pousando os braços nos seus ombros, eu me afasto um pouco para olhar seu rosto. Mas ele não está mais sorrindo.

LOCHAN

A sala está envolta em luz dourada. Maya ainda sorri para mim, seu rosto iluminado de alegria, fios ruivos caindo sobre os olhos e as costas, fazendo cócegas nas minhas mãos ao redor da sua cintura. Seu rosto brilha como um daqueles postes antigos, aceso por dentro, e tudo mais na sala desaparece, envolto numa névoa escura. Estamos dançando, oscilando de leve ao som da voz que canta, e sinto Maya quente e viva nos meus braços. Só de ficar lá, me movendo de leve para os lados, eu me dou conta de que não quero que esse momento termine.

Eu me pego pensando, assombrado, como ela é bonita, encostada em mim com sua blusa azul de manga curta, os braços quentes e lisos no meu pescoço. Os botões mais altos estão abertos, revelando a curva das clavículas, a planície de pele clara e lisa por baixo. A saia de algodão branco acaba muito acima dos joelhos, e tenho consciência de suas pernas nuas roçando o jeans puído e ralo da minha calça. Bebo cada detalhe, da sua respiração suave ao toque de cada dedo na minha nuca. E me pego sentindo uma mistura de excitação e euforia tão forte que não quero que o momento jamais acabe... E então, do nada, tenho consciência de outra sensação — uma comichão pelo meu corpo inteiro, uma pressão familiar entre as pernas. Bruscamente eu a solto, empurro-a para longe, e caminho até o rádio em passos largos para interromper a música.

Com o coração martelando no peito, eu me refugio no sofá, me enroscando, tateando o livro mais próximo para puxar para o colo. Ainda parada onde a deixei, Maya olha para mim, com uma expressão totalmente desconcertada.

– Eles vão voltar a qualquer momento – explico, minha voz apressada e irregular. – Eu... tenho que terminar isso aqui.

Parecendo tranquila, ela suspira, ainda sorrindo, e se joga no sofá ao meu lado. Sua perna roça a minha coxa e eu me retraio violentamente. Preciso de uma desculpa para sair da sala mas não estou conseguindo pensar direito, minha cabeça um caos de ideias e emoções tumultuadas. Estou vermelho e sem fôlego, o coração batendo tão alto que tenho medo de que ela escute. Preciso tomar o máximo de distância possível. Pressionando o livro nas coxas, pergunto se poderia me trazer mais um café e ela concorda, pegando as duas canecas usadas e indo para a cozinha.

No momento em que escuto o barulho da louça na pia, subo a escada correndo, tentando fazer o mínimo de barulho possível. Depois de me trancar no banheiro, eu me encosto à porta, como se tentasse reforçá-la. Então tiro todas as roupas, quase as rasgando na minha pressa, e tomando o cuidado de não olhar para o corpo, entro no chuveiro gelado, arquejando com o choque. A água está tão fria que chega a doer, mas não me importo: é um alívio. Tenho que acabar com essa... essa loucura. Depois de ficar lá por um tempo, olhos semicerrados, a pele começa a ficar insensível e as terminações nervosas dormentes, apagando todos os sinais da excitação. Paralisa os pensamentos acelerados, alivia a pressão da loucura que começou a esmagar minha cabeça. Eu me inclino para frente, mãos na parede, deixando a água glacial fustigar meu corpo, até não me restar mais nada a fazer senão tiritar violentamente.

Não quero pensar. Se não pensar ou sentir, vou ficar bem e tudo vai voltar ao normal. Sentado à escrivaninha do quarto com uma camiseta limpa e uma calça de moletom, o cabelo molhado pingando em filetes frios que escorrem pela nuca, quebro a cabeça com equações do Segundo Grau, lutando para manter as cifras na cabeça, lutando para entender os números e símbolos. Repito as fórmulas em voz baixa, cubro páginas e mais páginas de cálculos, e toda vez que sinto uma rachadura nessa couraça autoimposta, uma fresta de luz entrando no meu cérebro, eu me forço a trabalhar ainda mais duro, ainda mais rápido, obliterando todos os outros pensamentos. Mal tenho consciência dos outros voltando, das vozes altas no corredor, do barulho dos pratos na cozinha abaixo de mim. Eu me concentro em apagar tudo isso. Quando Willa chega para avisar que eles pediram uma pizza, digo a ela que não estou com fome; preciso terminar esse capítulo até hoje à noite, preciso resolver cada problema em alta velocidade, não tenho tempo para pensar. Tudo que posso fazer é trabalhar, ou vou enlouquecer.

Os sons da casa me engolfam como estática de rádio, a rotina noturna pela primeira vez se desenrolando sem mim. Uma briga, uma porta batida, mamãe gritando – não me importo. Eles que se entendam, eles têm que se entender, preciso me concentrar nisso até ser tão tarde que eu só possa despencar na cama, e então será de manhã e nada disso terá acontecido. Tudo estará de volta ao normal – mas do que estou falando? Tudo *está* normal! Eu só esqueci, num momento de insanidade, que Maya é minha irmã.

Passo o resto do fim de semana trancado no quarto, soterrado por deveres e exercícios, e deixo que Maya assuma. Na segunda, tenho que fazer um esforço enorme para ficar sentado durante a aula, me sentindo agitado e inquieto. Minha cabeça se tornou estranhamente difusa – sou possuído por uma infinidade de sensações diferentes ao mesmo tempo. Há uma luz piscando no meu cérebro, como o farol de um trem no escuro. Um torno que lentamente se fecha ao redor da minha cabeça, esmagando as têmporas.

Quando Maya entrou no meu quarto ontem para me dar boa-noite, informando que tinha deixado meu jantar na geladeira, não consegui nem me virar para olhá-la. Hoje de manhã gritei com Willa durante o café e ela chorou, arrastei Tiffin pela porta afora, sendo acusado pelo próprio de causar uma *lesão corporal grave*, ignorei Kit completamente e só faltei morder Maya quando ela me perguntou pela terceira vez qual era o problema… Estou me desintegrando. Sinto tanto nojo de mim que tenho vontade de fugir do meu próprio corpo. Minha cabeça não para de me arrastar até aquela dança: Maya, seu rosto, seu toque, aquela sensação. Não paro de repetir para mim mesmo que essas coisas acontecem, tenho certeza de que não são tão incomuns assim. Afinal, sou um cara de dezessete anos – qualquer coisa pode excitar a gente; só porque aconteceu enquanto eu dançava com Maya não quer dizer nada. Mas as palavras não ajudam a me acalmar. Estou desesperado para fugir de mim mesmo porque a verdade é que a sensação ainda está lá – talvez sempre tenha estado – e agora que reconheço isso, estou com medo de que, por mais que queira, jamais vá conseguir voltar no tempo.

Não, isso é ridículo. Meu problema é que preciso de alguém em quem concentrar minha atenção, algum objeto de desejo, alguma menina para inspirar minhas fantasias. Olho ao redor na sala, mas não encontro ninguém. Meninas atraentes, sim. Uma menina de quem eu goste, não. Porque ela não pode ser só um rosto, um corpo; tem que haver mais do que isso, algum tipo de vínculo. E eu não posso nem quero me vincular a ninguém.

Mando um torpedo para Maya pedindo que pegue Tiffin e Willa na escola, e então mato a última aula, vou para casa, visto minhas roupas de corrida e me arrasto pela periferia do parque local, que está coberta de poças d'água. Depois de um lindo fim de semana, o dia está nublado, chuvoso e triste: árvores nuas, folhas mortas e lama escorregadia. O ar está morno e úmido, um fino véu de garoa e névoa pontilhando meu rosto. Corro o mais longe e forte que posso, até que o chão parece cintilar sob meus pés, e o mundo ao redor se expande e retrai, manchas vermelhas perfurando o ar à minha frente. Por fim meu corpo é tomado de dor, me obrigando a parar, e então volto para casa, tomo mais um banho gelado e estudo até os outros voltarem e a faina noturna começar.

Durante as férias jogo pelada com Tiffin na rua, tento puxar conversa com Kit e brinco de esconde-esconde e Adivinha Quem? com Willa milhões de vezes. À noite, depois que minha cabeça desliga com a sobrecarga de informações, arrumo as gavetas da cozinha e os armários. Dou uma busca no quarto de Tiffin e Willa atrás de roupas que não cabem mais e brinquedos abandonados e despacho tudo para o bazar de caridade. Quando não estou brincando, estou arrumando, ou cozinhando, ou estudando: passo um pente-fino nas notas da revisão até de madrugada, até não restar nada a fazer senão despencar na cama e cair num sono curto, profundo e sem sonhos. Maya faz um comentário sobre minha energia ilimitada, mas o fato é que eu me sinto embotado, totalmente exausto de tentar me manter ocupado o tempo todo. De agora em diante, só vou *fazer* e não pensar mais.

De volta à escola, Maya se ocupa com os estudos. Se percebe alguma diferença no meu comportamento em relação a ela, não toca no assunto. Talvez também se sinta desconfortável em relação àquela tarde. Talvez também se dê conta de que precisa haver mais distância entre nós. Negociamos com a cautela de um pé descalço evitando cacos de vidro, restringindo nossos diálogos aos assuntos práticos: levar as crianças à escola, a compra semanal, como convencer Kit a lavar as roupas, as probabilidades de mamãe aparecer sóbria na reunião dos pais, atividades de fim de semana para Tiffin e Willa, consultas com o dentista, como consertar o vazamento na geladeira. Nunca ficamos sozinhos um com o outro. Mamãe está cada vez mais ausente da vida familiar, a pressão de equilibrar os estudos e o trabalho em casa se intensifica e eu sou grato pela infinidade de tarefas: elas literalmente me deixam sem tempo para pensar. As coisas estão melhorando — sinto que começo a voltar a um estado de normalidade —, quando uma noite, já tarde, batem à porta do meu quarto.

O som é como uma bomba explodindo em campo aberto.

— Quem é? — Estou uma pilha de nervos desde que tomei uma overdose de cafeína. Meu consumo diário de café bateu um novo recorde, mas é o único jeito de manter meu nível de energia durante o dia e as madrugadas de insônia. Ninguém responde, mas escuto a porta se abrir e fechar às minhas costas. Eu me viro da escrivaninha, a caneta ainda pressionando as marcas nos dedos, o notebook que a escola me emprestou apoiado num mar de notas rabiscadas. Ela está de camisola novamente — a camisola branca que ficou pequena demais e mal chega às coxas. Como eu gostaria que ela não se virasse quando usa esse troço; como gostaria que seus cabelos cor de cobre não fossem tão longos e brilhantes; como gostaria que não tivesse esses olhos, que não fosse entrando assim, sem ser convidada. Como gostaria que vê-la não me deixasse nessa inquietação, revirando minhas entranhas, retesando cada músculo do meu corpo, fazendo meu pulso acelerar.

— Oi — diz ela. O som de sua voz me dilacera. Com essa única palavra ela consegue destilar ternura e preocupação. Com uma única palavra ela transmite tanto, sua voz me chamando de fora de um pesadelo. Tento engolir, a garganta seca, um gosto amargo preso na boca.

— Oi.

— Estou incomodando?

Quero dizer a ela que sim. Quero pedir que vá embora. Quero que sua presença, que seu cheiro delicado de sabonete se evapore desse quarto. Mas como não consigo responder, ela senta na beira da cama, a centímetros de mim, um pé descalço debaixo do corpo.

— Matemática? — pergunta, dando uma olhada nas minhas folhas de papel.

— É. — Volto a olhar para o livro, a caneta levantada.

— Olha... — Ela faz menção de me tocar, e eu me retraio. Sua mão não alcança a minha quando me encolho, apenas pousando, solta e vazia, na superfície da escrivaninha. Fixo os olhos novamente na tela do notebook, o sangue ferindo as faces, o coração massacrando o peito. Ainda estou consciente dos seus cabelos caindo como uma cortina em volta do rosto, e não há nada entre nós além daquele silêncio torturado.

— Me conta — pede ela simplesmente, suas palavras perfurando a frágil membrana que me cerca.

Sinto a respiração acelerar. Ela não pode fazer isso comigo. Levanto a cabeça e olho pela janela, mas tudo que vejo é meu reflexo, o quarto pequeno, a doce inocência de Maya ao meu lado.

— Aconteceu alguma coisa, não aconteceu? — Sua voz continua a perfurar o silêncio como um sonho indesejado.

Empurro a cadeira para longe e esfrego a cabeça.

— Eu só estou cansado. — Minha voz arranha a garganta. Pareço um estrangeiro, mesmo aos meus ouvidos.

— Eu notei — continua Maya. — E é por isso que não entendo por que continua se matando de tanto estudar.

— Eu tenho um monte de deveres para fazer.

O silêncio estrangula o ar. Sinto que ela não vai se deixar demover tão fácil.

— O que aconteceu, Lochie? Foi alguma coisa na escola? A apresentação?

Não posso dizer. Não posso dizer logo a você. Durante a minha vida inteira você foi a única pessoa com quem pude me abrir. A única pessoa que eu sempre podia contar que compreenderia. E agora que te perdi, eu perdi tudo.

— Você só está deprimido em geral por causa da vida, é isso?

Mordo o lábio até reconhecer o gosto metálico de sangue. Maya percebe e as perguntas param, deixando em seu lugar um silêncio perplexo.

— Lochie, diz alguma coisa. Você está me assustando. Não aguento te ver assim. — Ela tenta segurar minha mão de novo, e dessa vez consegue.

— Para! Vai dormir e me deixa em paz, porra! — As palavras disparam da boca feito balas, ricocheteando nas paredes antes que eu possa me dar conta do que digo. Maya se transfigura, seu rosto se congelando numa máscara de espanto incrédulo, os olhos arregalados de incompreensão. Mal as palavras a atingem, ela já está indo embora, virando a cabeça para esconder as lágrimas que enchem seus olhos, a porta se fechando com um clique às suas costas.

MAYA

— Ai meu Deus, ai meu Deus, ai meu Deus, você nunca vai adivinhar o que aconteceu agora de manhã! — Os olhos de Francie só faltam soltar fagulhas de excitação, os cantos dos lábios pintados com batom cereja curvados num sorriso.

Solto a mochila no chão e despenco na cadeira ao seu lado, os gritos de Tiffin ainda ecoando na minha cabeça: ele teve que ser arrastado para a escola depois de armar um bate-boca violento com Kit por causa de um Transformer de plástico no fundo de uma caixa de sucrilhos. Fecho os olhos.

— Nico DiMarco estava batendo papo com o Matt e...

Abro os olhos para interrompê-la:

— Pensei que você fosse sair com o Daniel Spencer.

— Maya, eu posso ter resolvido dar uma chance ao Danny enquanto espero que o seu irmão caia em si, mas uma coisa não tem nada a ver com a outra. Nico estava batendo papo com o Matt hoje de manhã, e adivinha só o que ele disse... *adivinha*! — Sua voz transborda de excitação e o Sr. McIntyre para de rabiscar o quadro por um momento para nos brindar com um suspiro sofrido.

— Meninas, será que vocês poderiam pelo menos *fingir* que estão prestando atenção?

Francie o brinda com um dos seus sorrisos de mil e um dentes, e então volta a se virar na cadeira para mim.

— Adivinha!

— Não faço a menor ideia. Que o ego dele era tão grande que explodiu e agora ele precisa de uma cirurgia?

— Nããão! — Francie faz um sapateado eufórico no chão com os escarpins proibidos pelo regulamento da escola. — Eu ouvi o Nico dizer ao Matt Delaney que hoje, depois da aula, vai te convidar para sair! — E abre tanto a boca que chega a dar para ver as amígdalas.

Fico olhando para ela, apática.

— E então? — Francie me sacode brutalmente pelo braço. — Não é o máximo? Todo mundo está atrás do cara desde que ele terminou com a Annie Anoréxica, mas ele te escolheu! E você é a única na turma que não usa maquiagem!

— Estou lisonjeada.

Francie atira a cabeça para trás num gesto teatral, gemendo.

— Aargh! Que é que há com você ultimamente? No começo do ano você disse que ele era o único cara na Belmont que você pensaria em beijar!

Solto um suspiro pesado.

— Pois é, eu disse. Tudo bem, ele é um gato. Mas ele sabe disso. Posso me sentir atraída por ele como todo mundo, mas nunca disse que queria sair com o cara.

Francie balança a cabeça, incrédula.

— Sabe quantas meninas dariam tudo para conseguir um encontro com Nico? Acho que até eu colocaria Lochan em banho-maria por uma chance de beijar o Amante Latino.

— Ai ai, Francie… Então sai *você* com ele.

— Eu fui até lá para descobrir se ele estava falando sério, e ele perguntou se eu achava que você estaria interessada! É claro que eu disse que sim!

— Francie! Diz a ele para esquecer. Fala com ele no recreio.

— Por quê?

— Porque eu não estou interessada!

— Maya, você se dá conta do que está fazendo? O cara pode não te dar uma segunda chance!

Eu me arrasto pelo resto do dia. Francie não me dirige mais a palavra porque a acusei de ser uma intrometida quando ela se recusou a voltar ao pátio e dizer a Nico que eu não estava interessada. Mas, sinceramente, não me importo se ela nunca mais falar comigo. Um bloco gelado de desespero pesa sobre meu peito, tornando difícil respirar. Meus olhos doem de lágrimas reprimidas. No meio da tarde até Francie está preocupada, rompendo o voto de silêncio e se oferecendo para me acompanhar à enfermaria. Mas o que a enfermeira da escola poderia me oferecer? Uma pílula para fazer a solidão desaparecer? Um comprimido para fazer Lochan falar comigo novamente? Ou talvez uma cápsula para fazer o tempo voltar, rebobinando os dias para que eu possa me afastar dele quando terminamos de dançar a salsa em vez de continuar nos seus braços, oscilando de leve à voz suave de Katie Melua? Será que ele está zangado comigo porque pensa que planejei isso? Que a salsa foi apenas um ardil para fazer com que ele dançasse uma música lenta comigo, nossos corpos apertados, o calor do seu se misturando com o do meu? Eu não tive a intenção de acariciar a sua nuca – apenas aconteceu. O momento em que minha coxa roçou a parte interna da sua foi só um acidente. Nunca tive a intenção de fazer com que nada daquilo acontecesse. Não fazia ideia de que dançar uma música lenta pudesse excitar um cara. Mas quando senti que algo pressionava meu quadril, quando de repente me dei conta do que era, foi como se eu perdesse a cabeça. Não queria parar de dançar. Não queria me afastar.

Não aguento pensar que posso ter perdido nossa intimidade, nossa amizade, nosso vínculo de confiança. Ele sempre foi tão mais do que apenas um irmão. Ele é minha alma gêmea, meu oxigênio, a razão pela qual espero com ansiedade pelo momento de acordar todos os dias. Sempre soube que o amava mais do que a qualquer pessoa no mundo – e não apenas de um jeito fraternal, como me sinto em relação a Kit e Tiffin. Mesmo assim, nunca me passou pela cabeça que pudesse haver um passo a mais...

Mas sei que é ridículo, absurdo demais até pensar nisso. Nós não somos assim. Não somos doentios. Somos apenas um irmão e uma irmã que por acaso também são os melhores amigos um do outro. É assim que sempre foi entre nós dois. Não posso perder isso, ou *não vou sobreviver*.

No fim do dia Francie está me infernizando de novo por causa de Nico DiMarco. Ela parece achar que estou deprimida e que arranjar um namorado – ainda mais um dos caras mais bonitos da escola – vai me ajudar a sair do fundo do poço. Talvez esteja certa. Talvez eu precise de uma distração. E que melhor maneira poderia haver de mostrar a Lochan que o que aconteceu outro dia foi apenas um acidente, apenas um momento de diversão? Se eu arranjar um namorado, ele vai entender que nada daquilo quis dizer coisa alguma. E Nico *é* uma gracinha. Seu cabelo é da mesma cor do de Lochan. Seus olhos também são meio verdes. Embora Francie esteja totalmente por fora quando diz que os dois estão no mesmo nível. Não estão mesmo. Lochan tem uma inteligência feroz, uma sutileza psicológica incrível, é a pessoa mais generosa e abnegada que conheço. Lochan tem alma. Nico pode ser da mesma idade, mas é apenas um menino em comparação – um mauricinho mimado, expulso da escola particular grã-fina por fumar maconha, um rosto bonito com um andar arrogante, um charme tão bem cuidado quanto suas roupas e corte de cabelo. Mas acho que a ideia de sair com ele, até mesmo de beijá-lo, não é totalmente repulsiva.

Depois da última campainha, quando estamos cruzando o pátio em direção aos portões, ele se aproxima de nós. Que estava esperando, é o óbvio ululante. Francie dá um gritinho abafado e uma cotovelada tão forte nas minhas costelas que por um momento chego a perder o fôlego, e então muda de rumo. Nico está vindo na minha direção. Como que atraídos um para o outro por um cordão invisível, caminhamos e caminhamos. Ele tirou a gravata, embora isso seja o bastante para ficar de castigo depois da aula, por ter sido dentro dos portões da escola.

– Oi, Maya! – Seu sorriso aumenta. Ele fala muito bem, é muito seguro de si: vem fazendo isso há anos. Para perto de mim, perto demais, e tenho que recuar um passo. – Como é que vai? Não tenho uma oportunidade de falar com você há séculos!

Está agindo como um velho amigo que não me vê há anos, apesar do fato de não termos trocado mais do que algumas palavras até hoje. Mas eu me obrigo a olhar para ele e sorrir. Estava enganada: seus olhos não se parecem em nada com os de Lochan – são de um verde meio enlameado, misturado com castanho. O cabelo é da mesma cor. Não sei como posso ter visto alguma semelhança entre os dois.

– Você está com pressa – pergunta ele – ou tem tempo para tomar uma Coca no Smileys?

Nossa, o cara não perde tempo.

– Tenho que pegar meus irmãos menores na escola – respondo, sincera.

– Olha, eu vou ser direto com você. – Ele põe a mochila entre os pés para indicar que a conversa agora é para valer, e afasta o cabelo dos olhos. – Você é uma menina muito legal, entende? Eu sempre tive, tipo assim, uma simpatia especial por você, entende? Não achei que fosse recíproca, por isso não disse nada até agora. Mas enfim, é aquele lance do *carpe diem*, entende?

Será que ele acha que vai me impressionar com seu domínio do latim?

— Eu sempre te considerei uma boa amiga, mas sabe de uma coisa? Acho que pode ser mais forte do que isso, entende? O que estou querendo dizer é que... de repente a gente poderia se conhecer um pouco melhor, entende?

Se ele disser *entende* mais uma vez, juro que vou começar a gritar.

— Eu me sentiria muito honrado se você me permitisse te levar para jantar uma noite dessas. Será que existe a mais remota possibilidade de eu te convencer a fazer isso? — Ele torna a mostrar os dentes, agora no que se poderia passar por um sorriso melancólico. É, o cara tem lábia.

Finjo refletir por um momento. Seu sorriso não vacila. Estou impressionada.

— Hum-hum, acho que sim...

O sorriso fica mais largo.

— Isso é ótimo. É maravilhoso. Na sexta estaria bem para você?

— Perfeito.

— Legal. Que tipo de comida você prefere? Japonesa, tailandesa, mexicana, libanesa?

— Uma pizza estaria de bom tamanho para mim.

Seus olhos se iluminam.

— Eu conheço um restaurante ótimo, que serve a melhor comida italiana do bairro. Passo de carro para te pegar às sete, que tal?

Estou prestes a argumentar que seria mais fácil se nos encontrássemos lá, mas então me ocorre que deixá-lo ir me apanhar em casa talvez não seja má ideia.

— Tudo bem. Sexta, às sete da noite. — Torno a sorrir. Minhas bochechas estão começando a doer.

Ele inclina a cabeça, levantando as sobrancelhas.

— Você vai ter que me dar seu endereço!

Ele tira uma caneta do bolso, enquanto eu reviro os meus até encontrar um recibo amassado. Anoto meu endereço e telefone e entrego a ele. Ao fazer isso, ele segura meus dedos por um momento e abre mais um dos seus sorrisos de alta voltagem.

— Mal posso esperar.

Estou começando a achar que talvez valha a pena, mesmo que seja apenas para rir dele no dia seguinte com Francie. Consigo dar um sorriso sincero dessa vez e digo:

— Eu também.

Francie sai de trás da cabine telefônica no fim da rua.

— Ai meu Deus, ai meu Deus, me conta tudinho!

Estremeço, tapando os ouvidos.

— Ai, criatura! Está tentando me matar do coração?

— Você ficou vermelha! Ai meu Deus, você aceitou, não aceitou?

Conto a conversa por alto. Francie me sacode brutalmente pelos ombros, dando gritinhos. Uma mulher vira a cabeça, alarmada.

— Calma lá – digo, rindo. – Francie, o cara é um perfeito idiota!

— E daí? Diz que não se sente atraída por ele!

— Tá, talvez eu o ache *ligeiramente* atraente…

— Eu sabia! Você estava se queixando na semana passada que nunca tinha sido beijada! A partir de sexta, vai poder riscar isso da sua lista.

— Talvez… Olha só, tenho que ir andando. Estou atrasada para pegar Tiffin e Willa.

Francie abre um sorriso para mim quando começo a me afastar.

— Você vai me contar tudinho, Maya Whitely, nos seus mínimos detalhes! Você me deve isso!

Tenho que confessar que a perspectiva de um encontro com Nico não me faz sentir um milionésimo melhor. Um milionésimo menos anormal, sim, e já é alguma coisa. À noite, enquanto sento à mesa da cozinha e ajudo Tiffin e Willa com o dever de casa, minha memória não para de voltar à conversa, ao clima de paquera, ao jeito como ele sorria para mim. Não é muito – não chega nem perto de ser o suficiente para preencher o vazio abissal dentro de mim –, mas já é alguma coisa. É sempre bom ser apreciada. É sempre bom ser desejada. Mesmo que seja pelo cara errado.

Sem querer, dei toda a ficha para Tiffin e Willa. Cheguei dez minutos atrasada para pegá-los, e quando Tiffin exigiu saber por quê, como eu ainda estava meio zonza, caí na asneira de contar que tinha ficado conversando com um rapaz na escola. Achei que a coisa ia morrer aí, mas tinha esquecido que

Tiffin já está quase com nove anos. *Maya arranjou um namorado, um namorado, um namorado!*, ele veio cantarolando pela rua afora até chegarmos em casa.

Willa pareceu preocupada.

— Isso quer dizer que você vai embora pra se casar?

— Não, é claro que não. — Dei uma risada, tentando tranquilizá-la. — Só quer dizer que eu vou ter um amigo, e que vou me encontrar com ele de vez em quando.

— Como mamãe e Dave?

— Não! *Nada a ver* com mamãe e Dave. Provavelmente só vou sair com ele uma ou duas vezes. E mesmo que saia mais vezes, ainda assim vai ser muito raramente. E é claro que *só* quando Lochie estiver em casa para tomar conta de vocês.

— Maya arranjou um namorado! — anuncia Tiffin quando Kit bate a porta, dando início a uma incursão relâmpago pela cozinha, à procura de biscoitos.

— Ótimo. Espero que vocês tenham um monte de filhos e sejam muito felizes.

Na hora do jantar, Tiffin já está com outras coisas na cabeça — a saber, a pelada que os amigos jogam a altos e provocantes brados bem na frente da casa enquanto ele está preso na cozinha, sendo obrigado por Lochan a comer vagem e recitar a tabuada. Willa está dando "materiais" na escola e quer saber do que tudo é feito: os pratos, os talheres, a jarra de água. Kit, entediado, está num de seus estados de espírito mais perigosos, provocando todo mundo para ver o circo pegar fogo, enquanto assiste tranquilamente de fora, rindo do caos que criou ao seu redor.

— Sete vezes quatro? — Lochan pega o garfo de Tiffin e espeta duas vagens antes de devolvê-lo. Tiffin dá uma olhada e faz uma careta.

— Vamos lá. Sete vezes quatro. Você tem que responder mais rápido do que isso.

— Estou pensando!

— Faz o que eu te disse, soma os números de cabeça. Sete vezes um, sete; sete vezes dois... ?

— Trinta e três — intromete-se Kit.

— Trinta e três? — repete Tiffin, otimista.

— Tiff, você tem que pensar por si mesmo.

— Por que você colocou duas vagens no meu garfo? Assim eu vou engasgar! Detesto vagem! — exclama Tiffin, zangado.

— Do que a vagem é feita? – pergunta Willa.

— Cocô de cobra – informa Kit.

Willa solta o garfo e encara o prato, horrorizada.

— Sete vezes um, sete – continua Lochan, obstinado. – Sete vezes dois...?

— Lochie, eu também detesto vagem! – protesta Willa.

Pela primeira vez na vida, não sinto a menor vontade de ajudar. Lochan me dirigiu exatamente cinco palavras desde que chegou há duas horas: *Eles já fizeram o dever?*

— Tiffin, você tem que saber quanto é sete vezes dois! É só somar, pelo amor de Deus!

— Não posso comer tudo isso, você botou demais no meu prato!

— Ei, Tiff – Kit inclina a cabeça –, ouviu só esses gritos? Parece que o Jamie marcou mais um gol.

— E o pior é que eles estão jogando com a *minha* bola!

— Kit, quer fazer o favor de deixar o Tiff em paz? – cobra Lochan.

— Já acabei. – Willa empurra o prato para o mais longe possível, derrubando o copo d'água de Kit.

— Ah, Willa, olha só o que você fez! – grita Kit.

— Por que *ela* pode deixar a vagem no prato? – Tiffin começa a berrar.

— Willa, come essa vagem! Tiffin, se você não souber quanto é sete vezes quatro, vai se dar mal na prova de amanhã! – Lochan está começando a perder a calma. Sinto uma espécie de prazer cruel.

— Maya, eu tenho que comer a vagem? – Willa recorre a mim em tom de lamúria.

— Pergunta a Lochan, o cozinheiro é ele.

— Acho que *cozinheiro* é abusar um pouco da licença poética – comenta Kit, rindo consigo mesmo.

— O patrão – sugiro.

— Ah, essa é ideal!

Lochan me dá um olhar que pergunta: *Que mal eu te fiz?* Mais uma vez, experimento um breve senso de satisfação.

— Willa, dá um jeito nessa merda, você molhou a mesa toda! – protesta Kit.

— Não posso!

— Para de bancar o bebezinho e pega a esponja!

— Lochie, Kit falou um palavrão!

— Não vou mais comer! — urra Tiffin. — E também não vou mais estudar a tabuada!

— Quer levar pau na prova de matemática? — rebate Lochan no mesmo tom.

— Não tô nem aí! Não tô nem aí! Não tô nem aí!

— Lochie, Kit falou um palavrão! — uiva Willa, agora furiosa.

— *Quimerda, quimerdinha, vamos todos quimerdar* — cantarola Kit.

— Querem calar a boca! Que é que há com vocês, pomba! — Lochan dá um soco na mesa.

Tiffin, aproveitando a distração, salta da cadeira, pega as luvas de goleiro e sai correndo de casa. Willa abre um berreiro escandaloso, desce da cadeira e vai para o quarto batendo os pés. Kit despeja três pratos de vagens intactas na panela, dizendo:

— Assim você pode servir a mesma bosta amanhã.

Com um gemido, Lochie segura a cabeça entre as mãos.

De repente, eu me sinto muito mal. Não sei o que estava tentando provar. Que Lochan precisa de mim, talvez? Ou estava apenas me vingando do gelo que ele tem me dado? Seja como for, estou me sentindo péssima. Não teria me custado nada dizer alguma coisa para amenizar a situação. Faço isso o tempo todo, sem precisar nem pensar. Podia ter impedido o estresse de Lochan de entrar em órbita, impedi-lo de se sentir um fracasso por ver mais um jantar em família terminar nesse caos. Mas não fiz isso. E o pior é que até mesmo gostei de ver o circo pegar fogo.

Parecendo exausto, Lochan esfrega os olhos, com um sorriso irônico. Dando uma espiada na comida que sobrou, tenta fazer graça:

— Mais um pouco de vagem, Maya? Não faça cerimônia!

Ele teria todo o direito de estar zangado, mas em vez disso é tão generoso que sinto uma tristeza imensa. Quero dizer alguma coisa, fazer alguma coisa para apagar o que fiz, mas não consigo pensar em nada. Mordendo o lábio, Lochan se levanta e começa a recolher os pratos da mesa, e de repente noto que nos últimos tempos sua ferida aumentou, que ele a vem irritando cada vez mais. Parece tão dolorosa, assim, em carne viva, que vê-lo mordê-la daquele jeito me deixa com os olhos cheios de lágrimas. Levantando para ajudá-lo a tirar a louça, relembro a Kit que é sua vez de lavá-la e, sem pensar, toco a mão de Lochan para chamar sua atenção – mas dessa vez, para minha surpresa, ele não se afasta.

– Tadinho do seu lábio – digo, com delicadeza. – Desse jeito você vai machucar mais ainda.

– Desculpe. – Ele para de morder e pressiona as costas da mão na boca, encabulado.

– É mesmo, esse troço é um nojo. – Kit aproveita a oportunidade para meter sua colher torta, a voz alta e insolente enquanto joga sem a menor cerimônia uma pilha de pratos na pia com estrépito. – Os caras na escola até já me perguntaram se era alguma doença.

– Kit, isso é uma besteira... – começo.

– Ué, só estou concordando com você! Aquela ferida é mesmo nojenta, e se ele continuar mordendo, vai acabar ficando desfigurado.

Tento lhe dar um de meus olhares de advertência, mas ele evita meus olhos, remexendo a louça com barulho na pia. Lochan encosta o ombro na parede, esperando que a água ferva na chaleira, olhando pela janela escura. Decido ajudar Kit com a louça – Lochan parece estar dando um tempo, e não quero deixar os dois sozinhos enquanto Kit ainda estiver com a corda toda.

– Quer dizer que você finalmente conseguiu arranjar um namorado? – pergunta Kit, ferino, quando vou para o seu lado na pia. – Quem é o felizardo?

Sinto um aperto nas entranhas. Por instinto meu olhar voa para Lochan, que tira a mão da boca, a cabeça se virando bruscamente.

– Ele não é meu namorado – corrijo Kit depressa. – Só... só um cara aí da escola que me convidou para... hum... – Fico em silêncio. Lochan está me encarando.

– Para... hum... transar? – sugere Kit.

– Não seja infantil. Ele me convidou para jantar fora.

– Uau... sem uma Coca no Smiley antes? Direto ao assunto, aos comes e bebes? – Kit está adorando me ver morta de vergonha. – Que cara na Belmont tem bala na agulha pra fazer um convite desses a uma menina? Não me diga que é um dos seus professores! – Seus olhos brilham.

– Não seja ridículo. É um cara da última série chamado Nico. Você nem conhece.

— Nico DiMarco? — Mas é claro que Lochan conhece. Merda.

— É. — Me obrigo a enfrentar seu olhar atônito por cima da cabeça de Kit. — Eu… ele me convidou para sair na sexta. Isso seria… você pode… está tudo bem? — Não sei por que de repente estou com tanta dificuldade para falar.

— Epa, você devia ter pedido permissão primeiro! — provoca Kit. — Vai ter que chegar em casa dentro do horário, lembra? Taí, vou te dar a minha última camisinha…

— Já chega, Kit! — grito, batendo com um prato na bancada. — Vai buscar o Tiffin na rua, e depois faz o dever de casa! — Agora sou eu quem está perdendo a cabeça.

— Tudo bem! Me desculpe por respirar! — Kit atira a escova de pratos na pia fazendo a água espirrar, e sai a passos furiosos da cozinha.

Lochan não saiu de sua posição à janela, arranhando a ferida com a unha do polegar. Seu rosto parece febril, os olhos profundamente perturbados.

— Nico? Você o conhece? Quer dizer, o cara é super… hum… sabe como… ele tem uma tremenda reputação…

Mantenho a cabeça baixa, esfregando os pratos com força.

— Hum-hum. Mas é só um encontro. Vamos ver o que acontece.

Lochan dá um passo na minha direção, mas então muda de ideia e recua.

— Você… você… gosta dele?

Sinto o rosto ficar vermelho e de repente a raiva volta à tona. Como Lochan se atreve a me fazer esse interrogatório, quando só concordei com o encontro por nossa causa — por causa dele?

— Para ser sincera, gosto, sim. — Paro de esfregar os pratos e obrigo meus olhos a enfrentarem os seus. — Ele é o cara mais bonito da escola. Estou a fim dele há séculos. Mal posso esperar para sair com ele.

LOCHAN

Isso é bom. Na verdade, isso é ótimo! Maya finalmente encontrou alguém de quem gosta, e o melhor é que ele também gosta dela e os dois vão sair na sexta. As coisas finalmente estão começando a entrar nos eixos para ela; é o começo de sua vida adulta, longe desse hospício, dessa família, de mim. Ela parece feliz, parece entusiasmada. Nico pode não ser o cara que eu teria escolhido para ela, mas ele é legal. Já namorou firme duas meninas, não parece estar a fim só de um caso. É normal que eu me sinta ansioso, mas não vou perder o sono por causa disso. Afinal, Maya já tem quase dezessete anos, Nico é apenas um ano mais velho. Maya vai ficar bem. Ela é uma pessoa muito sensata, responsável e madura; vai tomar cuidado, e talvez dê certo. Ele não vai magoá-la – pelo menos, não intencionalmente. Não, tenho certeza de que ele não vai magoá-la, ele não faria isso. Ela é uma pessoa tão encantadora, tão preciosa – ele vai ver isso: tem que ver. Vai saber que nunca poderá deixá-la na mão, nunca poderá lhe fazer mal. Nem ele faria isso. Não poderia. Portanto, está tudo bem, e eu vou finalmente conseguir dormir. Não preciso pensar mais no assunto. Do que preciso desesperadamente é dormir. Senão, vou desmoronar. Desmoronar. Eu já *estou* desmoronando.

Os primeiros raios da manhã tingem os beirais dos telhados. Sento na cama e vejo a luz clara se diluir numa negrura de tinta, uma fina camada de cor que lentamente se difunde ao leste no céu. O ar está frio, soprando pelas rachaduras na esquadria da janela, e gotas de chuva esparsas pingam na vidraça, enquanto os pássaros começam a despertar. Um trapézio dourado de sol se inclina na parede, alargando-se lentamente como uma mancha que se expande.

Qual é o sentido disso tudo, eu me pergunto, desse ciclo infinito? Não dormi a noite inteira e os músculos doem pela imobilidade prolongada. Estou com frio mas não consigo encontrar forças para me mexer ou mesmo puxar o edredom. De vez em quando minha cabeça, como se sucumbisse a um narcótico, começa a cair, e os olhos se fecham e abrem com um sobressalto. À medida que a luz começa a se intensificar, minha infelicidade também, e me pergunto como é possível sofrer tanto quando nada está errado. Um desespero crescente no centro do meu peito pressiona como se quisesse sair, ameaçando estilhaçar as costelas. Encho os pulmões de ar gelado e os esvazio, passando as mãos de leve pelos ásperos lençóis de algodão, como se me ancorasse a essa cama, a essa casa, a essa vida – numa tentativa de esquecer minha completa solidão. A ferida sob o lábio lateja como um pulso e é um custo deixá-la em paz, não esfregá-la numa tentativa de aniquilar a agonia em minha mente. Continuo alisando as cobertas, o movimento rítmico me acalmando, me relembrando que, embora esteja me despedaçando por dentro, tudo ao redor permanece o mesmo, concreto e real, trazendo a esperança de que talvez um dia eu também volte a me sentir real.

Um único dia abrange tanta coisa. A rotina frenética das manhãs: tentar fazer com que todos tomem café, a voz estridente de Tiffin arranhando meus ouvidos, a tagarelice ininterrupta de Willa arrebentando meus nervos, Kit implacavelmente reforçando meu sentimento de culpa com cada gesto, e Maya… É melhor nem pensar em Maya. Mas sinto uma vontade perversa de fazer isso. Quero ficar arranhando a ferida, arrancando a casca, atormentando a pele dilacerada. Não consigo deixar sua lembrança em paz. Como ontem à noite durante o jantar, ela está aqui, mas não está aqui: seu coração e sua cabeça deixaram essa casa sórdida, os irmãos cansativos, o irmão antissocial, a mãe alcoólatra. Agora seus pensamentos estão em Nico, antecipando o encontro de hoje à noite. Por mais longo que o dia possa parecer, a noite vai chegar e Maya vai sair. E a partir desse momento, parte de sua vida, parte de si mesma, será amputada de mim para sempre. Ainda assim, enquanto espero que isso aconteça, há muito a fazer: convencer Kit a sair da toca, não deixar que Tiffin e Willa cheguem atrasados à escola, cobrar a tabuada de Tiffin enquanto ele ameaça disparar à nossa frente pela rua afora. Atravessar os portões da Belmont, ver sem ser visto se Kit está na sala, aturar uma manhã inteira de aulas, descobrir novas maneiras de fugir das atenções caso a professora insista para eu participar, sobreviver ao almoço, evitar DiMarco a qualquer preço, explicar à professora por que não posso fazer uma apresentação, chegar à última campainha sem perder a cabeça. E finalmente pegar Willa e Tiffin na escola, brincar com eles pelo resto da tarde, lembrar a Kit que tem hora para voltar sem provocar uma briga – e todo o tempo, o tempo todo, tentar expurgar cada pensamento de Maya da cabeça. E os ponteiros do relógio da cozinha continuam avançando, chegando à meia-noite antes de tudo voltar à estaca zero, como se o dia que mal acabou jamais tivesse chegado a começar.

No passado, eu era tão forte. Conseguia destrinchar todas as miudezas, todos os detalhes, a rotina massacrante, dia após dia. Mas nunca me dei conta de que era Maya quem me transmitia aquela força. Era porque ela estava lá que eu conseguia aguentar, nós dois no timão, um amparando ao outro quando um dos dois caía. É verdade que passamos a maior parte do tempo cuidando dos menores, mas por baixo da superfície estávamos realmente cuidando um do outro, o que tornava tudo suportável, aliás, mais do que suportável. Isso nos aproximou em meio a uma existência que só nós podíamos compreender. Juntos, ficávamos a salvo – à margem, mas a salvo – do mundo exterior... Agora só tenho a mim mesmo, minhas responsabilidades, meus deveres, minha lista infindável de coisas a fazer... e minha solidão, sempre minha solidão – aquela bolha irrespirável de desespero que pouco a pouco me sufoca.

Maya vai para a escola antes de mim, com Kit a reboque. Parece aborrecida comigo por alguma razão. Willa está sem a menor pressa, catando gravetos e folhas secas ao longo do caminho. Tiffin nos abandona ao ver Jamie do outro lado da rua, e não tenho forças para chamá-lo de volta, apesar do trânsito intenso no cruzamento em frente à escola. Tenho que fazer um esforço sobre-humano para não perder a paciência com Willa – dizer que se apresse, perguntar por que parece fazer tanta questão de que cheguemos atrasados. No momento em que alcançamos os portões da escola, ela vê uma amiga e sai correndo em sua direção, o casaco voando como uma cauda de cometa atrás dela. Por um momento fico parado, vendo-a se afastar, uma torrente de finos cabelos dourados ondulando às suas costas no vento. Seu jumper cinza ainda está manchado do almoço de ontem, o casaco escolar sem o capuz, a mochila de livros caindo aos pedaços, a meia-calça vermelha com um buraco enorme atrás do joelho, mas ela nunca se queixa – mesmo estando cercada por pais que abraçam os filhos ao se despedir, mesmo não vendo a mãe há duas semanas, mesmo não possuindo qualquer lembrança de algum dia já ter tido um pai. Ela só tem cinco anos, mas já aprendeu que não adianta pedir à mãe para ler uma história na hora de dormir, que receber amiguinhos em casa é uma coisa que só as outras crianças podem fazer, que brinquedos novos são um luxo raro, que em casa Kit e Tiffin são os únicos que conseguem o que querem. Aos cinco anos ela já aceitou uma das mais duras lições da vida: que o mundo não é justo... Quando chega à metade dos degraus, com a melhor amiga a reboque, de repente lembra que não se despediu e vira a cabeça, procurando meu rosto em meio ao pátio que já começa a ficar deserto. Quando me localiza, um sorriso radiante se abre entre as bochechinhas gordas, a ponta da língua cutucando o espaço banguela entre os dentes da frente. Levantando a mãozinha, ela acena. E eu retribuo o aceno, meus braços varrendo o céu.

Entrando no prédio da escola, sou atingido por uma muralha de calor artificial – a calefação está ligada no máximo. Mas é só quando entro na sala de inglês e me vejo cara a cara com a Srta. Azley que me lembro. Ela sorri para mim, numa tentativa mal disfarçada de me encorajar.

– Vai precisar do projetor?

Fico paralisado diante de sua mesa, uma sensação horrível, opressiva, sinistra no peito, e me apresso a dizer:

– Para ser franco... para ser franco, achei que talvez o texto fizesse mais sentido como dever de casa... era muita informação para condensar em apenas... apenas meia hora...

Seu sorriso se desfaz.

– Mas não era uma redação, Lochan. A apresentação faz parte dos deveres que valem nota. E eu não posso dar nota a esse trabalho como dever de casa. – Ela pega meu fichário e o folheia. – Bem, você certamente tem muito material aqui, por isso acho que poderia apenas lê-lo em voz alta.

Olho para ela, a mão fria do horror apertando minha garganta.

– Bem, a questão é que... – Mal consigo falar. De repente, minha voz não é mais do que um sussurro.

Ela franze a testa, sem compreender.

– A questão é que...?

– É que... é que não vai fazer muito sentido se eu apenas ler...

– Por que não experimenta? – Sua voz de repente ficou suave; suave demais. – A primeira vez é sempre a mais difícil.

Sinto o rosto arder.

– Não vai dar certo. Me... me desculpe. – Pego o fichário da sua mão estendida. – Pode deixar que eu vou compensar a nota perdida com... com os outros trabalhos que fizer.

E me viro depressa, procurando uma carteira, ondas escarlates quebrando sobre mim. Para meu alívio, ela não volta a me chamar.

Nem toca no assunto da apresentação durante a aula. Em vez disso, preenche a lacuna aberta pela falta de minha contribuição falando sobre as vidas de Sylvia Plath e Virginia Woolf, o que dá margem a um intenso debate sobre o vínculo entre as doenças mentais e o temperamento artístico. Normalmente é um assunto que eu acharia fascinante, mas hoje as palavras batem e escorrem em mim. Do outro lado, o céu abre as comportas, a chuva tamborilando nas vidraças sujas, lavando-as como lágrimas. Olho para o relógio e vejo que só faltam mais cinco horas para o encontro de Maya. Talvez DiMarco tenha quebrado a perna jogando futebol. Talvez esteja na enfermaria neste exato momento, vítima de uma intoxicação alimentar. Talvez, sem mais nem menos, tenha arranjado outra menina para levar. Qualquer menina, menos a minha irmã. Ele tinha a escola inteira para escolher. Por que logo Maya? Por que justamente a pessoa que mais importa para mim no mundo?

– Lochan Whitely? – A voz alta me dá um susto quando me dirijo para a porta em meio ao caos de alunos que saem. Viro a cabeça e vejo a Srta. Azley me chamando com um gesto para a sua mesa, e percebo que não tenho escolha senão abrir caminho de novo por entre a turba.

– Lochan, acho que precisamos ter uma conversinha.

Não, pelo amor de Deus. Isso não. Hoje não.

– Não vai ser coisa demorada. Vou te dar uma nota. – Indica uma carteira em frente à sua mesa. – Senta, por favor.

Tirando a alça da mochila pela cabeça, sento na carteira indicada, compreendendo que não há saída. A Srta. Azley vai até a porta e a fecha com um tranco metálico que soa como o portão de um presídio.

Ela volta a se aproximar e senta numa carteira ao meu lado, virando-se para mim com um sorriso tranquilizador.

– Não precisa ficar com essa expressão preocupada. Tenho certeza de que a essa altura você já sabe que eu ladro mais do que mordo!

Eu me forço a olhar para ela, na esperança de encurtar seu discurso sobre a importância da participação em classe, se me mostrar mais cooperativo. Mas, em vez disso, ela sai por uma tangente:

– O que aconteceu com seu lábio?

Consciente de que o estou mordendo de novo, eu me obrigo a parar, meus dedos voando até ele, surpresos.

– Nada... não é... não é nada.

– Você devia passar um pouco de vaselina, e começar a morder tampas de caneta. – Ela pega duas canetas roídas em cima da mesa. – Dói menos, e dá conta do recado. – Abre outro sorriso.

Mesmo com toda a vontade do mundo, não consigo retribuí-lo. Essa conversa amigável me pegou totalmente desprevenido. Alguma coisa nos seus olhos me diz que ela não está prestes a fazer um sermão sobre a importância da participação em classe, do trabalho em equipe, e a velha lenga-lenga de sempre. Seu olhar não é de repreensão, e sim de sincera preocupação.

– Você sabe por que te pedi para ficar, não sabe?

Respondo com um rápido aceno de cabeça, meus dedos automaticamente castigando o lábio outra vez. *Olha, hoje não é um bom dia*, tenho vontade de lhe dizer. Poderia contar até mil e ficar balançando a cabeça durante uma conversa inteira com uma professora do tipo mãezona, mas em outra ocasião, não hoje. Não hoje.

– Por que falar na frente dos seus colegas te apavora tanto, Lochan?

Ela me pegou desprevenido. Não gostei do jeito como usou o verbo *apavorar*. Não gostei do jeito como parece saber tanto sobre mim.

– Eu não fico... Eu não... – Minha voz vacila perigosamente. O ar circula lentamente pela sala. Estou respirando depressa demais. Ela me encurralou. Tenho consciência do suor frio começando a brotar nas costas, do calor irradiando do rosto.

– Calma, está tudo bem. – Ela se inclina para frente, sua preocupação quase palpável. – Não estou criticando você, Lochan, OK? Mas sei que você é bastante inteligente para entender por que precisa falar em público de vez em quando, não apenas por causa do seu futuro acadêmico, mas também do seu futuro pessoal.

Como gostaria de poder me levantar e ir embora.

— O problema é só na escola, ou o tempo todo?

Por que diabos ela está fazendo isso? Sala do diretor, castigo, expulsão – não me importo. Qualquer coisa é preferível a isso. Tento me fazer de surdo, mas não consigo. É a droga daquele ar preocupado, cortando minha consciência como uma faca.

— É o tempo todo, não é? – A voz dela é suave demais.

Sinto o calor se espalhar pelo rosto. Respiro fundo, em pânico, deixando os olhos vagarem pela sala, como se procurasse um lugar para me esconder.

— Não é nada de que deva se envergonhar, Lochan. É só uma coisa que vale a pena enfrentar agora.

Com o rosto formigando, começo a morder o lábio de novo, recebendo a dor aguda como um alívio bem-vindo.

— Como qualquer fobia, a ansiedade social é uma coisa que pode ser superada. Eu estava pensando que talvez nós devêssemos elaborar um plano de ação juntos, para já ir preparando você para a universidade no ano que vem.

Escuto o som da minha respiração, agudo e rápido. Respondo com um aceno quase imperceptível.

— Nós iríamos bem devagar. Um passo de cada vez. Você poderia se propor a levantar a mão e responder a uma pergunta por aula. Seria um bom começo, não acha? Quando se sentir à vontade para tomar a iniciativa de responder a uma, vai achar muito mais fácil responder a duas, e então três, e… enfim, você me entendeu. – Ela ri, e eu sinto que está tentando tornar o clima mais leve. – E então, quando menos esperar, vai estar respondendo a todas as perguntas, e aí não vai sobrar para ninguém!

Tento retribuir seu sorriso, mas não consigo. Um passo de cada vez… Eu tinha alguém que me ajudava a fazer exatamente isso. Alguém que me apresentou a uma amiga, que me incentivou a ler a redação na sala de aula; alguém que estava sutilmente tentando me ajudar a resolver o problema como um todo, e eu nunca percebi. E agora, eu a perdi – eu a perdi para Nico DiMarco. Uma noite com ele, e Maya vai ver o perdedor que eu sou, vai começar a se sentir em relação a mim do mesmo jeito que Kit e minha mãe se sentem…

— Notei que você tem parecido bastante estressado ultimamente – observa a Srta. Azley. – O que é perfeitamente compreensível; é um ano difícil. Mas as suas notas continuam ótimas, e você tem um desempenho fora de série nas provas discursivas. Por isso, vai tirar o A-Level de letra: quanto a isso, não precisa se preocupar.

Um aceno tenso.

— As coisas estão difíceis em casa?

Olho para ela, incapaz de esconder meu choque.

— Eu tenho dois filhos para criar — conta ela, com um sorrisinho. — Ouvi dizer que você tem quatro?

Meu coração gagueja e quase para. Fico olhando para ela. Com quem será que andou falando?

— N-não! Eu tenho dezessete anos. Tenho dois irmãos e... e duas irmãs, mas nós moramos com a nossa mãe, e ela...

— Eu sei, Lochan. Calma. — Só quando ela me interrompe é que percebo que não estou falando num tom propriamente comedido.

Pelo amor de Deus, fica frio!, imploro a mim mesmo. *Não reage como se tivesse alguma coisa a esconder!*

— O que eu quis dizer foi que você tem irmãos menores para ajudar a tomar conta — continua a Srta. Azley. — Isso não pode ser fácil, com toda a carga de deveres e trabalhos que a escola te impõe.

— Mas eu não... não tomo conta deles. Eles... são um bando de pirralhos insuportáveis, deixam minha mãe louca... — Meu riso soa extremamente artificial.

Outro silêncio tenso se estende entre nós. Dou uma olhada na porta, desesperado. Por que ela está falando sobre isso comigo? Que outras informações constarão daquela merda de ficha? Será que estão pensando em entrar em contato com a Agência de Serviço Social? Será que a St. Luke's se comunicou com a Belmont quando as crianças desapareceram?

— Não estou tentando me intrometer, Lochan — diz ela de repente. — Só quero que você saiba que não precisa carregar esse fardo sozinho. Sua ansiedade social, as responsabilidades em casa... é muita coisa para enfrentar na sua idade.

Do nada uma dor se ergue no meu peito e invade a garganta. Quando dou por mim, estou mordendo o lábio para impedi-lo de tremer.

Sua expressão muda, e ela se inclina para mim.

— Calma. Preste atenção. Há *vários* tipos de ajuda disponíveis. Você pode conversar com a orientadora da escola, ou com qualquer um dos seus professores, ou mesmo recorrer a alguém de fora, que até posso recomendar, se não quiser envolver a escola. Você *não tem* que carregar tudo isso sozinho nas...

A dor na garganta se intensifica. Vou perder o controle.

— Eu... tenho mesmo que ir. Desculpe, mas...

— Tudo bem, tudo bem. Mas Lochan, estou sempre aqui se quiser conversar, combinado? Você pode marcar uma hora com a orientadora quando quiser. E, se houver algum jeito de facilitar as coisas para você durante as aulas... Por ora, vamos esquecer as apresentações. Vou dar nota à redação como dever de casa, como você sugeriu. E vou deixar a seu critério responder ou não a perguntas, e parar de insistir para que você participe. Sei que não é muito, mas será que ajudaria de algum modo?

Não entendo. Por que ela não pode ser como os outros professores? Por que tem que se importar?

Balanço a cabeça, sem palavras.

— Ah, meu filho, a última coisa que eu queria era fazer com que você se sentisse pior! É que eu tenho você na mais alta conta, e estou preocupada. Queria que você soubesse que existe ajuda...

É só quando percebo o tom derrotado de sua voz e vejo a expressão chocada em seu rosto que percebo que meus olhos se encheram de lágrimas.

— Obrigado. P-posso ir agora?

— É claro, Lochan. Mas será que pode pensar no assunto, pensar em falar com alguém?

Balanço a cabeça, incapaz de pronunciar mais uma palavra, pego a mochila e saio correndo da sala.

— Não, sua burra. É pra colocar só quatro lugares. — Tiffin tira um dos pratos da mesa e o devolve à pilha do armário com estrépito.

— Por quê? Kit vai pro Burger King de novo? — Willa mordisca a ponta do polegar, nervosa, seus olhos grandes esquadrinhando a cozinha vazia, como se procurassem sinais de conflito.

— Hoje à noite Maya vai sair com o namorado, sua burra!

Dou as costas ao fogão:

— Para de chamar a Willa de burra. Ela é mais nova do que você, só isso. E como é que ela já fez a parte dela, e você ainda nem começou a sua?

— Não quero que Maya saia com o namorado — protesta Willa. — Se ela sair e o Kit sair e a mamãe sair, vão ficar só três pessoas na família!

— Na verdade, duas, porque eu vou dormir na casa do Jamie — Tiffin informa a ela.

— Ah, não vai mesmo — intervenho depressa. — Isso não foi discutido, a mãe do Jamie não ligou, e eu já te disse para não ficar se convidando, porque é falta de educação.

— Tudo bem! — grita Tiffin. — Vou dizer a ela pra te ligar! Foi ela mesma quem me convidou, você vai ver só! — E sai pisando duro da cozinha no momento em que começo a servir o jantar.

— Tiff, volta aqui, ou vai ficar sem o Gameboy durante uma semana!

Ele chega às sete e dez. Maya está uma pilha de nervos desde que voltou da escola. Passou a última hora no andar de cima, disputando o banheiro com mamãe. Até ouvi as duas rindo juntas. Kit pula da cadeira, dando uma topada com o joelho na perna da mesa, em sua pressa de ser o primeiro a recebê-lo. Deixo que vá e então fecho depressa a porta da cozinha. Não quero me encontrar com ele.

Felizmente, Maya não o convida para entrar. Escuto seus pés correndo na escada, vozes altas trocando cumprimentos, e então: *Vou estar com você em um minuto.*

Kit reaparece, com ar impressionado, exclamando em alto e bom tom:

— Uau, o cara é cheio da grana! Já viu a beca de grife que ele tá usando? Maya entra na cozinha, apressada.

— Obrigada pelo favor. — Ela vem até mim e aperta minha mão daquele seu jeito irritante. — Eu passo o dia fora com eles amanhã, prometo.

— Não seja boba — digo, me afastando. — Divirta-se.

Ela está usando um vestido que eu nunca tinha visto. Na verdade, parece totalmente diferente: batom cor de vinho, os longos cabelos ruivos presos num coque, alguns fios soltos emoldurando o rosto com delicadeza. Pequenos pingentes de prata pendem das orelhas. O vestido é preto, curto e colante, sexy de uma maneira sofisticada. E está usando um perfume com notas de pêssego.

— Beijinho! — grita Willa, estendendo os braços.

Fico olhando enquanto ela abraça Willa, dá um beijo na testa de Tiffin e um soco no ombro de Kit, e então sorri de novo para mim.

— Me deseja boa sorte!

Consigo retribuir o sorriso e dar um curto aceno.

— Boa sorte! — Tiffin e Willa berram a plenos pulmões. Maya estremece e ri, saindo apressada para o corredor.

Portas batidas, e então o ronco de um motor.

— Ele veio de carro? — pergunto a Kit.

— Veio, tô te dizendo, o cara é cheio da grana! Não era nenhum Lamborghini, mas porra, ele já tem um possante aos dezessete anos?

— Dezoito — corrijo-o. — E espero que não esteja pretendendo beber.

— Você devia ter visto o cara — insiste. — Aquilo é que é ter classe.

— Maya parecia uma princesa! — exclama Willa, os olhos azuis imensos. — E também parecia gente grande.

— Muito bem, quem quer mais batatas?

— Talvez ela case com ele e aí vai ficar rica — intromete-se Tiffin. — Se Maya vai ficar rica e eu sou irmão dela, isso quer dizer que eu também vou ficar rico?

— Não, quer dizer que ela vai te dar um pé na bunda porque você é um pentelho que nem sabe a tabuada direito — responde Kit.

A boca de Tiffin se abre e os olhos começam a ficar cheios.

— Você não é nem engraçado, sabia? — digo a Kit.

— Eu nunca disse que era um comediante, só um realista — rebate ele.

Tiffin começa a fungar e seca os olhos com as costas da mão.

— Não tô nem aí pro que você pensa, Maya nunca faria isso, e seja lá como for, eu vou ser irmão dela até morrer.

— E nesse dia você vai direto para o inferno, e nunca mais vai ver ninguém — devolve Kit.

— Se existe um inferno, Kit, pode crer que você vai estar nele. — Sinto que estou começando a perder a calma. — Agora quer calar a boca e terminar de jantar sem ficar atormentando os seus irmãos?

Kit atira o garfo e a faca no prato meio comido com estardalhaço.

— Foda-se esse jantar. Vou sair.

— Às dez em casa, e nem um minuto a mais! — grito quando ele sai da cozinha.

— Vai sonhando, brother — responde ele, já no meio da escada.

Nossa mãe é a próxima a chegar, cheirando a perfume barato e tentando acender um cigarro sem estragar as unhas recém-pintadas. É a mais perfeita antítese de Maya: esbanjando glitter e batom carmim, com um vestido vermelho que mal cabe nela e não deixa quase nada para a imaginação. Logo ela volta a desaparecer, já cambaleando nos saltos altos e gritando com Kit por afanar seu último maço de cigarros.

Passo o resto da noite vendo tevê com Tiffin e Willa, exausto e farto demais para tentar fazer qualquer coisa mais produtiva. Quando eles começam a discutir por causa de uma bobagem, resolvo prepará-los para ir dormir. Willa chora porque deixo cair xampu nos seus olhos e Tiffin se esquece de puxar a cortina do box, alagando o banheiro. A hora de escovar os dentes parece se espichar em várias: o tubo de pasta infantil está quase no fim e então uso a minha, o que faz Tiffin chorar e Willa ter ânsias de vômito na pia. Então Willa leva quinze minutos para escolher uma história, Tiffin escapa de fininho para jogar com o Gameboy na sala, e quando digo que não pode, faz uma cena e diz que Maya sempre o deixa jogar enquanto ela lê para Willa. No momento em que eles se deitam, Willa resolve ficar com fome, e Tiffin, não querendo ser desbancado, jura que está com sede, e quando o chororô finalmente termina, já são nove e meia e eu estou arrebentado.

No entanto, depois que eles dormem, a casa parece vazia e fantasmagórica. Sei que também devia ir me deitar e tentar dormir mais cedo, mas me sinto cada vez mais agitado e nervoso. Digo a mim mesmo que preciso ficar acordado para ver se Kit volta para casa, mas no fundo sei que isso é só uma desculpa. Resolvo assistir a um filme de ação qualquer na tevê, mas não faço a menor ideia do enredo ou de quem está perseguindo quem. Nem consigo prestar atenção nos efeitos especiais — só consigo pensar em DiMarco. Já passa das dez: eles já devem ter acabado de jantar e saído do restaurante. O pai dele está sempre viajando a negócios — pelo menos é o que diz Nico, e não tenho nenhum motivo para duvidar dele. Ou seja, ele fica com a mansão toda para si… Será que ele a levou para lá? Ou será que estão em algum estacionamento mal iluminado, ele com as mãos e os lábios colados nela? Começo a me sentir enjoado. Talvez seja porque não comi nada a noite inteira. Quero esperar acordado e ver com meus próprios olhos em que estado ela vai voltar para casa. *Se* decidir voltar para casa. De repente me ocorre que a maioria das meninas de dezesseis anos tem hora para voltar. Mas sou apenas treze meses mais velho do que ela, por isso não tenho autoridade para lhe impor um horário. Vivo dizendo a mim mesmo que Maya sempre foi muito sensata, muito responsável, muito madura, mas agora lembro como estava vermelha quando entrou na cozinha para se despedir, o brilho no seu sorriso, a efervescência no seu olhar. E me dou conta de que ela ainda é só uma adolescente, não uma adulta, por mais que seja obrigada a se comportar como uma. Ela tem uma mãe que não acha nada de mais em transar no chão da sala enquanto os filhos dormem no andar de cima, que se gaba com eles das suas conquistas adolescentes, que sai para beber toda semana e chega cambaleando às seis da manhã com a maquiagem borrada e as roupas rasgadas. Que tipo de modelo Maya teve? Pela primeira vez na vida, ela está livre. Quem me garante que não vai se sentir tentada a aproveitar essa liberdade ao máximo?

Mas é um absurdo pensar assim. Maya já tem bastante idade para fazer suas próprias escolhas. Muitas meninas da sua idade já dormem com os namorados. Se não for dessa vez, vai ser da próxima, ou da outra, ou da outra. Mais cedo ou mais tarde, vai acontecer. O problema é que é impossível para mim. Não tenho condições de enfrentar isso. A simples ideia me faz ter vontade de bater com a cabeça na parede e sair por aí quebrando as coisas. A ideia de DiMarco, ou qualquer um, abraçando, tocando, beijando Maya...

Uma pancada ensurdecedora, uma explosão violenta, um raio de dor percorrendo o braço antes de eu entender que dei um soco na parede com todas as minhas forças: pedaços de tinta e reboco se desprendem da impressão deixada pelo punho acima do sofá. Curvado em dois, aperto a mão direita com a esquerda, trincando os dentes para não emitir um som. Por um momento tudo fica escuro e acho que vou desmaiar, mas então a dor me atinge em ondas pulsantes, chocantes, apavorantes. Na verdade não sei o que dói mais, se a mão ou a cabeça. A hipótese que tanto temi e contra a qual lutei durante essas últimas semanas – a perda total de controle sobre a mente – já é uma realidade, e não tenho mais condições de lutar com ela. Fecho os olhos e sinto a loucura se enrolar pela coluna e rastejar para o cérebro. Vejo-o explodir como o sol. Então é isso, é essa a sensação depois de uma longa e sofrida luta – perder a batalha e finalmente enlouquecer.

MAYA

Ele é maravilhoso. Não entendo como posso ter chegado a achar que era um idiota arrogante. Só prova como a gente às vezes tem uma percepção distorcida dos outros. Ele é atencioso, amável, educado e parece estar sinceramente interessado em mim. Ele me diz que sou linda e então dá um sorriso tímido. Quando estamos no restaurante, ele traduz cada item do menu para mim e não ri e nem parece surpreso quando digo que nunca provei alcachofras. Ele faz um monte de perguntas, mas quando explico que a situação da minha família é complicada, parece entender e muda de assunto. Ele concorda que a Belmont é um lixo e admite que mal pode esperar para sair de lá. Então pergunta por Lochan e diz que gostaria de conhecê-lo melhor. Confidencia que o pai está mais interessado nos negócios do que no filho único e o enche de presentes caríssimos, tipo um carro, para amenizar o sentimento de culpa por passar metade do ano no exterior. Sim, ele é rico e mimado, mas tão abandonado quanto nós. Um conjunto de circunstâncias totalmente diferentes; as mesmas tristes consequências.

Ficamos conversando um tempão. Quando ele me leva para casa, eu me pego pensando se vai me beijar. Lá para as tantas, quando estendemos a mão ao mesmo tempo para desligar o rádio, nossos dedos se roçam, os dele se demorando nos meus por um momento. Estranho a sensação, estranho seu toque.

— Posso te acompanhar até a porta ou... pegaria mal? — Ele olha para mim, hesitante, e sorri quando sorrio. Imagino as carinhas curiosas espiando da janela do quarto, e concordo que é melhor eu descer sozinha. Felizmente, no escuro, ele parou o carro duas portas depois da nossa, de modo que ninguém em casa pode nos ver.

— Obrigada pelo jantar. Eu me diverti muito — digo, surpresa ao perceber que isso é verdade.

Ele sorri.

— Eu também. Será que podemos repetir a dose qualquer dia desses?

— Claro, por que não?

Seu sorriso fica ainda maior. Ele se inclina para mim.

— Boa noite, então.

— Boa noite. — Hesito, os dedos já na maçaneta da porta.

— Boa noite — ele torna a dizer com um sorriso, mas dessa vez segura meu queixo. Seu rosto se aproxima do meu e de repente a consciência me atinge. Eu gosto de Nico. Acho que ele é um ser humano da melhor qualidade. Ele é bonito e eu me sinto atraída por ele. Mas não quero beijá-lo. Não agora. Nem nunca... Viro a cabeça no instante em que seu rosto encontra o meu, e o beijo pousa na minha face.

Quando me afasto, ele parece surpreso.

— Tudo bem, então, até a próxima vez.

Respiro fundo, tateando a bolsa aos meus pés, grata pela escuridão que esconde o rubor que se espalha pelo meu rosto.

— Eu gosto muito de você como amigo, Nico — digo depressa. — Mas, desculpe, não acho que posso sair com você de novo.

— Ah. — Seu tom é surpreso e um pouco magoado. — Então tá, mas pensa a respeito, tudo bem?

— Tudo bem. Até segunda. — Desço do carro e bato a porta. Aceno, e vejo que ele ainda está com a mesma expressão de humor perplexo ao se afastar, como se achasse que estou brincando com ele.

Eu me recosto a um grosso tronco de árvore, olhando por entre a névoa e a chuva fina para o céu da noite sem luar. Nunca me senti tão envergonhada na vida. Por que passei a noite inteira dando corda para ele? Agindo como se estivesse fascinada com suas histórias, fazendo confidências? Por que concordei em sair com ele dez segundos antes de decretar que só podíamos ser amigos? Por que rejeitei um cara que, além de bonito, também mostrou ser uma pessoa legal? *Porque você é louca, Maya. Porque você é louca, burra, e quer passar o resto da vida à margem da sociedade. Porque você queria tanto que desse certo, queria tão desesperadamente que desse certo, que se obrigou a acreditar que as coisas estavam mesmo indo bem. Até que se deu conta de que beijar Nico, ou qualquer cara em quem possa pensar, não era absolutamente o que você queria.*

O que isso significa, então – que estou com medo? Com medo da intimidade física? Não. É algo que quero demais, até sonho com isso. Mas para mim não há ninguém. Ninguém. Qualquer cara, mesmo imaginário, pareceria um segundo colocado. Mas segundo colocado em relação a quem? Nem mesmo tenho um ideal de namorado. Só sei que ele deve existir. Porque eu tenho todos esses sentimentos – de amor, de desejo, de querer ser tocada, de sonhar em ser beijada –, e ainda assim ninguém em quem concentrá-los. Isso me faz ter vontade de gritar de frustração. Me faz sentir como uma aberração. Mas pior do que isso, eu me sinto mortalmente decepcionada. Porque passei a noite inteira acreditando que Nico era o cara certo. E então, quando ele tentou me beijar no carro, eu me dei conta, com a mais absoluta e esmagadora convicção, de que isso jamais faria sentido.

Caminho até a porta com passos cansados. Esse vestido ridículo é curto e decotado demais. Estou começando a tremer de frio. E me sentindo tão vazia, tão decepcionada. No entanto, fui *eu* que decepcionei a mim mesma. Por que não podia ter agido de uma maneira normal, para variar? Por que não podia ter me forçado a beijá-lo? Talvez não tivesse sido tão ruim assim. Talvez tivesse sido suportável... As luzes da sala ainda estão acesas. Dou uma olhada no relógio: quinze para as onze. Ah, não, por favor, mais uma briga entre Kit e Lochan, não... Destranco a porta e ela emperra. Dou um chute nela com esse ridículo sapato de salto sete que duvido que vá usar de novo. A casa, como uma tumba gigantesca, não emite um som. Descalço os sapatos e sigo em silenciosos passos de seda pelo corredor até a sala para apagar a luz. Só quero ir para a cama e esquecer essa noite infeliz, iludida.

Levo um susto ao ver o vulto sentado na beira do sofá. Lochan está curvado para frente, a cabeça entre as mãos.

– Cheguei...

Nem o mais ínfimo sinal de reconhecimento.

– Kit ainda não voltou? – pergunto, angustiada, com medo de que saia mais um escândalo.

– Ele chegou há uns vinte minutos. – Lochan nem sequer levanta o rosto. Que simpático.

— Minha noite foi maravilhosa. — Meu tom é cáustico. Se ele está com pena de si mesmo porque uma vez na vida foi obrigado a pôr as crianças para dormir sozinho, eu é que não vou lhe dar o gostinho de saber que a minha noite também foi uma droga.

— Vocês só foram jantar? — Bruscamente ele levanta a cabeça e me lança um olhar penetrante. Envergonhada com esse súbito escrutínio, percebo que meu coque está se desfazendo, fios soltos caindo no rosto, úmidos da chuva fina.

— Só — respondo com voz arrastada. — Por quê?

— Vocês saíram às sete. Já são quase onze.

Não posso acreditar que esse é Lochan falando.

— Está dizendo que eu tenho hora certa para chegar em casa? — Minha voz se eleva, ultrajada.

— É claro que não — responde ele, irritado. — Só estou surpreso. Quatro horas é tempo demais para se passar jantando.

Fecho a porta da sala, já sentindo a pressão sanguínea subir.

— Não foram quatro horas. Se descontar o tempo que levamos até chegar quase ao outro lado da cidade, até estacionar o carro, até vagar uma mesa... Nós só conversamos... por um bom tempo. Por acaso ele é um cara muito interessante. E a vida dele não é nenhum mar de rosas.

Assim que as palavras me saem da boca, Lochan se levanta de um salto, caminha em passos largos até a janela, e então se vira com ar feroz.

— Estou pouco me lixando se o pobre menino rico não ganhou o carro da marca exata que queria quando fez dezoito anos. Já ouvi tudo isso na Belmont. O que estou achando difícil de entender é por que você está inventando que só foi jantar, quando passou quatro horas na rua!

Isso não pode estar acontecendo. Lochan enlouqueceu. Ele nunca falou comigo assim na vida. Nunca o vi tão furioso comigo antes.

— Está me dizendo que eu tenho que dar satisfações de tudo que faço, nos menores detalhes? — desafio-o, meus olhos se arregalando de incredulidade. — Está mesmo exigindo um relato passo a passo de tudo que aconteceu durante a noite inteira? — Minha voz continua a se elevar.

— Não! Só quero que você pare de mentir para mim! — Lochan começa a gritar.

— O que eu faço ou deixo de fazer quando saio com um cara não é da sua conta! — grito também.

— Mas por que tem que ser um segredo? Não dá para apenas ser honesta?

— Eu *estou* sendo honesta! Nós fomos jantar, ficamos conversando, ele me trouxe para casa, e ponto final!

— Você acha mesmo que eu sou tão ingênuo assim?

É a gota d'água. Uma briga com Lochan depois de uma semana sendo ignorada: o fecho de ouro de uma noite do mais amargo desencanto que, tivesse eu permitido, poderia ter sido maravilhosa. A única coisa que queria quando cheguei era ir para a cama e apagar da cabeça a oportunidade desperdiçada. Em vez disso, sou submetida a esse suplício.

Começo a andar de costas para a porta, levantando as mãos, num gesto de rendição:

— Lochan, não sei qual é o seu problema, mas você está sendo extremamente injusto comigo. O que está acontecendo com você? Chego em casa esperando que você me pergunte se eu me diverti, e em vez disso você me faz um interrogatório, e ainda por cima me acusa de mentir! Mesmo que alguma coisa tivesse *realmente* acontecido nesse encontro, o que leva você a supor que eu estaria a fim de te contar?

E me viro para a porta.

— Então você dormiu *mesmo* com DiMarco — recomeça ele, sem entonação. — Tal mãe, tal filha.

Suas palavras cortam o silêncio entre nós como uma faca. Minha mão se paralisa na fria maçaneta de metal. Com extrema lentidão, com extremo esforço, eu torno a me virar para ele.

— Quê? — A palavra escapa como um sopro, pouco mais que um sussurro.

O tempo parece suspenso. Ele está parado em sua camiseta verde e jeans desbotado, apertando os nós dos dedos da mão direita com a palma da esquerda, de costas para a gigantesca fatia de noite. E eu me vejo diante de um estranho. Seu rosto exibe uma curiosa aparência avermelhada, como se ele tivesse chorado, mas o fogo em seus olhos queima meu rosto. Como fui idiota ao me enganar acreditando que o conhecia tão bem. Ele é meu irmão, e ainda assim, pela primeira vez na vida, parece um estranho diante de mim.

— Não posso acreditar que você disse isso. — Minha voz, puro tremor de incredulidade, emana de um ser que mal reconheço: esmagado, irremediavelmente ferido. — Sempre pensei em você como a única pessoa... — um suspiro para me acalmar — ... que nunca, jamais me magoaria.

Ele parece desolado, seu rosto espelhando a dor e a incredulidade que sinto.

— Maya, não estou me sentindo bem. Aquilo foi imperdoável. Não sei mais o que estou dizendo. — Sua voz sai trêmula, tão horrorizada quanto a minha. Ele pressiona as mãos no rosto, tentando recuperar o fôlego, e me dá as costas, andando de um lado para o outro, seu olhar desvairado, quase insano.

— Eu só preciso saber... por favor, entenda... eu *tenho* que saber, ou vou perder a cabeça! — Fecha os olhos com força, a respiração irregular.

— Não aconteceu nada! — levanto a voz, a raiva dando lugar ao medo. — Não aconteceu nada. Por que você não acredita em mim? — Seguro-o pelos ombros. — Não aconteceu nada, Lochie! Não aconteceu nada... nada nada, nada! — Estou praticamente gritando, mas não me importo. Não entendo o que está acontecendo com ele. O que está acontecendo comigo.

— Mas ele beijou você. — Sua voz sai apática, sem qualquer emoção. Afastando-se de mim, ele se agacha no carpete. — Ele beijou você, Maya, ele beijou você. — Agora seus olhos estão quase fechados, o rosto sem expressão, como se estivesse tão esgotado que não tem mais forças para reagir.

— Ele não me beijou! — grito, sacudindo-o pelos braços para ressuscitá-lo. — Ele tentou, é verdade, mas eu não deixei! E sabe por quê? Quer saber a razão? Quer realmente saber a razão? — Ainda o segurando com ambas as mãos, eu me inclino para frente, ofegante, lágrimas quentes e pesadas me escorrendo pelo rosto. — Foi por isso... — Chorando, beijo seu rosto. — Foi por isso... — Com um soluço abafado, beijo o canto de seus lábios. — Foi por isso...! — Fechando os olhos, finalmente beijo a boca de Lochan.

Estou caindo, mas sei que estou bem, porque é com ele, porque é com Lochan. Minhas mãos estão no seu rosto quente, minhas mãos estão nos seus cabelos úmidos, minhas mãos estão no seu pescoço suado. Agora ele também está me beijando, entre soluços estranhos que indicam que talvez esteja chorando como eu, me beijando com tanta força que chega a tremer, apertando meus braços e me puxando para perto. Sinto seus lábios, a língua, as pontas afiadas dos dentes, o calor macio do interior da boca. Sento no seu colo rodeando suas coxas, querendo chegar mais perto ainda, querendo desaparecer dentro dele, misturar meu corpo com o seu. Paramos por um momento para respirar, e eu vejo seu rosto. Os olhos rasos de lágrimas contidas. Ele solta um gemido trêmulo: nos beijamos mais um pouco, beijos suaves e ternos, e então ferozes e furiosos, suas mãos puxando as alças do meu vestido, retorcendo-as, agarrando o tecido nos punhos como se lutasse contra a dor. E eu sei como ele se sente – é tão bom que chega a doer. Acho que vou morrer de tanta felicidade. Acho que vou morrer de tanta dor. O tempo parou; o tempo disparou. Os lábios de Lochie são ásperos mas lisos, duros mas suaves. Seus dedos são fortes: sinto-os nos cabelos e no pescoço e pelos braços e contra as costas. E não quero que ele jamais me solte.

Um som explode como uma trovoada acima de nós; nossos corpos estremecem juntos e de repente não estamos mais nos beijando, embora eu me agarre à gola da sua camiseta, seus braços fortes apertando minha cintura. É o barulho da descarga, e em seguida os degraus rangendo sob os passos familiares de Kit na escada. Nenhum de nós consegue se mexer, embora o rastro de silêncio deixe claro que Kit voltou para a cama. Com a cabeça no peito de Lochan, escuto os sons ampliados do seu coração – muito alto, muito rápido, muito forte. Posso ouvir sua respiração também: pontas afiadas perfurando o ar gelado.

É ele quem rompe o silêncio:

— Maya, o que é que nós estamos fazendo? – Embora sua voz seja pouco mais que um sussurro, parece à beira das lágrimas. – Não entendo: por que, *por que* isso está acontecendo com a gente?

Fecho os olhos e pressiono o corpo no dele, alisando a pele do seu braço com os dedos.

— Nesse momento, a única coisa que eu sei é que te amo – digo em meu desespero contido, as palavras se derramando por conta própria. – Eu te amo muito mais do que como um irmão. Eu te amo… de todas as formas possíveis e imagináveis.

— Eu também me sinto assim… – Sua voz soa chocada e ferida. – É… um sentimento tão imenso que às vezes acho que vai me engolir. É tão forte que sinto que poderia me matar. E não para de crescer, e eu não posso… não sei o que fazer para estancá-lo. Mas… nós não podemos fazer isso… nos amar *assim*! – Sua voz falha.

— Eu sei disso! Não sou burra! – De repente fico zangada porque não quero ouvir o que ele diz. Fecho os olhos porque simplesmente não posso pensar nisso agora. Não posso me permitir pensar no que significa. Não quero pensar no nome que dão a isso. Eu me recuso a permitir que um rótulo do mundo exterior estrague o dia mais feliz da minha vida. O dia em que beijei o homem que sempre abracei em meus sonhos, mas nunca me permiti ver. O dia em que finalmente parei de mentir para mim mesma, parei de fingir que era apenas um tipo de amor que sentia por ele, quando na realidade eram todos os tipos possíveis e imagináveis de amor. O dia em que finalmente nos libertamos das nossas amarras e demos vazão aos sentimentos que havíamos negado por tanto tempo, apenas porque por acaso somos irmão e irmã.

— Nós... meu Deus... nós fizemos uma coisa horrível. — A voz de Lochan está trêmula, rouca e ofegante de terror. — Eu... fiz uma coisa horrível com você!

Seco o rosto e inclino a cabeça para olhá-lo.

— Nós não fizemos nada de errado! Como o nosso amor pode ser considerado horrível, quando não estamos fazendo mal a ninguém?

Seus olhos descem aos meus, brilhando úmidos na penumbra.

— Não sei — sussurra. — Como uma coisa tão errada pode parecer tão certa?

LOCHAN

Digo a Maya que ela precisa ir dormir, mas sei que *eu* não posso – estou com medo demais de ir para o quarto, sentar na cama e enlouquecer naquele quarto minúsculo, sozinho com meus pensamentos apavorantes. Ela diz que quer ficar comigo: está com medo de que, se for embora, eu desapareça. Ela não precisa explicar, pois sinto o mesmo: o medo de que, se nos separarmos agora, essa noite incrível vá evanescer, evaporar como um sonho, e vamos mais uma vez acordar pela manhã nos nossos corpos separados, nas nossas vidas normais. No entanto, aqui no sofá, meus braços aconchegando-a contra o corpo, a cabeça encostada no meu peito, ainda me sinto apavorado – mais apavorado do que já me senti na vida. O que acabou de acontecer foi mágico, e ao mesmo tempo totalmente natural, como se no fundo eu sempre soubesse que esse momento chegaria, embora nunca, nem uma vez sequer, tivesse me permitido pensar conscientemente nele, imaginá-lo sob qualquer aspecto. E agora que chegou, só consigo pensar em Maya, sentada no meu colo, sua respiração quente no meu braço.

É como se houvesse uma muralha me impedindo de atravessar para o outro lado, de lançar minha mente ao mundo exterior, o mundo para além de nós dois. A válvula de segurança da natureza está em ação, me impedindo de sequer considerar as implicações do que aconteceu, me mantendo, ao menos por ora, a salvo do horror pelo que fiz. É como se minha cabeça soubesse que ainda não pode enfrentar isso, que no momento ainda não tenho forças para lidar com o resultado desses sentimentos atordoantes, desses atos monumentais. Mas o medo continua – o medo de que à luz fria da manhã sejamos forçados a aceitar o que foi, simplesmente, um erro terrível; o medo de que eu não vá ter escolha a não ser enterrar essa noite como se nunca tivesse acontecido, uma vergonha secreta a ser arquivada na memória pelo resto de nossas vidas, até o dia em que, já frágil de velhice, irá se esfarinhar em pó – uma lembrança vaga, distante, como a poeira das asas de uma mariposa numa vidraça, o espectro de algo que talvez jamais tenha ocorrido, existindo somente na nossa imaginação.

Não posso suportar a ideia de estarmos vivendo um momento isolado no tempo, um momento que termine quase antes de começar, já fugindo para o passado. Tenho que me agarrar a ele com todas as minhas forças. Não posso permitir que Maya fuja porque, pela primeira vez na vida, meu amor por ela parece inteiro, e de repente tudo que levou a esse momento faz sentido, como se fosse predestinado. Mas enquanto observo seu rosto adormecido, as sardas nas maçãs do rosto, a pele clara, a curva dos cílios escuros, sinto uma dor apunhalante, uma aguda nostalgia – um anseio por algo que jamais poderei ter. Sentindo meus olhos, ela levanta o rosto e sorri, mas é um sorriso triste, como se ela também soubesse como nosso amor é precário, como é ameaçado perigosamente pelo mundo exterior. A dor em mim se aprofunda, e só consigo pensar em como foi beijá-la, em como foi breve aquele momento e no quão desesperadamente quero vivê-lo mais uma vez.

Ela continua me olhando com aquele sorriso melancólico, como se esperasse, como se soubesse. Sinto o sangue quente no rosto, o coração disparado, a respiração acelerada, e ela nota isso também. Levantando a cabeça do meu peito, ela pergunta:

– Quer me beijar de novo?

Faço que sim, mudo, o coração voltando a disparar.

Um olhar de expectativa, de esperança.

– Então vai em frente.

Fecho os olhos, a respiração difícil, o peito se enchendo de um sentimento crescente de desespero.

– Não... acho que não posso.

– Por que não?

– Porque estou com medo... Maya, e se a gente não conseguir parar?

– A gente não tem que parar...

Respiro fundo e viro a cabeça, o ar pulsando de calor.

– Nem pense numa coisa dessas!

Sua expressão fica séria e ela passa o dedo pela parte interna do meu braço, seus olhos pesados de tristeza. Ainda assim, seu toque me enche de desejo. Nunca pensei que o simples toque de um dedo pudesse despertar tanta coisa.

— Tudo bem, Lochie, a gente para.

— É *você* quem tem que parar. Promete.

— Prometo. — Ela segura meu rosto e o vira. Seguro o dela entre as mãos e começo a beijá-la, no começo com delicadeza; e, enquanto faço isso, toda a dor, o medo e a solidão começam a evaporar até que só consigo pensar no gosto dos seus lábios, no calor da sua língua, no cheiro da sua pele, no seu toque, nas suas carícias. E então estou lutando para manter a calma e suas mãos apertam meu rosto, seu hálito rápido na minha pele, a boca quente e molhada. Minhas mãos querem explorar seu corpo inteiro, mas não posso, não posso, e estamos nos beijando com tanta força que dói — dói porque não posso fazer mais, dói porque por maior que seja a intensidade do meu beijo, não posso... não posso...

— Lochie...

Não me importo mais com a promessa. Nem lembro por que cheguei a sugeri-la. Não me importo com mais nada — nada, a não ser...

— Calma, Lochie...

Pressiono os lábios novamente na sua boca, segurando-a com força para impedir que se afaste.

— Lochie, para. — Dessa vez ela se afasta e me empurra, os braços estendidos, as mãos segurando meus ombros. Seus lábios estão vermelhos, seu rosto corado, agitado, simplesmente lindo.

Estou respirando depressa. Depressa demais.

— Você me fez prometer. — Ela parece aborrecida.

— Eu sei, tudo bem! — Levantando de um pulo, começo a andar de um lado para o outro. Como queria ter uma piscina de água gelada para mergulhar.

— Você está bem?

Não, não estou. Nunca me senti assim antes e isso me assusta. Meu corpo parece ter assumido o controle. Estou tão excitado que mal consigo pensar. Tenho que me acalmar. *Tenho* que manter o controle. Não posso deixar isso acontecer. Passo as mãos pelos cabelos várias vezes e o ar escapa de um jorro dos pulmões.

— Desculpe. Eu devia ter falado antes.

— Não! — Eu me viro. — A culpa não é sua, pelo amor de Deus!

— Tudo bem, tudo bem! Por que está zangado?

— Não estou! Só estou… — Paro e encosto a testa na parede, resistindo ao impulso de bater com a cabeça nela. — Ah, meu Deus, o que vamos fazer?

— Ninguém precisaria ficar sabendo — diz ela em voz baixa, mordendo a ponta do polegar.

— Não! — grito.

Invadindo a cozinha, vasculho o freezer furiosamente atrás de cubos de gelo para beber alguma coisa que me esfrie. Ácido quente me corre pelas veias e o coração martela com tanta força que dá para ouvir. Não é só a frustração física, é a impossibilidade da nossa situação, o horror por estarmos encurralados, o desespero de saber que nunca vou poder amar Maya como quero.

— Lochie, pelo amor de Deus, se acalma. — Sua mão pousa no meu braço enquanto luto com a gaveta do freezer.

Empurro sua mão.

— Não!

Ela dá um passo para trás.

— Você sabe o que estamos fazendo? Tem alguma ideia? Sabe que nome dão a isso? — Bato a porta do freezer e vou para o outro lado da mesa.

— Que é que deu em você? — pergunta ela, ofegante. — Por que está me tratando desse jeito?

Paro bruscamente e a encaro.

— Nós não podemos fazer isso — digo, chocado com a súbita conscientização. — Não podemos. Se começarmos, como vamos conseguir parar? Como vamos conseguir esconder isso de todo mundo pelo resto da vida? Aliás, nós não vamos ter vida, vamos ficar presos, vivendo às escondidas, sempre tendo que fingir…

Ela também me encara, os olhos azuis arregalados de choque.

— As crianças… — diz em voz baixa, dando-se conta subitamente. — As crianças… Bastaria que uma única pessoa descobrisse, e elas nos seriam tiradas!

— Exatamente.

— Então, não podemos fazer isso? Não há a menor possibilidade? — A ideia é formulada como pergunta, mas posso ver por sua expressão desolada que ela já sabe a resposta.

Balançando devagar a cabeça, engulo em seco e me viro para a janela da cozinha, escondendo as lágrimas. O céu está em chamas e a noite acabou.

MAYA

Estou cansada. Extremamente cansada. A exaustão pesa sobre mim como uma força invisível, obliterando todos os pensamentos racionais, todas as outras sensações. Estou cansada de me arrastar por cada dia, usando essa máscara, fingindo que está tudo bem. De tentar prestar atenção ao que os outros dizem, de tentar me concentrar na sala de aula, de tentar parecer normal na frente de Kit, Tiffin e Willa. Cansada de passar cada minuto de cada hora de cada dia lutando com as lágrimas, engolindo em seco uma vez atrás da outra para tentar aliviar a dor constante na garganta. Mesmo à noite, quando abraço o travesseiro e olho por entre as cortinas abertas, não me permito ceder – porque, se fizesse isso, eu não me levantaria mais. Eu me fragmentaria em mil pedaços como vidro estilhaçado. As pessoas estão sempre me perguntando qual é o problema e isso me dá vontade de gritar. Francie pensa que é porque Nico me deu um fora, e eu deixo – é mais fácil do que inventar outra mentira. Nico tenta conversar comigo algumas vezes durante o recreio, mas deixo claro que não estou a fim de papo. Ele parece magoado, mas não me importo. *Se não fosse por você...*, eu me pego pensando. *Se não fosse por aquele encontro...*

Mas como posso culpar Nico por me levar a compreender que eu estava apaixonada pelo meu irmão? O sentimento estava lá havia anos, se aproximando da superfície a cada dia; era apenas uma questão de tempo até romper nossa frágil teia de negação, nos obrigando a enfrentar a verdade e reconhecer quem somos: duas pessoas que se amam – um amor que ninguém mais poderia compreender. Será que eu me arrependo mesmo daquela noite? Aquele momento de felicidade sem comparação – algumas pessoas não o vivem em toda uma vida. Mas o lado negativo daquela amostra de pura felicidade é que, como uma droga, um vislumbre do paraíso, você começa a querer mais. E depois daquele momento, nada pode ser o mesmo novamente. Tudo empalidece em comparação. O mundo se torna banal e vazio, as coisas parecem não fazer mais sentido. Ir à escola – para quê? Para passar nas provas, conseguir boas notas, entrar na universidade, conhecer novas pessoas, arranjar um emprego, sair de casa? Como vou poder viver separada de Lochan? Vou vê-lo apenas algumas vezes por ano, como mamãe e tio Ryan? Eles cresceram juntos, também foram chegados um dia. Mas aí ele se casou e foi morar em Glasgow. E o que os dois têm em comum agora? Separados por muito mais do que a distância e o estilo de vida, até as lembranças da infância compartilhada se apagaram de suas memórias. É isso que vai acontecer com Lochan e comigo? E mesmo que continuemos morando em Londres, quando ele arrumar uma namorada e eu um namorado, como vamos suportar? Como vamos suportar viver separados, conscientes do que poderia ter sido?

Tento me chocar para fugir da dor, pensando na alternativa. Ter um relacionamento físico com o próprio irmão? Ninguém faz isso, é nojento, seria o mesmo que namorar Kit. Chega a me dar um arrepio. Eu amo Kit, mas a ideia de beijá-lo é asquerosa em último grau. Seria horrendo, seria repulsivo – até a ideia dele beijando aquela magricela americana em quem vive colado já é insuportável. Não quero saber o que ele apronta com essa suposta namorada. Quando ele for mais velho, espero que conheça alguém legal. Espero que se apaixone, que se case, mas eu nunca, jamais quero nem pensar nos detalhes íntimos, no aspecto físico das coisas. Esse problema é dele. Por que, então – *por que* é tão diferente com Lochan? Mas a resposta é muito simples: porque Lochan nunca se pareceu com um irmão. Nem um caçula chato, nem um irmão mais velho mandão. Ele e eu sempre nos relacionamos de igual para igual. Fomos os melhores amigos um do outro desde que nos entendemos por gente. Compartilhamos um vínculo mais estreito que a amizade a vida inteira. Juntos criamos Kit, Tiffin e Willa. Juntos choramos e confortamos um ao outro. Juntos vimos um ao outro nos momentos mais vulneráveis. Carregamos um fardo inexplicável aos olhos do mundo. Demos força um ao outro – como amigos, como parceiros. Sempre nos amamos, e agora queremos poder nos amar fisicamente também.

Quero explicar tudo isso a ele, mas sei que não posso. Sei que quaisquer que sejam as razões para nosso sentimento, por mais que eu tente justificá-lo, não muda nada: Lochan não pode ser meu namorado. Das bilhões de pessoas que habitam o planeta, ele é uma das pouquíssimas que não posso ter. E isso é algo que devo aceitar – mesmo que, como ácido num metal, esteja lentamente me corroendo por dentro.

O trimestre se arrasta, tedioso, sombrio, implacável. Em casa, a rotina diária segue seu curso, sem trégua. O outono dá lugar ao inverno, os dias ficando mais curtos. Lochan age como se aquela noite nunca tivesse acontecido. Nós dois agimos. Que escolha temos? Conversamos sobre coisas prosaicas, mas nossos olhos raramente se encontram, e quando acontece, é apenas por um ou dois segundos antes de se afastarem, nervosos. Mas me pergunto o que ele estará pensando. Desconfio que, por ver isso como algo tão errado, ele resolveu não pensar mais no assunto. De todo modo, ele já tem muito em que pensar. Sua professora de inglês ainda está na missão solitária de fazê-lo falar na frente da turma, e eu sei que ele odeia as aulas dela. Mamãe se comporta de maneira cada vez mais errática – passa cada vez mais tempo na casa de Dave e raramente chega em casa sóbria. De vez em quando resolve fazer uma orgia de compras e volta carregada de culpa e presentes: brinquedos frágeis que se quebram em poucos dias, mais games para manter Kit colado à tela do computador, doces que deixam Tiffin subindo pelas paredes. E eu só assistindo de uma grande distância, incapaz de participar de mais nada. Lochan, pálido e tenso, tenta manter um mínimo de ordem na casa, mas sinto que ele também está chegando ao limite das suas forças, e não posso ajudá-lo.

Sentada à sua frente à mesa da cozinha, enquanto ele ajuda Willa com o dever de casa, sou assaltada por uma dor terrível, um profundo sentimento de perda. Remexendo o chá gelado com a colher, observo todos os seus traços familiares: o jeito como sopra o cabelo dos olhos de tantos em tantos minutos, como morde o lábio inferior sempre que fica tenso. Olho para suas mãos, com as unhas roídas, pousadas na mesa, a boca, que uma noite degustou a minha, agora ferida, em carne viva. A dor que sinto ao olhar para ele é maior do que posso suportar, mas me obrigo a continuar olhando, a absorver tanto dele quanto posso, tentando recapturar, pelo menos em minha mente, tudo que perdi.

— "Vovó faz t–r–i–c–ô." – Willa soletra a última palavra. Ajoelhada numa cadeira, ela aponta para cada uma das letras, seus finos cabelos dourados caindo como uma cortina sobre o rosto, as pontas roçando a página da cartilha num suave sussurro.

— E que palavra essas letras formam? – pergunta Lochan.

Willa estuda a ilustração.

— Roupa? – arrisca, otimista, dando uma olhada em Lochan, os grandes olhos azuis esperançosos.

— Não. Olha só a palavra: t–r–i–c–ô. Junta os sons e fala depressa. Que palavra eles formam?

— Trico? – Ela está inquieta e desatenta, louca para ir brincar, mas, mesmo assim, gostando da atenção.

— Quase, mas tem um *o* diferente no fim. Por que ele é diferente?

— É um *o* maiúsculo?

Na mesma hora a língua de Lochan começa a esfregar o lábio, impaciente.

— Olha aqui: isso é que é um *o* maiúsculo. – Folheia a cartilha à procura de um, não encontra, então éscreve ele mesmo um *O* numa folha usada de papel-toalha.

— Eca! Tiffin assoou o nariz aí.

— Willa, está prestando atenção? Isso é que é um *o* maiúsculo.

— Um *o* maiúsculo cheio de meleca. – Willa começa a rir; seus olhos encontram os meus, e eu me sinto sorrir.

— Willa, isso é muito importante. É uma palavra fácil, e eu tenho certeza de que você consegue ler se tentar. Esse é um *o* com chapeuzinho. O que o chapeuzinho faz?

Ela franze a testa e volta a se debruçar sobre o livro, curvando a língua acima do lábio, concentrada, seu cabelo escondendo parte da página.

— Fecha o som da vogal! – grita de repente, dando um soco vitorioso no ar com o pequeno punho.

— Muito bem! No caso, qual é o som aberto da vogal?

— Hum... – Ela volta à página com a mesma testa franzida, a mesma língua virada. – Hum... – repete, tentando ganhar tempo. – Ó?

— Isso mesmo. Então, o chapeuzinho transforma o *ó* em...?

— Ô.

— Exatamente. Agora, tenta ler a palavra de novo.

— T-r-i-c-Ô. Tricô! Vovó faz tricô! Olha, Lochie, eu consegui!

— Que menina inteligente! Viu só? Eu sabia que você conseguiria! — Ele sorri, mas há algo mais nos seus olhos. Uma tristeza que nunca passa.

Willa termina de ler a cartilha e vai ver tevê com Tiffin. Finjo dar goles no chá, espiando Lochan por cima da caneca. Cansado demais para se mexer, ele se recosta na cadeira, invertebrado, folhas de papel, livros, cadernos e a mochila de Willa espalhados à sua frente. Um longo silêncio se estende entre nós, tenso como um elástico esticado.

— Você está bem? — pergunto a ele, por fim.

Ele sorri com ar irônico e hesita, olhando para a mesa atulhada.

— Mais ou menos — responde devagar, evitando meus olhos. — E você?

— Não. — Com a borda da caneca pressiono o lábio nos dentes, tentando conter as lágrimas. — Estou com saudades — sussurro.

— Eu também. — Ele ainda está olhando para a capa da cartilha de Willa. A luz da cozinha brilha em seus olhos. — Talvez… — A voz sai sem firmeza, e ele recomeça: — T-talvez você devesse dar mais uma chance a DiMarco. Dizem que o cara está… de quatro por você! — Um riso forçado.

Fico olhando para ele em atônito silêncio. Como se tivesse levado uma pancada na cabeça.

— É isso que você quer? — pergunto, com calma controlada.

— Não. Não é o que eu quero mesmo. Mas talvez… pudesse ajudar? — Ele me dá um olhar de puro desespero.

Continuo a pressionar os dentes no lábio até ter certeza de que não vou começar a chorar, a proposta indigna dando voltas na minha cabeça.

— Ajudar a mim ou a você?

Seu lábio inferior treme por um momento e na mesma hora ele o prende entre os dentes, parecendo não perceber que está fazendo uma sanfona com a capa da cartilha de Willa.

— Não sei. De repente, a nós dois — diz de um jorro.

— Nesse caso, você devia sair com a Francie — rebato.

— Tudo bem. — Ele não levanta os olhos.

Por um momento, fico sem palavras.

— Você… mas… eu pensei que você não estava a fim dela. — O horror na minha voz ecoa pela cozinha.

— E não estou, mas nós temos que fazer *alguma coisa*. Temos que sair com outras pessoas. É... é a única maneira...

— A única maneira de quê?

— De... de superar isso. De sobreviver.

Bato com a caneca na mesa, entornando chá na mão e no punho da camisa.

— Você acha que eu vou superar isso, assim, numa boa? — grito, o sangue aflorando ao rosto.

Abaixando a cabeça e se encolhendo como se eu estivesse prestes a bater nele, Lochan levanta a mão para se proteger de mim.

— Não... eu não posso... por favor, não piore a situação.

— E como eu poderia piorar a situação? — exclamo, ofegante. — Como eu poderia fazer *qualquer coisa* para piorar a situação?

— Eu só sei que a gente tem que fazer alguma coisa. Não posso continuar... não posso continuar desse jeito! — Ele respira trêmulo e se vira.

— Eu sei. — Abaixo a voz, me obrigando a fingir calma do jeito mais convincente possível. — Nem eu.

— O que mais a gente pode fazer? — Seus olhos suplicam aos meus.

— Tudo bem. — Desligo os pensamentos, desligo os sentidos. — Vou falar com a Francie amanhã. Ela vai ficar eufórica. Mas ela é uma pessoa legal, Lochan. Você não pode dar um fora nela depois de uma semana.

— Nem eu vou fazer isso. — Ele olha para mim, os olhos cheios. — Vou ficar com ela pelo tempo que ela quiser. Até me caso com ela, se for o que ela tem em mente. Afinal, que diferença faz com quem vou me casar, se não pode ser com você?

Tudo parece diferente hoje. A casa está fria, estranha, irreconhecível. Kit, Tiffin e Willa parecem imitadores de meus verdadeiros irmãos. Nem consigo olhar para Lochan, a personificação da minha perda. As ruas a caminho da escola parecem ter mudado da noite para o dia. Eu poderia estar em alguma cidade no exterior, em algum país distante. Os pedestres ao meu redor não parecem vivos. Nem eu me sinto viva. Não sei mais quem sou. A menina que existiu até a noite do beijo foi apagada de minha vida; não sou mais quem fui, ainda não sei quem vou me tornar. As buzinadas dos carros me irritam, como os sons dos passos na calçada, os ônibus passando, as lojas levantando as portas de metal, as vozes estridentes das crianças a caminho da escola.

O prédio é mais alto do que eu me lembrava: uma crua paisagem de concreto cinza. Alunos transitando apressados em todas as direções parecem figurantes no set de um filme. Preciso andar para me enquadrar nessa movimentação, assim como um elétron deve obedecer à corrente. Subo as escadas muito devagar, um degrau de cada vez, enquanto as pessoas passam me dando trancos e esbarrões. Quando chego à sala, vejo coisas que nunca notei antes: manchas de dedos nas paredes, as ranhuras no piso de vinil, como uma delicada casca de ovo, desaparecendo num ritmo estável sob meus pés. Vozes distantes tentam esbarrar em mim, mas eu as rebato. Os sons batem e escorrem por mim, sem se fixar: cadeiras arranhando o chão, risos e conversas, o blá-blá-blá de Francie, o nhém-nhém-nhém da professora de história. A luz do sol vara o lençol de nuvens, batendo inclinada através das grandes janelas de vidro, na minha carteira, nos meus olhos. Pontos brancos se formam no espaço à minha frente, um balé de bolhas de luz e cor que me prende até a campainha tocar. Francie está ao meu lado, a boca cheia de perguntas, os lábios pintados de vermelho formando e reformando palavras – lábios que em breve irão conhecer os de Lochan. Preciso falar com ela antes que seja tarde demais, mas perdi a voz e tudo que sai é ar vazio.

Resolvo pular o segundo período para fugir dela. Caminho pela escola vazia, minha gigantesca cela de prisão, procurando as respostas que jamais podem ser encontradas. Os sapatos batem nos degraus enquanto subo e desço e rodo por cada andar, em busca – de quê? De algum tipo de absolvição? A luz crua do inverno fica mais forte, jorrando pelas vidraças e batendo nas paredes, que a irradiam. Sinto sua pressão no meu corpo, queimando buracos na minha pele. Estou perdida nesse labirinto de corredores, escadas, andares empilhados uns em cima dos outros como cartas de baralho. Se continuar andando, talvez encontre o caminho de volta – de volta à pessoa que eu era. Estou andando mais devagar agora. Talvez até flutuando. Nadando pelo espaço. A Terra perdeu a gravidade, tudo parece líquido ao meu redor. Chego a mais uma escada, meus passos se desmanchando. A sola do sapato escorrega no último degrau e eu piso no nada.

LOCHAN

Fico olhando para a cabeça de Nico DiMarco à minha frente. Fixo os olhos na mão morena, de dedos grossos, pousada na beira da mesa, e a ideia desses dedos tocando em Maya me deixa doente. Não posso ver ninguém sair com minha irmã mais do que posso sair com Francie ou qualquer outra menina e fingir que ela pode substituir Maya. Preciso encontrá-la e rezar para que não seja tarde demais. Preciso dizer a ela que o acordo está cancelado. Talvez, com o tempo, ela encontre alguém com quem possa ficar. E eu vou me sentir feliz, mesmo que apenas por ela. Porque para mim, jamais vai poder haver mais ninguém. A certeza absoluta desse fato me sufoca.

Acima do quadro, os ponteiros do relógio se movem. O segundo período está quase acabando. Ela ainda não deve ter falado com Francie. Deve estar pretendendo esperar até o recreio. Estou me sentindo muito, muito mal. Só porque não posso levar isso adiante não quer dizer que ela se sinta do mesmo jeito. A ideia pode ter sido minha, mas foi ela quem propôs a troca. Talvez tenha decidido dar mais uma chance a DiMarco. Talvez o sofrimento das últimas semanas a tenha feito se dar conta do alívio que seria ter um relacionamento normal.

A campainha toca e eu pulo da carteira, pegando a mochila e o blazer e ignorando os gritos do professor sobre o dever de casa. Encontro um engarrafamento medonho na escada, e resolvo ir para a escada do outro lado. Grupos se aglomeram ali também. Só que estão imóveis. Pararam de andar, uma colônia de amebas, cochichando num tom urgente, excitado. Tento passar por eles. Uma grossa fita vermelha pendurada na frente da escada corta meus passos. Quando me abaixo para passar por ela, uma mão no meu ombro me puxa para trás.

— Você não pode descer por aí — sentencia a voz. — Houve um acidente.

Dou um involuntário passo para trás. Que maravilha.

— Uma menina caiu. Acabaram de levá-la para a enfermaria. Estava inconsciente — acrescenta outra voz em tom solene.

Olho para a fita, novamente tentado a passar por baixo.

— *Quem* caiu? — Uma terceira voz pergunta atrás de mim.

— Uma menina da minha turma. Maya Whitely. Eu vi quando aconteceu. Ela não caiu, ela pulou.

— Ei!

Mergulho debaixo da fita e desço correndo os dois lances de escadas, as solas dos sapatos arranhando o piso de vinil. A secretaria está lotada de alunos indo para o recreio, todos se movendo em câmera lenta. Vou abrindo caminho pela multidão aos empurrões, ombros batendo em ombros, gente esbarrando em mim de todos os ângulos, gritos furiosos me seguindo enquanto avanço à força por entre os corpos.

— Calma aí! — Alguém me segura pelo braço. Dou meia-volta, já pronto para empurrar a pessoa, e me vejo cara a cara com a Srta. Azley. — Lochan, você precisa esperar aqui. A enfermeira está ocupada.

Arranco o braço, mas ela bloqueia a entrada.

— Qual é o problema? — pergunta. — Não está se sentindo bem? Senta aqui, e vamos ver se eu posso te ajudar.

Dou um involuntário passo para trás.

— Me deixa entrar — peço, ofegante. — Pelo amor de Deus, eu preciso…

— Você tem que esperar aqui. Uma pessoa acabou de sofrer um acidente e a Sra. Shah está cuidando disso no momento.

— É Maya…

— O quê?

— Minha irmã!

Sua expressão se transfigura.

— Ah, meu Deus. Olha só, Lochan, ela vai ficar bem. Ela desmaiou, mas não caiu de muito alto.

— Por favor, me deixa ver ela!

— Senta aí um minuto, que eu vou pedir à enfermeira.

A Srta. Azley desaparece na enfermaria. Sento numa das cadeiras de plástico e aperto o punho na boca, os pulmões implorando por ar.

Minutos depois, a Srta. Azley vem me dizer que Maya está bem, apenas um pouco machucada e em leve estado de choque. Ela pede o número de telefone de nossa mãe, e eu respondo que ela está viajando e que eu mesmo vou levar Maya para casa. Ela parece preocupada e informa que Maya precisa ser levada a um hospital, pois corre o risco de ter sofrido uma concussão. Insisto que posso cuidar disso também.

Finalmente me deixam vê-la. Ela está na pequena antessala de paredes brancas, sentada numa cama, o corpo jogado numa almofada, um cobertor verde-limão puxado até o colo. Sua gravata foi tirada e a manga direita está enrolada, revelando um braço fino e pálido, com vivas manchas rosa-choque. Um Band-Aid cobre seu cotovelo. Os sapatos também foram tirados e as pernas nuas estão penduradas do lado da cama, uma gaze branca envolvendo um dos joelhos. Os cabelos cor de cobre, libertos do rabo de cavalo, caem soltos sobre os ombros. Seu rosto não tem uma gota de cor. Sangue seco e rachado cerca um pequeno corte na maçã do rosto, a mancha vermelho-escura contrastando vivamente com o resto do rosto. Olheiras roxas sublinham os olhos vazios, de bordas vermelhas. Ela não sorri ao me ver: a luz do seu rosto se apagou, um ar apático de chocada resignação em seu lugar.

Quando entro no pequeno espaço entre a porta e a cama, ela parece se retrair. Recuo depressa, pressionando as palmas suadas na parede fria atrás de mim.

— Que foi... que foi que aconteceu?

Ela pisca algumas vezes e estuda meu rosto com ar cansado por um momento.

— Nada de grave. Eu estou bem...

— Me c-conta o que aconteceu, Maya! — Minha voz tem um nervosismo que não consigo esconder.

— Eu desmaiei quando estava descendo as escadas. Estava desidratada porque não tomei nada no café da manhã, só isso.

— O que foi que a enfermeira disse?

— Que eu estou bem. Que não devia pular as refeições. Ela quer que eu vá para o hospital por causa do risco de concussão, mas não há necessidade. Minha cabeça não está doendo.

– Ela acha que você desmaiou porque não tomou café? – Começo a levantar a voz. – Mas isso é um absurdo! Você nunca tinha desmaiado, e quase nunca toma café!

Ela fecha os olhos, como se minhas palavras a estivessem ferindo.

– Lochie, eu estou bem. Sinceramente. Mas será que dá para convencer a enfermeira a me deixar ir embora? – Ela torna a abrir os olhos, parecendo perturbada por um momento. – Ou… você tem alguma aula que não pode perder?

Olho para ela, boquiaberto.

– Não seja ridícula. Vou levar você para casa agora mesmo.

Ela esboça um sorriso e eu me sinto como se estivesse caindo.

– Obrigada.

A Sra. Shah chama um táxi para nos levar ao hospital, mas assim que passamos pelos portões, Maya despacha o motorista. Ela se afasta de mim na calçada, apoiando-se a uma parede para se equilibrar.

– Vem. Estou indo para casa.

– Mas a enfermeira disse que você pode ter uma concussão! Nós temos que ir para o hospital!

– Não seja bobo. Eu nem bati com a cabeça. – E continua cambaleando pela rua afora, até que se vira um pouco, estendendo a mão. No começo apenas fico olhando para ela, sem compreender.

– Posso me apoiar um pouco em você? – Seus olhos parecem constrangidos. – Minhas pernas estão meio bambas.

Corro até ela e seguro sua mão, passando meu braço pela sua cintura e o seu pelo meu ombro.

– Assim… está bem?

– Está ótimo, mas não precisa me apertar tanto…

Afrouxo um pouquinho o abraço.

– Melhorou?

– Muito. – Seguimos caminho pela rua, seu corpo, apoiado ao meu, leve e frágil como o de um passarinho.

– Ih, eu nem tinha me dado conta… – diz ela, um toque de humor na voz. – Descolei um dia livre inteirinho para a gente, e ainda não são nem… – tira meu braço da cintura para poder dar uma olhada no relógio – … onze horas! – Com um sorriso, levanta o rosto para que nossos olhos se encontrem, o sol do fim da manhã banhando seu rosto.

Forço as narinas a mandarem um suspiro trêmulo para os pulmões.

— Espertinha — consigo dizer, engolindo em seco.

Caminhamos por alguns minutos em silêncio. Maya se apoia em mim com força. De vez em quando diminui o passo e descansa, e eu pergunto se quer sentar um pouco, mas ela faz que não.

— Desculpe — pede baixinho.

Ah, não. O ar começa a tremer no meu peito.

— A ideia também foi minha — acrescenta.

Respiro fundo e prendo o ar, virando a cabeça. Se morder o lábio com bastante força e me obrigar a enfrentar os olhares curiosos dos pedestres, vou conseguir me controlar por mais algum tempo, só mais algum tempo. Mas ela percebe. Sinto sua preocupação atravessando minha pele como um calor suave.

— Lochie?

Para. Não fala mais nada. Eu não aguento, Maya. Não posso. Por favor, entenda.

Ela vira o rosto para mim.

— Não fique se torturando por causa disso, Lochie. A culpa não foi sua — sussurra ela ao meu ombro.

Maya entra na cozinha enquanto me demoro no corredor, fingindo separar a correspondência, tentando me recompor. E então, de repente, percebo sua silhueta na porta. Ela parece em péssimo estado com os cabelos desgrenhados, as roupas amarrotadas e o joelho enfaixado. Uma mancha cor de vinho se espalha sob a maçã do rosto: em dois dias vai desabrochar como um enorme hematoma no meio da face. *Maya, me perdoe*, tenho vontade de dizer. *Nunca tive a menor intenção de te fazer mal.*

— Será que você podia fazer um café para mim? — pede ela, esboçando um sorriso inseguro.

— É claro... — Dou uma olhada nos envelopes na minha mão, sem vê-los. — É c-claro...

Dessa vez ela abre um sorriso sincero.

— Acho que vou me enroscar no sofá e ver alguma bobagem na tevê.

Ficamos em silêncio. Observo folhetos publicitários e demoro um momento para responder, um estilhaço de vidro perfurando lentamente a minha garganta.

– Vem me fazer companhia? – Agora ela parece hesitante, ainda esperando pela minha resposta.

Uma corda invisível aperta cada vez mais meu pescoço. Não posso responder.

– Lochie?

Não me mexo. Se me mexer, vou perder a cabeça.

– Ei...

Ela dá um súbito passo em minha direção e eu imediatamente recuo, batendo com o cotovelo na porta da rua.

– Lochie, eu estou bem. – Ela levanta as mãos devagar. – Olha para mim. Eu estou bem. Dá para ver, não dá? Eu levei um escorregão, só isso. Estava cansada. Está tudo bem.

Mas não está, não está, porque estou sendo lentamente serrado ao meio. *Você fica aí parada, coberta de cortes e hematomas que eu poderia ter te infligido com as minhas próprias mãos. E eu te amo tanto que está me matando, e ainda assim só posso te afastar e te magoar até seu amor finalmente se transformar em ódio.*

A dor cresce no meu peito, a respiração começa a se fragmentar e lágrimas quentes invadem os olhos. De repente, amasso os anúncios lustrosos nas mãos e me encosto pesadamente à parede, pressionando os papéis contra o rosto.

Há um momento de silêncio chocado até eu sentir Maya do meu lado, puxando minhas mãos com delicadeza.

– Não, Lochie, está tudo bem. Olha para mim. Eu estou ótima!

Solto um suspiro trêmulo.

– Me perdoe... de coração!

– Perdoar você pelo que, Lochie? Não estou entendendo!

– Aquela ideia... ontem à noite... foi tão horrível, tão estúpida...

– Isso não tem mais importância. Já passou, OK? Nós sabemos que não podemos fazer isso, portanto nunca mais vamos pensar em fazer nada parecido de novo. – Sua voz é firme, tranquilizadora.

Jogo o papel na mesinha e bato com a cabeça na parede, passando o braço com força nos olhos.

– Eu não sabia mais o que fazer! Estava desesperado... e ainda estou! Não consigo parar de me sentir assim! – Agora estou gritando, frenético. Tenho a sensação de estar perdendo a cabeça.

– Olha... – Ela segura minhas mãos e as esfrega, tentando me acalmar. – Eu nunca quis Nico ou nenhum outro cara. Só você.

Olho para ela, o som da minha respiração áspero e irregular no súbito silêncio.

— E você *pode* me ter — digo num sussurro trêmulo. — Estou aqui. Sempre vou estar aqui.

Seu rosto se enche de alívio, suas mãos segurando meu rosto.

— Nós fomos dois idiotas... achamos que os outros podiam nos separar. — Ela faz um carinho nos meus cabelos, beija minha testa, meu rosto, a beira do meu lábio. — Mas eles nunca vão conseguir nos separar. Não se for isso que nós dois quisermos. Mas você tem que parar de achar que é errado, Lochie. Porque é exatamente o que os outros acham, mas esse problema é deles, essas convenções idiotas, esses preconceitos são deles. São eles que estão errados, são eles que são bitolados e cruéis...

Ela beija minha orelha, meu pescoço, minha boca.

— São eles que estão errados — repete. — Porque eles não entendem. Não me importo se por acaso você é meu irmão biológico. Eu *nunca* vi você apenas como um irmão. Você sempre foi meu melhor amigo, minha alma gêmea, e agora eu me apaixonei por você também. Por que isso é um crime? Quero poder te abraçar, te beijar e... fazer todas as coisas que os apaixonados têm o direito de fazer. — Respira fundo. — Quero passar o resto da minha vida com você.

Fecho os olhos e pressiono o rosto quente no dela.

— E nós vamos passar. Nós vamos encontrar um jeito, Maya, nós *temos* que encontrar...

Quando abro a porta do seu quarto com o cotovelo, um copo de suco na mão direita e um sanduíche na esquerda, encontro-a dormindo a sono solto, esparramada de bruços na cama, o edredom chutado para trás, os braços em volta da cabeça sobre o travesseiro. Ela parece tão vulnerável, tão frágil. O sol forte do meio-dia ilumina um lado de seu rosto adormecido, uma faixa da camisa do uniforme amarrotada e grande demais, a beira da calcinha branca e o alto da coxa. Navegando por entre a saia, as meias e os sapatos jogados no carpete, coloco o copo e o prato ao lado de uma pilha de papéis na escrivaninha e me endireito devagar. Fico observando-a por um longo tempo. Por fim, minhas pernas começam a doer e eu deslizo pela parede, sentando no chão, braços cruzados sobre os joelhos. Tenho medo de sair, mesmo que só por um momento, e acontecer mais alguma coisa com ela; tenho medo de sair e a muralha negra do medo voltar. Mas ali, ao seu lado, a vista do seu rosto adormecido me relembra que nada mais importa, que não estou sozinho. É o que Maya quer, é o que eu quero. Não adianta lutar, só serviria para nos magoar mais ainda. O ser humano precisa de um fluxo constante de nutrição, oxigênio e amor. Sem Maya, eu perco todos os três; separados, morreríamos lentamente.

Devo ter cochilado, porque o som da sua voz faz um choque percorrer meu corpo e eu me endireito, esfregando o pescoço. Ela pisca, sonolenta, o rosto pousado na beira do colchão, os cabelos ruivos varrendo o carpete. Não sei o que ela disse que me acordou, mas agora seu braço está estendido, a palma virada para mim. Seguro sua mão e ela sorri.

— Fiz um sanduíche para você — anuncio, dando uma olhada na escrivaninha. — Como está se sentindo?

Ela não responde, seus olhos me atraindo para dentro deles. O calor da sua mão se infiltra pela minha e seus dedos apertam os meus, me puxando com delicadeza.

— Vem cá.

Fico olhando para ela, sentindo o pulso acelerar. Ela solta minha mão e passa para o outro lado da cama, deixando um espaço para mim. Tiro os sapatos e meias e me levanto, meio sem equilíbrio, enquanto ela espera de braços estendidos.

Quando meu corpo afunda no colchão ao seu lado, inspiro seu cheiro e sinto suas pernas se entrelaçarem às minhas. Ela me beija com delicadeza — beijos suaves, sussurrados, que fazem meu rosto formigar e tremores percorrerem meu corpo, criando excitação instantânea. Tenho uma aguda consciência das suas pernas nuas presas entre as minhas — e o medo de que ela sinta, o medo de que saiba. Fecho os olhos e respiro fundo numa tentativa de me acalmar, mas ela beija minhas pálpebras, seu cabelo faz cócegas no meu pescoço e minha respiração se torna curta e rápida.

— Está tudo bem — diz ela com um sorriso na voz. — Eu te amo.

Abro os olhos, levanto a cabeça do travesseiro e começo a corresponder aos beijos, com suavidade no começo, mas então ela passa o braço pelo meu pescoço e me puxa para mais perto, e os beijos começam a ficar mais intensos, mais fundos, mais urgentes, até ser difícil achar tempo para respirar.

Aninho sua cabeça em um dos braços, segurando sua mão com o outro. Cada beijo vai se tornando mais feroz do que o anterior até que começo a ter medo de machucá-la. Não sei o que fazer em seguida. Pressiono o rosto na curva quente do seu pescoço com um gemido estranho e me vejo acariciando seus seios, a camisa de algodão áspera sob os dedos, enquanto os dela sobem e descem pelas minhas costas, por baixo da camisa, e então contornam as axilas até chegarem ao peito e tocarem meus mamilos. Choques elétricos se entrecruzam pelo meu corpo. Minha boca volta à sua e eu fico sem fôlego e ela geme de um jeito que faz meu coração bater cada mais forte. É como se eu fosse arrebatado por um redemoinho de loucura, inundado por um milhão de sensações ao mesmo tempo — o calor dos seus lábios, a pressão da sua língua, o gosto da sua boca, o cheiro dos seus cabelos, a maciez dos seus seios — os botões da sua camisa arranhando minha palma da mão quando a passo por eles, os picos das costelas descaindo bruscamente para a curva suave do estômago, o choque de enfiar a mão debaixo da sua camisa e sentir a pele quente e rija. Maya está com uma mão entre os meus cabelos e a outra no meu estômago. Meus músculos se convulsionam em resposta ao toque e eu me afasto, mesmo louco para que sua mão continue, e tenho aguda consciência dos seus dedos deslizando pelo cós da minha calça, pressionando meu estômago, hesitando no elástico da cueca; tenho que interromper o beijo e enterrar o rosto no travesseiro para me impedir de implorar a ela que continue. Não consigo pensar em mais nada além dessa loucura cega. Quero me controlar, mas não consigo ficar parado. Quero fingir que é um acidente, que não sei o que estou fazendo, mas sei. Minhas mãos se cravam no lençol, retorcendo-o em nós enquanto invisto contra seu corpo, me esfregando nela, no começo num gesto quase imperceptível, na esperança de que ela não note — mas logo isso também sai do meu controle quando a velocidade e a pressão aumentam por conta própria, meu sexo contra a sua pelve, o tecido fino das nossas roupas tudo que restou entre nós. Queria sentir sua pele nua, mas até a sensação do seu corpo dentro do uniforme basta para me arrebatar num torvelinho de ânsia e desejo. Escuto o som da minha respiração arfante, a fricção entre nossos corpos. Sei que preciso parar, sei que preciso parar agora, porque se for em frente, sei o que vai acontecer... Eu preciso parar, eu preciso, eu preciso... Então sua boca encontra a minha, ela me beija profundamente, e uma corrente elétrica violenta percorre meu corpo, soltando fagulhas de uma euforia deslumbrante. E de repente, estou tremendo com força abraçado a ela, o êxtase explodindo por todo o meu corpo como o sol...

Maya se vira de lado para mim e afasta meu cabelo do rosto, parecendo alarmada, um toque de humor nos seus lábios. Quando seus olhos risonhos encontram os meus, respiro com força, sentindo uma vergonha mortal tomar conta de mim.

— Eu... eu me deixei levar. — Faço uma careta para tentar esconder meu extremo constrangimento. Será que ela sabe o que aconteceu? Será que está com nojo?

Ela levanta as sobrancelhas, prendendo o riso.

— Não brinca!

Ela sabe. Puta merda.

— Bem, é isso que acontece quando a gente... quando a gente *faz* essas coisas. — Minha voz sai mais alta do que eu pretendia: defensiva, trêmula, desigual.

— Eu sei — diz ela em voz baixa. — Uau.

— Eu não... consegui parar. — Meu coração palpita. Estou morto de vergonha.

Ela me dá um beijo.

— Tudo bem, Lochie. Eu não queria que você parasse!

Sinto um alívio imenso e a puxo para tão perto que seu cabelo fica no meu rosto.

— Jura?

— Juro!

Fecho os olhos, aliviado.

— Eu te amo.

— Eu também te amo.

Um longo momento se passa, e então sinto uma rajada rítmica de hálito quente soprando no meu rosto.

— Você ficou morto de sono!

Forço os olhos a se abrirem e solto um riso envergonhado. É verdade. Estou pregado. Minhas pálpebras são puxadas por pesos invisíveis e cada grama de energia evaporou do meu corpo. Acabo de experimentar os minutos mais intensos da minha vida, e meu corpo inteiro está fraco. Eu me remexo na cama, desconfortável, fazendo uma careta constrangida.

— Acho que preciso tomar um banho...

Não consigo parar de pensar nisso — não só à noite, como também durante o dia. Que foi que nós fizemos? *Que foi que nós fizemos?* Embora em nenhum momento tenhamos chegado a tirar as roupas, embora o que fizemos não seja propriamente contra a lei, sei que começamos a descer uma ladeira escorregadia e perigosa. Aonde ela pode nos levar é apavorante e fantástico demais para pensar a respeito. Tento dizer a mim mesmo que não foi nada, que só estava tentando confortá-la — mas nem eu sou tão alienado a ponto de acreditar nessa desculpa ridícula. E agora é como um vício, e não posso acreditar que consegui viver por tanto tempo na presença diária de Maya sem ser nesse nível de intimidade...

MAYA

No fim das contas, o que importa mesmo é o quanto você pode suportar, o quanto pode resistir. Juntos, não fazemos mal a ninguém; separados, nós definhamos. Eu queria ser forte – forte para mostrar a Lochan que se ele pôde se afastar de mim depois daquela noite, então eu também podia me afastar dele; que se ele podia se distrair saindo com uma menina, eu podia fazer o mesmo com um cara. Minha cabeça tinha tomado a decisão, mas o resto de mim não quis obedecer. Em vez de cumprir nosso acordo, meu corpo resolveu levar um tombo perigoso numa escada.

Lochan ainda é Lochan, embora não seja. Quando olho para ele, tenho a impressão de ver outra pessoa. Minha cabeça não para de voltar àquela tarde na cama: o gosto da sua boca quente, os dedos roçando a minha pele. Quero estar com ele o tempo todo. Sigo-o de quarto em quarto, inventando mil desculpas para ficar perto dele, olhar para ele, tocar nele. Quero abraçá-lo, acariciá-lo, beijá-lo, mas, é claro, com os outros sempre por perto, não posso. Amá-lo desse jeito se tornou um profundo sofrimento físico. Fico presa num caleidoscópio de emoções conflitantes, por um lado vibrando com tanta adrenalina e excitação que tenho dificuldade até para comer, e por outro, consumida pelo pavor de que Lochan diga de repente que não podemos fazer isso porque é errado. Ou que alguém descubra e nos separe. Não vou prestar atenção ao tique-taque da bomba-relógio na minha cabeça, não vou pensar no futuro, naquele buraco negro no qual nenhum de nós pode existir, juntos ou separados... Eu me recuso a permitir que meu medo do futuro estrague o presente. Tudo que importa no momento é que Lochan está aqui comigo, e que nos amamos. Nunca me senti tão feliz na vida.

Lochan também parece mais vivo. A máscara tensa de cansaço e falsa animação se apaga do seu rosto. Ele chora de rir das piadas de Tiffin, faz cócegas em Willa e fica rodando com ela no colo até eu lhe pedir que pare. Ele anima Kit e ignora as alfinetadas de costume; até parou de morder o lábio. E toda vez que seus olhos encontram os meus, um sorriso se abre no seu rosto.

Na manhã de sexta, duas semanas inteiras depois de nos abraçarmos na cama, chego de fininho por trás dele quando está sozinho diante da pia da cozinha, de costas para a porta, bebendo seu café e olhando pela janela. Seus cabelos negros e brilhantes ainda estão despenteados da noite de sono, as mangas brancas arregaçadas até os cotovelos como sempre. A pele de seus braços parece tão lisa que sinto vontade de acariciá-la. Sem me conter, enfio a mão na manga larga. Ele se vira para mim com um sorriso surpreso, mas reconheço o toque de alarme nos olhos, acompanhado por outra emoção: uma ânsia extrema, um agudo desespero.

Olho para a porta fechada, desejando que tivesse um trinco. Então me viro para ele, acariciando a palma de sua mão com os dedos.

— Estou com saudades — sussurro.

Ele esboça um leve sorriso, mas seus olhos estão tristes.

— Nós temos que... esperar pelo momento certo, Maya.

— O momento certo *nunca* chega — respondo. — Com as crianças, a escola e Kit passando metade da noite acordado, nós nunca ficamos sozinhos.

Ele começa a morder o lábio de novo e se vira para olhar pela janela. Encosto a cabeça no alto do seu braço.

— Não! – diz ele, ríspido.

— Mas eu só estava...

— Será que você não entende? Isso torna as coisas ainda mais difíceis. Torna as coisas ainda piores. — Ele inspira, trêmulo. — Eu não... não aguento quando você...

— Quando eu o quê?

Ele não responde.

— Por que está fingindo que não me ouviu? — cobro.

— Você não entende. — Ele se vira para mim quase zangado, sua voz começando a tremer. — Ver você, estar com você todo santo dia, mas sem poder fazer nada... é como um câncer, um câncer crescendo dentro do meu corpo, dentro da minha cabeça!

— Tá. Eu sei. Desculpe. — Tento soltar a mão dele, mas seus dedos apertam os meus.

— Não...

Eu me inclino para ele e o abraço com força e ele passa os braços pela minha cintura. O calor do seu corpo flui para o meu como uma corrente elétrica. Seu rosto quente roça o meu, seus lábios tocam os meus quando torno a me afastar; seu hálito é úmido e urgente no meu pescoço. Quero tanto que ele me beije que chega a doer.

A porta se escancara com o barulho de um tiro. Nós nos afastamos às pressas. Tiffin está lá parado, segurando a gravata pendurada, a camisa ainda para fora da calça. Olhos arregalados, ele observa meu rosto, e então o de Lochan.

— Uau, o primeiro a se vestir! — Minha voz sai estridente de falsa animação. — Vem cá que eu faço a sua gravata. O que vai querer para o café?

Ele ainda não se move.

— Que foi que aconteceu? — pergunta devagar, o rosto preocupado.

— Nada! — Lochan se vira, largando o café que preparava, e abre um sorriso para tranquilizá-lo. — Está tudo bem. E aí, vai querer granola, uma torrada ou as duas coisas?

Tiffin ignora as tentativas de Lochan de distraí-lo.

— Por que você estava abraçando a Maya? — pergunta.

— Porque... porque... a Maya estava preocupada com uma prova que tem hoje — responde Lochan, quase gaguejando. — Ela está se sentindo muito nervosa.

Faço que sim, desfazendo depressa o falso sorriso.

Sem se deixar convencer, Tiffin caminha devagar até a cadeira, esquecendo as queixas de sempre enquanto Lochan enche sua tigela de granola.

Meu coração martela no peito. Só ouvimos a porta quando já tinha se aberto totalmente e batido no canto do armário. Será que Tiffin viu Lochan beijar meu pescoço, ou notou meus lábios roçando os dele? Tiffin começa a comer sem maiores comentários e eu percebo que não acreditou na nossa história, que sente que está mal contada. É quase um alívio quando Kit e Willa chegam, reclamando em alto e bom tom, um sobre o menu do café da manhã, a outra sobre o sumiço do seu álbum de adesivos. Dou uma olhada em Tiffin, nervosa, mas ele continua calado como nunca o vi antes.

Lochan também está visivelmente abalado. Suas faces estão vermelhas, e ele morde o lábio. Acaba derrubando o copo de suco de Willa e entornando sucrilhos na mesa. Bebe uma caneca de café atrás da outra e tenta apressar todo mundo, embora ainda não sejam nem oito da manhã, e seus olhos não param de observar o rosto de Tiffin.

Depois de deixar as crianças na escola, digo a ele:

— Tiffin não pode ter visto nada. Não deu tempo.

— Ele viu você me abraçar e agora está com medo de que você esteja aborrecida por causa de alguma coisa mais séria do que uma prova. Eu nunca devia ter inventado aquela desculpa idiota. Mas à noite ele já vai ter esquecido tudo isso, e mesmo que não esqueça, vai perceber que você voltou ao normal. Está tudo bem.

Sinto um nó de pavor no estômago. Mas apenas faço que sim e sorrio para tranquilizá-lo.

Francie passa a aula inteira de matemática mascando chiclete, com as pernas estendidas na cadeira vaga à sua frente, me passando bilhetinhos sobre o jeito como Salim Kumar olha para mim e especulando sobre o que ele gostaria de fazer comigo. Mas só consigo pensar que alguma coisa tem que mudar. Lochan e eu *temos* que encontrar uma maneira de ficarmos juntos sem medo de interrupções pelo menos alguns minutos por dia. Sei que depois do que aconteceu horas atrás ele não vai mais tocar em mim enquanto os outros estiverem em casa, o que acontece praticamente sempre que *nós* estamos. E ainda não entendo por que não posso chegar nem perto dele, segurar sua mão ou encostar a cabeça no seu braço quando estamos sozinhos em alguma parte da casa. Ele diz que torna as coisas piores, mas como pode haver algo pior do que não nos tocarmos?

É minha vez de pegar Tiffin e Willa na escola, porque Lochan vai ter uma aula à tarde. A caminho de casa, eles disparam à minha frente como sempre, me dando um ataque do coração a cada cruzamento. Quando chegamos, sirvo um lanche para os dois e começo a procurar bilhetes de professoras e deveres de casa nas suas mochilas enquanto eles disputam o controle remoto na sala. Ponho uma pilha de roupas para lavar, tiro a louça do café da manhã e subo para arrumar o quarto dos dois. Quando volto para a sala eles já se cansaram da tevê, o Gameboy está com defeito, e os amigos da vizinhança de Tiffin foram jogar futebol em um clube. Os dois começam a brigar, por isso sugiro uma partida de Detetive. Exaustos da longa semana, eles concordam, e então montamos o tabuleiro no carpete da sala: Tiffin deitado de bruços com a cabeça apoiada na mão, a juba loura caindo nos olhos; Willa de pernas cruzadas aos pés do sofá, um novo e enorme buraco na meia-calça vermelha do uniforme revelando parte de um Band-Aid ainda maior.

— O que aconteceu com a sua perna? – pergunto, apontando.

— Eu levei um tombo! – anuncia ela, seus olhos se iluminando de prazer antecipado, enquanto começa seu relato do drama. – Foi muito, muito grave. Eu cortei o joelho e tinha sangue na perna toda e aí a enfermeira falou que *nós ia* ter que ir pro hospital pra dar ponto! – Ela dá uma olhada em Tiffin, para ter certeza de que conta com uma plateia cativa. – Mas eu quase não chorei! Só até o fim do recreio. A enfermeira falou que eu sou muito corajosa.

— Você levou pontos! – Fico olhando para ela, horrorizada.

— Não, porque depois de um tempo o sangue parou de sair, aí a enfermeira falou que achava que eu ia ficar boa. Ela não parava de ligar pra mamãe, e eu falei um monte de vezes que era o número errado.

— Como assim, o número errado?

— Eu falei pra ela um monte de vezes que ela tinha que ligar pra você ou Lochie, mas ela não me ouviu, mesmo quando eu falei que sabia os números de cor. Aí ela só deixou um monte de mensagens no celular da mamãe e perguntou se eu tinha uma avó ou um avô pra ir me buscar.

— Ah, meu Deus, me deixa ver. Ainda está doendo?

— Só um pouquinho. Não… *Ai!* Não tira o Band-Aid, Maya! A enfermeira falou que é pra deixar ele aí!

— Tudo bem, tudo bem – digo depressa. – Mas da próxima vez, diz à enfermeira que ela tem que ligar para mim ou para Lochie de qualquer maneira. Insiste com ela para fazer isso, Willa, está bem? Ela *tem* que ligar para um de nós dois! – De repente, percebo que estou quase gritando.

Willa faz que sim, distraída, ocupada em distribuir as peças do jogo, agora que encerrou o relato do seu drama. Mas Tiffin está olhando para mim com ar sério, seus olhos azuis franzidos.

— Por que a escola tem sempre que ligar pra você ou pra Lochan? — pergunta em voz baixa. — Vocês são os pais verdadeiros da gente?

O choque corre como água gelada por minhas veias. Por um momento, não consigo respirar.

— Não, é claro que não, Tiffin. Nós somos apenas muito mais velhos do que vocês, só isso. De onde você tirou essa ideia absurda?

Os olhos penetrantes de Tiffin continuam fixos em mim e eu literalmente prendo a respiração, esperando que ele faça algum comentário sobre o que testemunhou pela manhã.

— É que a mamãe não aparece mais em casa. Nem nos fins de semana. Agora ela tem outra família na casa do Dave. Ela mora lá e tem até outros filhos.

Fico olhando para ele, invadida por uma tristeza enorme.

— Não é a outra família dela — tento explicar finalmente, em desespero. — Eles só passam o fim de semana lá e são filhos do Dave, não dela. Nós é que somos os filhos dela. Mamãe está passando mais tempo na casa dele no momento porque trabalha até tarde e é perigoso voltar sozinha para casa de madrugada.

Meu coração bate depressa demais. Quem dera que Lochan estivesse aqui para dizer a coisa certa. Não sei como explicar isso para eles. Não sei como explicar nem para mim mesma.

— Então por que ela não passa mais nem os fins de semana em casa? — pergunta Tiffin, a voz subitamente aguda de raiva. — Por que ela não leva mais a gente à escola ou vai buscar a gente como fazia nos dias de folga?

— Porque... — Minha voz vacila. Sei que vou ter que mentir. — Porque ela agora trabalha nos fins de semana também e não fica mais de folga durante a semana. Ela só está fazendo isso para poder ganhar mais e comprar coisas legais para a gente.

Tiffin crava um olhar longo e duro em mim, e num sobressalto vejo o adolescente que ele vai ser dentro de alguns anos.

— Você está mentindo — acusa em voz baixa. — Todos vocês estão mentindo. — Levanta e sobe a escada correndo.

Fico imóvel, paralisada de medo, horror e culpa. Sei que devia ir atrás dele, mas o que posso dizer? Willa começa a puxar minha manga, exigindo que eu jogue com ela, felizmente alheia ao teor da conversa. E assim, pego as cartas com a mão trêmula e começo a jogar.

* * *

À medida que o tempo passa, a tarde em que desmaiei começa a se transformar num sonho, lentamente se evaporando dos circuitos da memória. Não tento mais tocar em Lochan. Fico dizendo a mim mesma que isso é temporário – apenas até tudo se acalmar com Tiffin e ele começar a se concentrar em outras coisas e voltar a ser o mesmo garoto petulante de sempre. O que não demora muito a acontecer, mas sei que a lembrança ainda está lá, junto com a dúvida, a mágoa e a confusão. E isso é o bastante para me impedir de dirigir qualquer gesto para Lochan.

O pesadelo do fim de ano começa: autos de Natal, fantasias de época para fazer, uma festa numa boate para os alunos do último ano à qual Lochan é o único a não comparecer. As aulas dão uma parada quase em cima do Natal, a casa já toda decorada com grinaldas prateadas que Lochan afanou da escola. Temos que juntar nossas forças para conseguir arrastar a árvore para casa, e Willa enfia uma agulha de pinheiro no olho, e por alguns momentos de pavor chegamos a pensar que vai ser preciso levá-la ao pronto-socorro, até que Lochan finalmente consegue tirar a bendita agulha. Tiffin e Willa decoram a árvore com enfeites que fizeram em casa e na escola, e embora o resultado seja um monstrengo torto e espalhafatoso, serviu para dar uma boa levantada no nosso astral. Até Kit se digna a participar dos preparativos, embora passe a maior parte do tempo tentando convencer Willa de que Papai Noel não existe. Mamãe nos dá a mesada de Natal e eu vou fazer compras para Willa, enquanto Lochan se encarrega de Tiffin – um sistema que combinamos no ano infeliz em que comprei para ele um par de luvas de goleiro com uma listra lateral cor-de-rosa. Kit só quer dinheiro, mas Lochan e eu juntamos nossas economias e compramos para ele os tênis de grife caríssimos de que vem falando há séculos. Na véspera de Natal esperamos até ele estar roncando baixinho e então colocamos o embrulho aos pés da escada com as palavras *De: Papai Noel* escritas no papel de presente, por via das dúvidas.

Mamãe resolve aparecer quase ao meio-dia da manhã de Natal, quando o peru já está no forno. Também trouxe presentes para nós – na maioria tralhas de que os filhos de Dave se cansaram: peças de Lego e carrinhos para Tiffin, apesar de ele já ter deixado de brincar com essas coisas há tempos, um segundo DVD de *Bambi* e um Teletubby imundo para Willa, que fica olhando para a criatura com um ar de confusão e horror. Kit ganha alguns videogames velhos que não funcionam no seu console, mas que ele acha que vai conseguir vender na escola. Eu recebo um vestido vários números acima do meu, com cara de ter pertencido à ex-mulher de Dave, e Lochan é o feliz ganhador de uma enciclopédia, generosamente adornada por desenhos obscenos. Todos soltamos as devidas exclamações de alegria e surpresa, enquanto mamãe enche um copo grande de vinho barato, acende um cigarro, se recosta no sofá e põe Willa e Tiffin no colo, o rosto já vermelho de tanto beber.

De algum modo, sobrevivemos a esse dia. Dave está passando a ocasião com a família, e mamãe apaga no sofá pouco antes das seis da tarde. Conseguimos convencer Tiffin e Willa a irem se deitar mais cedo permitindo que levem os presentes para a cama, e Kit se enfia na sua toca com os videogames para começar a fazer negócios. Lochan se oferece para limpar a cozinha e, para minha vergonha, aceito a oferta e despenco na cama, grata por ver o dia chegar ao fim.

É quase um alívio quando as aulas recomeçam. Tanto Lochan quanto eu temos que enfrentar o simulado, e brincar com Tiffin e Willa todos os dias durante duas semanas não nos sai barato. Voltamos para a escola, exaustos, e admiramos os novos iPods, celulares, roupas de grife e notebooks ao nosso redor. No almoço, Lochan passa pela minha mesa.

— Se encontra comigo na escada — sussurra. Francie solta um assobio alto quando ele se afasta e eu me viro a tempo de ver seu rosto ficar escarlate.

No alto da escada o vento sopra com fúria, cortando a pele feito lascas de gelo. Não entendo como Lochan consegue aguentar, dia após dia. Ele está se abraçando contra o frio, os dentes batendo, os lábios tingidos de azul.

— Onde é que está o seu casaco? — repreendo-o.

— Esqueci de trazer, no corre-corre do café da manhã.

— Lochan, você vai pegar uma pneumonia e morrer! Pelo amor de Deus, será que não pode ler na biblioteca?

— Eu estou bem. — Ele sente tanto frio que mal consegue falar. Mas, num dia desses, metade da escola está enfiada na biblioteca.

— O que é? Pensei que você não gostasse que eu viesse até aqui. Aconteceu alguma coisa?

— Não, não. — Ele morde o lábio, tentando conter um sorriso. — É que eu tenho uma coisa para você.

Olho para ele com a testa franzida, confusa.

— O quê?

Ele enfia a mão no bolso do blazer e retira uma pequena caixa prateada.

– É um presente de Natal atrasado. Não deu para comprar até agora. E eu não queria te dar em casa porque... enfim... – Ele se cala, constrangido.

Estendo a mão devagar para a caixa.

– Mas nós fizemos um trato há séculos – protesto. – O Natal seria para as crianças e nós não gastaríamos mais do que o necessário, lembra?

– Eu queria romper o trato este ano. – Ele parece empolgado, os olhos fixos na caixa, ansioso para que eu a abra.

– Mas então você devia ter me avisado. Eu não comprei nada para você.

– E nem eu queria que comprasse. Eu não te avisei porque queria fazer uma surpresa.

– Mas...

Ele dá uma sacudida nos meus ombros, rindo.

– Aaaargh! Quer abrir essa caixa logo de uma vez?

– OK, OK! – concordo, sorrindo. – Mas ainda não aprovo essa decisão de romper o trato sem o meu consentimento... – Levanto a tampa. – Ah... meu Deus... Lochie...

– Gostou? – Ele está quase saltitando, sorrindo de alegria, um brilho de triunfo nos olhos. – É prata maciça – informa, orgulhoso. – Deve ficar perfeita no seu braço. Tirei a medida pela marca na pulseira do seu relógio.

Continuo a olhar para a caixa, consciente de não ter feito um gesto ou dito uma palavra há vários segundos. A pulseira de prata aninhada no veludo preto é a coisa mais magnífica que já vi. Feita de intrincados laços vazados e arabescos, ela chega a faiscar, refletindo a luz branca do sol de inverno.

– Como você pagou por isso? – Minha voz é um sussurro chocado.

– Faz alguma diferença?

– Faz!

Ele hesita por um momento, a euforia passando, e abaixa os olhos.

– Eu... economizei um dinheirinho. Arranjei, tipo assim, um emprego...

Levanto os olhos da linda pulseira, incrédula.

– Um emprego? Como? Quando?

– Bem, não chegou a ser exatamente um emprego. – A luz se apagou dos seus olhos e ele agora parece constrangido. – Eu me ofereci para escrever redações para algumas pessoas e o lance se espalhou no boca a boca.

– Você fez deveres de casa para seus colegas por dinheiro?

– Fiz. Quer dizer, trabalhos valendo nota, principalmente. – Ele abaixa os olhos, encabulado.

– Desde quando?

– Desde o começo do último trimestre.

– Você economizou para comprar isso durante três meses?

Seus sapatos raspam o chão, os olhos se recusando a enfrentar os meus.

– No começo foi só um dinheirinho extra para... enfim, despesas da casa. Mas aí eu pensei no Natal e lembrei que você não ganhava um presente há... séculos...

Sinto dificuldade para respirar. Tenho que me esforçar muito para assimilar tudo que ele diz.

– Lochan, nós temos que devolver isso imediatamente, para você receber o seu dinheiro de volta.

– Impossível. – Sua voz vacila.

– Como assim?

Ele vira a pulseira. No interior, estão gravadas as palavras: *Maya, vou te amar para sempre. Lochan x*

Fico olhando para a gravação, em estado de choque, o silêncio entre nós pontuado apenas pelos gritos distantes no pátio.

– Eu imaginei – diz Lochan, em voz baixa – que não devia ficar muito frouxa no seu braço, para ninguém poder ver a gravação. E se você ficar preocupada, sempre pode escondê-la em algum cantinho em casa. Como um talismã, ou algo assim. Quer dizer, só se... tiver gostado dela, é claro... – Sua voz volta a se esfumar no silêncio.

Não consigo me mexer.

– Eu sei que foi uma ideia boba. – Agora ele fala muito depressa, tropeçando nas palavras. – Na certa... na certa não é o que você teria escolhido. Os homens têm um gosto horrível para esse tipo de coisa. Eu devia ter esperado e perguntado a você. Devia ter te deixado escolher, ou comprado alguma coisa mais útil, hum, tipo... tipo...

Volto a levantar os olhos do bracelete. Apesar do frio, as faces de Lochan estão quentes de vergonha, seus olhos irradiando decepção.

– Maya, olha, não tem a menor importância. Você não precisa usar, nem nada. Pode só escondê-la em algum cantinho em casa... por causa da gravação. — E me dá um sorriso inseguro, louco para colocar uma pedra sobre o assunto.

Balanço a cabeça devagar, engolindo em seco e me obrigando a falar.

— Não, Lochie, não. É... a coisa mais linda que eu já tive. É o presente mais maravilhoso que já ganhei. E a gravação... Vou usar essa pulseira por toda a minha vida. Não consigo acreditar que você fez isso. Só por mim. Todo esse trabalho, noite após noite. Achei que as provas estavam te deixando doido, sei lá. Mas tudo aquilo era só para... poder me dar... — Não consigo terminar a frase e, segurando a caixa com força, aperto o rosto no seu peito.

Ele solta um suspiro de alívio.

— Ei, o que manda a boa educação é que você sorria e agradeça!

— Obrigada — sussurro, ainda encostada a ele, mas as palavras não significam nada perto do que estou sentido.

Ele pega a caixa e afasta o meu braço do corpo. Seu braço me contorna e ele enrola a manga do meu casaco. Depois de alguns momentos de esforço, sinto a prata fria na pele.

— Que tal? Dá uma olhada — pede ele, orgulhoso.

Respiro fundo, piscando para afastar as lágrimas. A prata intrincada cintila em volta do pulso. Do lado de dentro, estão as palavras *Vou te amar para sempre*. Mas eu já sabia disso.

Uso a pulseira o tempo todo. Só a tiro na segurança do meu quarto, pousando-a na palma da mão e contemplando a gravação, extasiada. À noite durmo com as cortinas meio abertas para que o luar banhe o metal, fazendo-o cintilar. No escuro, sinto suas ranhuras com os lábios, como se beijá-las me aproximasse de Lochan.

Na manhã de sábado, mamãe nos surpreende entrando em casa sem aviso, a maquiagem escorrendo, os cabelos molhados de chuva. *Ah, vocês estão todos aqui*, diz, suspirando, sem fazer o menor esforço para esconder a decepção, parada na porta da sala com um enorme anoraque masculino, meias-arrastão e saltos pouco firmes. Tiffin está plantando bananeira no sofá, Willa esparramada no carpete olhando para a tevê com ar entediado e eu tentando terminar o dever de história na mesa de centro. Kit já saiu com os amigos e Lochan está no quarto, estudando.

— Mamãe! — Willa se levanta de um pulo e corre para ela, estendendo os braços. Mamãe faz uma festinha na sua cabeça, sem abaixar os olhos, e Willa tem que se contentar em abraçar suas pernas.

— Mamãe, mamãe, olha só o que eu sei fazer! — grita Tiffin, vitorioso, arremessando o corpo numa cambalhota aérea e derrubando minha pilha de livros no chão.

— Por que você não está na casa do Dave? — alfineto-a.

— Ele teve que ir socorrer a ex-mulher — responde ela, fazendo um beicinho enojado. — Pelo visto, ela agora sofre de agorafobia, ou sei lá o quê. Para mim, o nome da doença é *chantagismo emocional crônico*, se quer mesmo saber a minha opinião.

— Mamãe, vamos sair. Por favor! — implora Willa, ainda agarrada a suas pernas.

— Agora não, docinho de coco. Está chovendo e mamãe está muito cansada.

— Você podia levá-los ao cinema — me apresso a sugerir. — *Super-heróis* começa daqui a quinze minutos. Eu ia levá-los, mas como eles não te veem há mais de duas semanas…

— É, mãe! *Super-heróis* parece muito legal, você vai adorar! Todo mundo na minha turma já viu! — O rosto de Tiffin se ilumina.

— E pipoca! — pede Willa, aos pulos. — Eu adoro pipoca! E Coca-Cola! Mamãe dá um sorriso tenso.

— Crianças, eu estou com uma dor de cabeça horrível, e acabei de chegar.

— Mas você passou duas semanas inteirinhas na casa do Dave! — grita Tiffin de repente, o rosto vermelho.

Ela estremece um pouco.

— OK. OK. Tudo bem. — Crava em mim um olhar zangado. — Você compreende que eu passei essas duas semanas *trabalhando*, não compreende?

Dou um olhar gelado para ela:

— E nós também.

Ela gira nos calcanhares, e depois de uma briga por causa de um guarda-chuva, gritos furiosos porque um casaco desapareceu e uivos de dor quando alguém leva um pisão no pé, a porta da sala é finalmente batida. Encosto a cabeça na beira do sofá e fecho os olhos. Depois de um momento, torno a abri-los e sorrio. Eles saíram. Todos eles. É bom demais para ser verdade. Finalmente temos a casa só para nós.

Subo a escada na ponta dos pés, o coração disparado. Vou fazer uma surpresa para ele. Chegar de mansinho por trás, sentar no seu colo e anunciar a nossa inesperada janela de liberdade com um beijo longo e apaixonado. Parada diante da porta do quarto, prendo a respiração e giro a maçaneta com todo cuidado.

Empurro a porta bem devagar. Então, paro. Ele não está sentado à escrivaninha, debruçado sobre um livro como eu esperava, e sim diante da janela: uma das mãos manuseando com atenção o celular quebrado que ele acha que pode salvar, a outra tentando puxar uma meia, enquanto se equilibra precariamente num pé só. Está meio de costas para mim, por isso não me viu atrás da porta, e eu fico só assistindo, achando a maior graça, enquanto ele luta para tirar a outra meia, os olhos ainda fixos na tela quebrada do celular. Então, com um suspiro irritado, ele o joga na cama e tira a camiseta agilmente pela cabeça, desgrenhando o cabelo de um jeito cômico. Ao ver a toalha jogada nas costas da cadeira, entendo que ele já está para entrar no chuveiro e começo a me retirar, quando algo me interrompe. De repente, percebo o quanto seu corpo mudou. Ele sempre foi meio magrinho, mas agora se tornou mais musculoso. Uma leve curva nos bíceps, o peito liso e sem pelos, a barriga não exatamente um tanquinho, mas já esboçando um projeto de definição...

Chego de fininho por trás dele, passando os braços pela sua cintura, e sinto-o se retesar.

— Ela saiu com as crianças — sussurro no seu ouvido.

Ele se vira entre meus braços e de repente estamos nos beijando com avidez — sem ninguém para nos interromper, sem nenhum limite para o nosso tempo. Mas em vez de nos deixar com preguiça, isso acrescenta uma pitada inédita de excitação e urgência à situação. As mãos de Lochan tremem ao segurar meu rosto. Entre beijos, ele arqueja baixinho no meu rosto e a dor do desejo pulsa pelo meu corpo inteiro. Ele beija cada parte do meu rosto, minhas orelhas, meu pescoço. Passo as mãos pelo calor do seu peito nu, seus braços, seus ombros. Quero sentir cada parte do seu corpo. Quero aspirar seu cheiro. Quero-o tanto que chega a doer. Ele está me beijando com tanta ferocidade que mal tenho tempo de respirar. Suas mãos estão no meu cabelo, no meu pescoço, sob a gola da blusa. Sua pele nua vibra sob meus dedos. Mas há ainda muitas roupas, obstáculos demais entre nossos corpos. Enfio a mão no cós do seu jeans.

— Espera… — sussurro.

Sua respiração estremece no meu ouvido e ele tenta beijar meu pescoço, mas o empurro com delicadeza.

— Espera — digo a ele. — Para só um segundo. Tenho que me concentrar.

Quando abaixo a cabeça, sinto seu corpo se retesar de frustração e surpresa. Mas me obrigo a me concentrar no que estou fazendo, tendo o cuidado de não me afobar. Não quero meter os pés pelas mãos, dar uma mancada, fazer papel de idiota, magoá-lo…

Abrir o botão é fácil. Abaixar o zíper é que são elas — na primeira tentativa ele fica preso, e tenho que puxá-lo de novo para cima, antes de abaixá-lo até o fim. Mas de repente Lochan está me segurando pelos pulsos e empurrando minhas mãos para trás.

— O que está fazendo? — Ele parece incrédulo, quase zangado.

— Shhh… — Recomeço a abrir sua calça.

— Maya, não! — Ele arqueja com força, um tom frenético na voz. Agora suas mãos estão entre as minhas, tentando puxar o zíper de novo, mas seus dedos não acertam, tremendo de choque.

Afastando o cós da cueca, enfio os dedos dentro dela, e sinto uma onda de euforia quando toco nele. É tão quente e duro. Com uma exclamação chocada, os joelhos de Lochan se dobram e ele inspira por entre os dentes, se contraindo e me olhando com uma expressão de total perplexidade, como se tivesse esquecido quem sou, o rubor colorindo as faces, a respiração curta e rápida. Então, com um grito curto, ele me segura pelos ombros e me empurra para trás.

— Que diabos você está fazendo?

Eu recuo, sem palavras, enquanto ele luta com o zíper. Está gritando com todas as suas forças, literalmente tremendo de raiva.

— Que foi que deu em você? Que diabos estava tentando fazer? Você sabe que nós não podemos nunca, *nunca*…

— Desculpe — digo, arfante. — Eu… eu só… só queria te tocar…

— A coisa está completamente fora de controle! — grita ele, os tendões se projetando do pescoço. — Você é doente, sabia? Essa história é doente! — E passa por mim com um safanão, o rosto vermelho, indo para o banheiro e batendo a porta. Momentos depois, a água do chuveiro começa a correr.

Desço para a sala e fico andando de um lado para o outro, respirando com força, a raiva e a culpa me assaltando em proporções idênticas. Raiva pelo jeito como ele gritou comigo. Culpa por não ter parado quando ele me pediu. Ainda assim, não entendo, simplesmente não entendo. Eu achava que nós tínhamos decidido não nos preocupar mais com o que os outros pensam. Achava que tínhamos decidido ficar juntos a qualquer preço. Eu não estava usando de nenhum *ardil* para convencê-lo a fazer algo. Apenas tinha sentido de repente o impulso imperioso de tocar todas as partes do seu corpo, até aquela – principalmente aquela. Mas agora o medo aperta minha garganta, meus ombros, meu peito. O medo de ter estragado o que achava que tínhamos.

O som dos seus pés descendo depressa a escada faz com que eu me refugie no canto mais afastado da sala. Mas no corredor escuto apenas o tilintar das chaves, o barulho dos tênis e o zíper da jaqueta. E então, a porta sendo batida.

Fico parada ali, atordoada. Horrorizada. Estava esperando algum tipo de confronto, pelo menos a chance de oferecer uma explicação. Em vez disso, ele saiu e me deixou. Não vou aceitar isso, não vou mesmo. Não fiz nada de tão terrível assim.

Enfio os pés nos sapatos e pego o casaco da escola. Sem nem me dar ao trabalho de apanhar as chaves, saio de casa correndo. A essa altura sua figura já desaparece na escuridão molhada no fim da rua. Desabalo numa corrida.

Quando o som de meus passos o alcança, ele muda de direção e atravessa a rua, caminhando ainda mais depressa. No momento em que me emparelho com ele, tentando recuperar o fôlego, ele levanta o braço e empurra minha mão estendida.

– Me deixa, por favor! – grita. – Volta para casa e me deixa em paz!

– Por quê? – grito também, respirando o ar gelado pela boca, as agulhas frias e finas da chuva espetando meu rosto e meus cabelos. – Que foi que eu fiz de tão horrível assim? Eu só cheguei de fininho daquele jeito para te fazer uma surpresa. Queria te contar que mamãe voltou e que eu a convenci a levar as crianças ao cinema. Quando a gente começou a se beijar, eu só queria tocar...

– Será que você se dá conta do quanto aquilo foi estúpido? Do quanto foi perigoso? Você não pode fazer uma coisa dessas assim, sem mais nem menos!

– Lochie, me desculpe. Eu achei que nós podíamos pelo menos tocar um no outro. Não quer dizer que nós teríamos ido mais longe...

— Ah, não? Pois pode tratar de esquecer o seu continho de fadas ridículo! Bem-vinda ao mundo real! – Ele se vira brevemente, o bastante para me mostrar o rosto vermelho de fúria. – Se eu não tivesse recuado, você entende o que teria acontecido? Não é só nojento, Maya, é ilegal, porra!

— Lochie, isso é um absurdo! Só porque nós não podemos transar, não significa que também não podemos tocar um no outro e... – Estendo a mão, mas ele empurra meu braço novamente. De repente, vira no beco que leva ao cemitério, apenas para encontrar uma grade com um cadeado no fim. Mesmo sem ter para onde ir, ele ainda se recusa a se virar para mim. Parada no meio da rua encharcada de chuva, meus cabelos fustigando o rosto, vejo-o agarrar a grade de arame e sacudi-la com fúria demente, dando socos nela com ambos os punhos e chutando-a com ferocidade.

— Você é louco, sabia? – grito com ele, o medo de repente dando lugar à raiva. – Por que teria sido uma coisa tão grave assim? De que maneira teria sido diferente do que aconteceu aquela tarde na cama?

Ela se vira, voltando a investir com violência contra a grade.

— Talvez aquilo também tenha sido um erro! Mas pelo menos... pelo menos aquela tarde nenhum de nós estava seminu! E eu nunca teria... nunca teria deixado que as coisas fossem mais longe...

— E nem eu estava planejando que fossem hoje! – exclamo, atônita.

Ele encosta o corpo vencido na grade, a fúria se dissipando na noite como as baforadas brancas que saem das nossas bocas.

— Não posso mais fazer isso – diz ele, a voz rouca e trêmula, e de repente minha raiva se entremeia com um pavor que me gela o sangue. – É doloroso demais, perigoso demais. Estou morto de medo... do que nós poderíamos acabar fazendo.

Seu desespero parece quase palpável, sugando do ar gelado à nossa volta o último vestígio de esperança.

— Então, o que você está dizendo? – Começo a levantar a voz. – Se não podemos transar, você prefere que não façamos nada?

— Acho que sim. – Ele me encara, os olhos verdes subitamente duros à luz do poste. – Vamos combinar, tudo isso é muito doentio. Talvez o resto do mundo tenha razão. Talvez nós sejamos só dois adolescentes desajustados, emocionalmente perturbados, que...

Ele se interrompe, afastando-se da cerca enquanto recuo lentamente, a mágoa e o horror correndo por minhas veias como gelo líquido.

– Maya, espera... eu não quis dizer isso. – Sua expressão muda bruscamente, e ele se aproxima, cauteloso, o braço estendido como se eu fosse um animal selvagem prestes a desembestar. – Eu... eu não quis dizer isso. Eu... eu não estou pensando direito. Eu perdi a cabeça. Preciso me acalmar. Vamos a algum lugar para conversar. Por favor.

Faço que não e passo ao largo dele, irrompendo numa correria e me atirando por um buraco perto da beira da grade.

Já do outro lado, encaro o vento cortante, avançando pela trilha escura, acidentada, atulhada com as garrafas de cerveja, guimbas de cigarro e seringas de praxe. O brilho fraco dos postes chega de muito longe, o barulho do trânsito reduzido a um murmúrio distante, as silhuetas das lápides abandonadas e em ruínas nada mais do que vultos amorfos na escuridão. Não consigo acreditar que isso está acontecendo. Não consigo. Eu confiei nele. Tento compreender o que acabou de acontecer, assimilar as palavras de Lochan sem desmoronar completamente. De algum modo aceitar que aquela noite mágica em que nos beijamos pela primeira vez e a tarde no meu quarto foram, para ele, apenas um erro abominável, pervertido, devendo ser arquivado na memória até podermos finalmente fingir que jamais aconteceu. Preciso tentar absorver os verdadeiros sentimentos de Lochan em relação à nossa história – os sentimentos que ele vem escondendo de mim desde o começo. E descobrir um jeito de sobreviver a essa súbita revelação. Mas como pode *alguma coisa* doer tanto? Como podem aquelas palavras me fazer ter vontade de me enroscar em posição fetal e morrer?

– Maya, por favor. – Escuto seus passos pesados na trilha atrás de mim e um grito começa a se formar na minha garganta. Preciso ficar sozinha neste momento, ou vou perder a cabeça, *juro que vou.*

– Você sabe que eu não quis dizer nada daquilo! Eu estava só com vergonha por ter... por ter quase... você sabe. Eu estava só com medo dos meus sentimentos, do que nós poderíamos ter feito! – Ele parece frenético, desvairado. – Por favor, vem para casa. Os outros vão voltar daqui a pouco e vão ficar preocupados.

O fato de ele achar que pode apelar para o meu senso de dever mostra o quão pouco entende o efeito do que disse antes, a violência das emoções que me dominam.

— Tira as mãos de mim! – grito, minha voz ampliada no silêncio do cemitério.

Ele recua como se tivesse levado um tiro, protegendo o rosto da histeria de minha voz.

— Maya, tenta se acalmar – pede, a voz trêmula. – Se alguém ouvir a gente, vai...

— Vai o quê? – interrompo-o, agressiva, me virando para ele.

— Vai pensar que...

— Pensar o quê?

— A pessoa pode achar que eu estou te atacando...

— Ah, então o problema é só *você*! – grito, os soluços ameaçando explodir na minha garganta. – Essa história toda... o problema sempre foi só *você*! "O que os outros vão pensar? Que ideia vão fazer de mim? Como eu seria julgado?" Seja lá qual for o sentimento que já existiu entre nós, é óbvio que não significa nada para você comparado com o seu medo ridículo dos preconceitos tacanhos, radicais e provincianos dos outros que você tanto desprezava, mas que agora adotou como seus!

— Não! – grita ele, desesperado, correndo atrás de mim quando volto a me afastar em passos largos. – Não é nada disso... não tem nada a ver com isso! Maya, *por favor*, me escuta. Você não entende! Eu só disse aquelas coisas porque me sinto como se estivesse enlouquecendo, vendo você todo santo dia, sem nunca poder... te abraçar, te tocar quando tem alguém por perto. E eu só quero segurar sua mão, te beijar, te apertar, sem ter que ficar me escondendo o tempo todo. Todas essas coisinhas simples que qualquer casal faz sem nem pensar! Eu quero ser livre para fazer essas coisas sem medo de que alguém nos pegue em flagrante e nos separe, chame a polícia, tire as crianças de nós, destrua tudo. Não posso suportar isso, será que você não entende? Quero que você seja minha namorada, quero que a gente seja livre...

— Tudo bem! – grito, as lágrimas brotando nos olhos. – Se é uma coisa tão doentia e pervertida assim, se está te causando tanto sofrimento, então você tem razão, a gente devia terminar com tudo, aqui e agora! Desse jeito pelo menos você não vai ter que sair por aí carregando uma consciência pesada feito chumbo, pensando em como nós somos nojentos por termos esse sentimento um pelo outro! – Agora desesperada para ir embora, começo a correr aos tropeços.

– Pelo amor de Deus! – grita ele atrás de mim. – Você não ouviu o que eu disse? Isso é a última coisa que eu quero!

Ele tenta me segurar de novo, tenta me forçar a diminuir o passo, mas não posso – vou romper em lágrimas, e eu me recuso a permitir que ele ou qualquer pessoa seja minha testemunha.

Dando meia-volta, planto as mãos no seu peito e o empurro com todas as minhas forças.

– Fica longe de mim! – grito. – Por que você não pode me deixar em paz por cinco minutos? *Por favor*, vai para casa! Você tem razão, nós nunca devíamos ter começado isso! Portanto, fica longe de mim! Me dá um espaço e tempo para pensar!

Seus olhos estão frenéticos, a expressão torturada.

– Mas eu estava *errado*! Por que você não quer me ouvir? Eu só disse besteira, só soltei os cachorros porque estava frustrado, não é nada disso que eu quero!

– Mas é o que *eu* quero! – urro. – Deus me livre de você ficar comigo por pena! Tudo que você disse é verdade: nós somos doentios, somos pervertidos, somos desequilibrados, e temos que dar um basta nisso agora! Por isso, que diabos você ainda está fazendo aqui? Vai para casa, volta para sua vidinha normal e socialmente aceitável, e nós podemos fingir que nada chegou a acontecer!

Perco a cabeça de vez. Martelos batem no meu crânio e luzes vermelhas ziguezagueiam pela escuridão. Mas tenho medo de que se não continuar gritando com ele nessa fúria cega, vou romper em lágrimas. E não quero que ele veja isso: a última coisa que quero é que ele sinta pena de mim, que se sinta na obrigação de fingir estar apaixonado por mim, que perceba que não posso viver sem ele.

Com um grito desesperado, ele avança na minha direção, tentando me segurar novamente. Dou um passo para trás.

– Estou falando sério, Lochan! Vai para casa! Não encosta em mim, ou eu vou começar a gritar por socorro!

Ele recolhe o braço estendido e recua, derrotado. Lágrimas enchem seus olhos.

– Maya, o que você quer que eu faça?

Solto um suspiro trêmulo.

— Que vá embora — digo baixinho.

— Mas será que você não entende? — pergunta, com desespero contido. — Eu quero ficar com você, custe o que custar. Eu te amo...

— Mas não o bastante.

Ficamos olhando um para o outro. Seu cabelo está desgrenhado pelo vento, os olhos verdes luminosos na escuridão, o zíper da jaqueta de couro preta quebrado, revelando a camiseta cinza por baixo. Ele balança a cabeça, os olhos percorrendo o cemitério escuro ao redor como que à procura de ajuda. Volta a olhar para mim, deixando escapar um soluço alto.

— Maya, isso não é verdade!

— Você chamou o nosso amor de doentio e nojento, Lochan — relembro a ele em voz baixa.

Ele arranha as faces.

— Mas eu não quis dizer nada disso! — Seu queixo começa a tremer.

Uma dor aguda se ergue em mim, enchendo meus pulmões, a garganta, a cabeça — tão aguda que chego a achar que vou desmaiar.

— Então, por que disse? Você quis dizer, sim, e agora, eu também quero. Você tem razão, Lochan. Você me fez enxergar o que essa história sórdida realmente é. Apenas um erro terrível. Nós estávamos nos sentindo entediados, perturbados, sozinhos, frustrados, seja lá o que for. Nunca estivemos apaixonados...

— Estivemos, sim! — Sua voz falha. Ele franze os olhos e pressiona o punho na boca para abafar um soluço. — Nós *estamos*!

Olho para ele, embotada.

— Então, por que é que passou?

Ele olha para mim, chocado, as lágrimas molhando o rosto.

— O q-que você quer dizer?

Respiro fundo para me controlar, me preparando contra um jorro de lágrimas.

— Quero dizer, Lochan, que eu não te amo mais.

LOCHAN

Alguma coisa em mim se rompeu. Há momentos ao longo do dia em que apenas paro e simplesmente não consigo mais encontrar energia para respirar de novo. Fico lá, imóvel, na frente do fogão, ou na sala de aula, ou escutando Willa ler, e todo o ar sai dos meus pulmões e não consigo mais reunir forças para tornar a enchê-los. Se continuar respirando, tenho que continuar vivendo, e se continuar vivendo, tenho que continuar sofrendo, e eu não aguento – não desse jeito. Tento dividir o dia em seções, e viver uma hora de cada vez: atravessar o primeiro período, depois o segundo, depois o recreio, depois o terceiro, depois o almoço... Em casa as horas se dividem em tarefas domésticas, supervisão do dever de casa, jantar, hora de pôr os menores na cama, estudo e sono. É o único momento em que fico grato pela rotina implacável. Ela me obriga a ir de uma seção para a outra, e quando minha cabeça começa a avançar demais e eu sinto que vou entregar os pontos, consigo voltar atrás depressa, dizendo a mim mesmo: *Só mais uma seção, e depois dessa só mais uma. Vive o dia de hoje – você pode entregar os pontos amanhã. Vive o dia de amanhã, você pode entregar os pontos depois de amanhã...*

Quando Maya disse que não me amava mais, não tive escolha senão me retirar, me retrair. No começo disse a mim mesmo que suas palavras eram fruto da raiva, uma reação às minhas palavras estúpidas, à minha declaração leviana de que tudo não passara de um erro doentio – mas agora sei que não foi o caso. Passo e repasso minha frase na cabeça, me perguntando de onde terá saído, quando nunca acreditei nela por um segundo. Deve ter sido a raiva do momento, meu constrangimento e vergonha – vergonha por querer mais do que poderia jamais ter – que me fizeram dizer a coisa mais contundente e odiosa que me passou pela cabeça. Em vez de enfrentar minha infelicidade e frustração, descontei-as em Maya, como se jogar a culpa em cima dela pudesse me absolver...

Mas agora, graças à minha própria estupidez e crueldade egoísta, perdi tudo, degradei tudo, até nossa amizade. Apesar da tristeza nos seus olhos, Maya não teve o menor problema para voltar ao normal, para fingir que está tudo bem, para me tratar com simpatia sem deixar de manter a distância. Nenhum constrangimento que pudesse chamar a atenção dos outros; na verdade, ela se comporta de um jeito quase animado. Tão animado que às vezes me pergunto se no íntimo não se sente aliviada por estar tudo acabado, se realmente acredita que foi tudo um erro doentio, uma aberração, fruto da necessidade física. Ela deixou de me amar, Maya deixou de me amar... E esse pensamento específico está pouco a pouco corroendo minha mente.

O esforço para me concentrar durante as aulas há muito se tornou uma coisa do passado; agora, para meu horror, os professores me notam, e por todos os motivos errados. Mal consigo ler meia página de trigonometria até me dar conta de que estava imóvel, olhando para um ponto no espaço, durante quase uma hora. Eles perguntam se estou bem, se preciso ver a enfermeira, se há algo que não entendi. Faço que não e evito seus olhos, mas sem as notas altas para contrabalançar, minha reticência não é mais aceitável, e então eles me chamam para a frente da sala, exigindo respostas para perguntas no quadro, com medo de que eu esteja ficando para trás, que vá decepcioná-los deixando de ganhar um A na sua matéria nesse trimestre. Chamado ao quadro na frente da turma inteira, eu me enrolo completamente com as perguntas mais fáceis, vendo uma expressão de horror perplexo se estampar nos rostos dos professores quando volto para a carteira em meio a piadas e risos, morto de vergonha dos risinhos de satisfação por verem que Lochan Louco finalmente surtou de vez.

Hoje, temos dois períodos seguidos de inglês dedicados a *Hamlet*. Já li a peça algumas vezes, por isso não sinto a necessidade de fingir que estou prestando atenção. Além disso, a Srta. Azley e eu temos um acordo tácito desde sua tentativa frustrada de levantar meu astral: ela não me escolhe durante as aulas, desde que eu tome a iniciativa de responder a uma pergunta de vez em quando, geralmente para ajudá-la quando ninguém mais consegue pensar nem na resposta mais estúpida. Mas hoje, estou fora: o segundo período já está bem avançado, e a dor familiar no meu peito se transformou numa dor apunhalante. Largo a caneta e olho pela janela, observando um cabo de tevê partido girar e se contorcer no vento.

— ... segundo Freud, a crise pessoal enfrentada por Hamlet desperta nele desejos incestuosos reprimidos. — A Srta. Azley acena com o livro e caminha de um lado para o outro na frente da sala, tentando manter o pessoal acordado. Sinto seu olhar pousar na minha cabeça e viro-a de estalo.

— O que nos leva ao complexo de Édipo, um termo cunhado pelo próprio Freud no começo do século vinte.

— É aquele lance de um cara querer transar com a própria mãe? — pergunta alguém, com a voz cheia de nojo.

De repente, a Srta. Azley tem a atenção da turma inteira. A sala está pegando fogo.

— Mas isso é muito louco! Por que um cara iria querer trepar com a própria mãe?

— Pois é, mas a gente ouve falar de vários casos na mídia. Mães que trepam com os filhos, pais que trepam com as filhas *e* com os filhos. Irmãos e irmãs que trepam...

— Vamos moderar o linguajar, por favor? — pede a Srta. Azley.

— Isso só pode ser caô. Quem iria querer trepar... desculpe, transar... com os próprios pais?

— O nome é incesto, cara.

— Incesto é quando o cara estupra a irmã, seu babaca.

Uma luz se acende no meu cérebro, como os faróis de um trem no escuro.

— Não, é...

— OK, OK, estamos nos afastando do tema! E lembrem que essa é apenas uma interpretação, e que foi refutada por muitos críticos. — Quando a Srta. Azley para e se encosta à beira da mesa, seus olhos de repente encontram os meus.

— Lochan, é bom ver você de novo entre nós. O que pensa da tese de Freud de que o complexo de Édipo foi a principal motivação de Hamlet para assassinar o tio?

Fico olhando para ela. De repente, sinto um medo mortal. Através do silêncio instantâneo, meu rosto é queimado por uma chama invisível. Tomado por um pânico que beira a histeria, eu temo, com um súbito pressentimento sinistro, que talvez não seja por coincidência que a Srta. Azley me escolheu para abrir a discussão. Quando foi a última vez que ela me escolheu para responder a uma pergunta? Quando o tema do incesto já foi discutido antes? Seus olhos perfuram os meus, fazendo queimaduras fundas no cérebro. Ela não está sorrindo. Não, tudo isso foi planejado – arquitetado, premeditado e deliberado. Ela está esperando por minha resposta... De repente, lembro que esbarrei com ela na frente da enfermaria depois do tombo de Maya. Ela deve ter estado lá, ajudado Maya a recobrar os sentidos, feito perguntas a ela. Maya bateu com a cabeça, talvez tivesse até sofrido uma concussão. Que explicação terá dado para o desmaio? Quanto tempo terá se passado entre o tombo e a minha chegada? No seu estado confuso, o que Maya poderia ter dito?

Os olhos da turma estão colados em mim. Todos os alunos, sem exceção, se viraram nas carteiras para me olhar. Eles também parecem estar envolvidos nisso. É um complô gigantesco.

– Lochan? – A Srta. Azley se afastou da mesa. Está caminhando depressa em minha direção, mas por algum motivo extraordinário não consigo me mexer. O tempo parou; o tempo disparou. Minha carteira trepida contra mim como se o chão fosse abalado por um terremoto. Meus ouvidos se enchem de água e eu presto atenção ao zumbido na cabeça, a grade elétrica da mente se soltando e se acendendo. Um som estranho enche a sala. Todo mundo está paralisado, me encarando, esperando para ver o que acontece, que terrível destino me aguarda. Talvez as assistentes sociais já estejam na escola. O mundo exterior incha e empurra as paredes, tentando me alcançar, tentando me devorar vivo. Não consigo acreditar. Não consigo acreditar que está acontecendo desse jeito...

– Você precisa vir comigo, Lochan, está bem? – A voz da Srta. Azley é firme sem ser ríspida. Talvez ela até sinta uma certa pena de mim. Afinal, sou um cara doente. Doente e mau. A própria Maya disse que é isso que nosso amor é.

As mãos da Srta. Azley se fecham em torno dos meus pulsos.

– Consegue ficar de pé? Não? OK, fique onde está. Reggie, será que podia ir correndo à enfermaria e pedir à Sra. Shah que dê um pulo aqui imediatamente? Quanto aos outros, para a biblioteca, agora, em silêncio, por favor.

O réquiem de cadeiras arranhadas e pés batidos me afoga. Flashes de cores e luzes cegantes. O rosto da Srta. Azley se desfoca e se desfaz diante de meus olhos. Ela está chamando a enfermeira, a outra pessoa que socorreu Maya quando caiu. Mas há mais alguma coisa acontecendo. Sob meu braço, a carteira continua a trepidar. Olho ao redor, e tudo parece estar se movendo, as paredes da sala que se esvazia ameaçando desabar em cima de mim como um castelo de cartas. Meu coração fica parando e recomeçando de tantos em tantos segundos, batendo violentamente contra o peito. Cada vez que para, sinto esse vazio aterrorizante antes de a contração voltar com uma espécie de tremor, e então uma pancada violenta. O oxigênio está sendo sugado de dentro da sala: meus esforços frenéticos para respirar e permanecer consciente são inúteis, a escuridão lentamente me cercando. A camisa se cola molhada às costas, filetes de suor escorrendo pelo corpo, o pescoço, o rosto.

— Está tudo bem, meu filho, está tudo bem! Fica quietinho, não faz nenhum esforço, você vai ficar bem. Tenta se inclinar um pouco para frente. Assim. Apoia os cotovelos nos joelhos e se inclina para frente, que vai te ajudar a respirar. Não, você está bem, aí onde está; fica aí, não tenta se levantar. Calma, calma, só estou tirando a gravata e abrindo o colarinho. Leila, o que ainda está fazendo aqui?

— Ah, professora, ele vai morrer? — A voz soa aguda de pânico.

— É *claro* que não, não seja boba! Estamos só esperando a Sra. Shah chegar para examiná-lo. Lochan, presta atenção. Você é asmático? Alérgico a alguma substância? Olha para mim. Só concorda ou nega com a cabeça... Ah, meu Deus. Leila, depressa, dá uma olhada na mochila dele, por favor. Vê se encontra um inalador, uma cartela de comprimidos, alguma coisa assim. Olha nos bolsos do casaco e do blazer. E na carteira também. Vê se tem algum tipo de cartão médico...

Ela está agindo de um jeito muito estranho, a Srta. Azley, como se estivesse fingindo – fingindo que não sabe. Mas não tenho mais forças para me importar. Só quero que isso acabe. É doloroso demais, esses choques elétricos sendo disparados por todo o peito para o coração, todos os músculos do corpo tomados por espasmos incontroláveis, sacudindo a cadeira e trepidando a mesa, o corpo se rendendo a alguma força maior.

— Professora, professora, não achei nenhum inalador, nem nada! Mas ele tem uma irmã em outra série, de repente ela sabe!

Leila está soltando uns gemidos estranhos, como um cachorro ganindo quando leva uma surra. No entanto, quando se afasta, os sons se aproximam. Não pode ser a Srta. Azley, portanto deve haver algum animal na sala, encolhido num canto...

— Lochan, segura minha mão. Presta atenção, meu filho. A enfermeira vai estar aqui a qualquer momento, OK? O socorro já está a caminho.

É só quando os ganidos se intensificam que percebo que estão saindo da minha boca. Tenho uma súbita consciência do som da minha voz arranhando o ar como uma serra.

— Sim, Leila, a irmã dele, boa ideia. Veja se consegue encontrá-la, por favor.

O tempo avança com solavancos de soluço; ou é mais tarde ou mais cedo, não sei qual dos dois. A enfermeira chegou, não sei qual delas — agora estou confuso em relação a tudo. Talvez estivesse enganado. Talvez elas estejam *realmente* tentando me ajudar. A Sra. Shah está com um estetoscópio nos ouvidos e abrindo minha camisa. Na mesma hora reajo, mas a Srta. Azley segura meus braços e eu me sinto fraco demais até para empurrá-la.

— Está tudo bem, Lochan — diz ela, sua voz baixa e tranquilizadora. — A enfermeira só está tentando ajudar. Ela não vai te fazer mal. OK?

O som da serra continua. Jogo a cabeça para trás, fecho os olhos com força e trinco os dentes para fazê-lo parar. A dor no peito é excruciante.

— Lochan, podemos tirá-lo da cadeira? — pergunta a enfermeira. — Será que pode deitar no chão para que eu possa examiná-lo direito?

Eu me agarro à carteira. Não. Não vão me imobilizar no chão.

— Devo chamar uma ambulância? — pergunta a Srta. Azley.

— É só uma crise de pânico, e das boas. Ele já teve muitas antes. Está hiperventilando, com o pulso acima de duzentos.

Ela me dá uma sacola de papel para respirar. Eu me debato, tentando empurrá-la, mas não tenho forças. Já entreguei os pontos. Não estou nem conseguindo mais lutar, mas mesmo assim a enfermeira tem que pedir à Srta. Azley para segurar a sacola sobre meu nariz e minha boca.

Fico vendo o saco inflar e desinflar diante de mim. Inflar e desinflar, inflar e desinflar, o barulhinho do papel enchendo o espaço. Tento desesperadamente empurrá-lo — parece que as duas estão me sufocando: não resta mais oxigênio no interior do saco —, mas tenho uma vaga lembrança de já ter respirado dentro de um desses antes, e de ter ajudado.

— Tudo bem, Lochan, presta atenção. Você estava respirando muito depressa e inalando oxigênio demais, que é a razão de seu corpo estar reagindo desse jeito. É só isso. Você já está muito melhor. Tenta respirar mais devagar. É só uma crise de pânico, OK? Nada mais sério do que isso. Você vai ficar bem...

Tenho a impressão de respirar no saco de papel durante séculos, ou menos de um minuto, um segundo, um milissegundo; demora tão pouco que nem chega a acontecer. Estou segurando a beira da mesa, a cabeça encostada no braço estendido. Tudo ainda treme ao meu redor, a carteira vibrando sob o rosto, mas está ficando mais fácil respirar — agora me concentro em regular a respiração com cuidado, o saco de papel jogado ao meu lado. Os choques elétricos parecem ser menos frequentes, e começo a ver, ouvir e sentir as coisas ao meu redor com mais clareza: a Srta. Azley está sentada ao meu lado, sua mão esfregando as costas da minha camisa úmida. A enfermeira está ajoelhada no chão, o indicador e o polegar frios no meu pulso, o estetoscópio pendurado nos ouvidos. Noto que seu cabelo castanho está começando a ficar branco nas raízes. Percebo uma folha com minha própria letra debaixo do meu rosto. O barulho de serra passou, substituído por sons curtos e agudos como soluços, semelhantes aos que Willa faz depois de uma longa crise de choro. A dor no peito também está passando. Meu pulso ficou mais estável — batidas dolorosas, ritmadas.

— *O que aconteceu?*

A voz familiar me assusta e eu me esforço para sentar, minha mão tentando agarrar sem forças a beira da mesa para me impedir de cair para frente. A respiração entrecortada se intensifica e eu começo a tremer de novo. Ela está parada diante de mim, entre a enfermeira e a professora, suas mãos cobrindo o nariz e a boca, os olhos azuis arregalados de pavor. Sinto um alívio imenso ao vê-la e estendo a mão para ela num gesto frenético, com medo de que vá embora de repente.

— Oi, Lochie, está tudo bem, está tudo bem, está tudo bem. — Ela segura minha mão entre as suas, apertando-a com força. — O que aconteceu? — volta a perguntar à enfermeira, a voz levemente em pânico.

— Nada com que se preocupar, meu bem, só uma crise de pânico. Você pode ajudar se acalmando também. Por que não senta com ele um pouquinho? — A Sra. Shah fecha a maleta médica e se afasta, seguida pela Srta. Azley.

A enfermeira e a professora vão para o outro lado da sala, falando baixo e depressa. Maya puxa uma cadeira e senta à minha frente, os joelhos roçando os meus. Está pálida de choque, os olhos penetrantes e questionadores perfurando os meus.

Com os cotovelos nas coxas, olho para ela e consigo esboçar um sorriso trêmulo. Quero fazer alguma piada, mas respirar e falar ao mesmo tempo é um esforço grande demais. Tento parar de tremer para não assustar Maya e pressiono o punho na boca para abafar os sons de soluços. A mão esquerda aperta a dela com todas as forças, com medo de soltá-la.

Acariciando meu rosto pegajoso e segurando minha mão direita, ela a afasta com delicadeza da minha boca.

— E aí, seu moço? — diz, a voz cheia de preocupação. — Que foi que provocou isso?

Penso em Hamlet e na minha teoria de conspiração e percebo, num sobressalto, como estava sendo ridículo.

— N-nada. — Respiro. — Minha própria idiotice. — Tenho que me concentrar muito para pronunciar as palavras entre cada respiração ofegante, uma frase de cada vez. Sinto a garganta se apertar, por isso balanço a cabeça com um sorriso irônico. — Minha extrema idiotice. Desculpe... — Mordo o lábio com força.

— Para de pedir desculpas, seu idiota. — Ela abre um sorriso para me tranquilizar e alisa a palma da minha mão. E eu me vejo involuntariamente segurando sua manga, temendo que ela seja uma miragem que vai evaporar diante de meus olhos.

A campainha toca, assustando a nós dois.

Sinto o pulso começar a disparar novamente.

— Maya, n-não vai embora! Ainda não...

— Lochie, eu não tenho a menor intenção de ir a parte alguma.

É o mais perto que chegamos um do outro em uma semana, a primeira vez que ela me toca desde aquela noite terrível no cemitério. Engulo em seco e mordo o lábio, consciente da presença das outras duas mulheres na sala, morto de medo de perder o controle.

Maya nota.

— Loch, está tudo bem. Isso já aconteceu antes. Quando você veio para a Belmont, pouco depois de papai ir embora, lembra? Você vai ficar bem...

Mas eu não quero ficar bem, não se isso significa que ela vai soltar minha mão; não se significa que vamos voltar a ser estranhos educados.

Depois de um tempo, descemos para a enfermaria. A Sra. Shah verifica meu pulso e pressão sanguínea, e me dá um folheto sobre crises de pânico e transtornos mentais. Mais uma vez sugere que eu fale com a orientadora da escola, menciona o estresse das provas, o perigo de estudar demais, a importância de dormir bem... De algum modo consigo fazer todos os comentários apropriados, balançar a cabeça e sorrir de um jeito tão convincente quanto possível, o tempo todo me sentindo tenso como uma mola enrolada.

Voltamos para casa em silêncio. Maya me oferece a mão, mas recuso — minhas pernas estão mais estáveis agora. Ela me pergunta o que provocou a crise, mas quando balanço a cabeça, ela entende e se cala.

Em casa, sento no fim do sofá. Por estarmos a sós e sem o risco de sermos interrompidos, seria o momento perfeito para aquela conversa — aquela em que peço desculpas pelo que disse no cemitério, torno a explicar a razão do meu rompante louco, tento descobrir se ela ainda está zangada comigo, enquanto deixo claro que essa não é em absoluto uma tentativa de coagi-la a ter novamente qualquer tipo de relacionamento anormal comigo. Mas não consigo encontrar as palavras, e nem confiaria em mim para articular uma que seja. O choque da crise de pânico combinado com a preocupação de Maya me derrubou, e eu me sinto como se caminhasse à beira de um precipício.

O copo de suco e a maçã descascada e cortada em quatro, como ela faz para Tiffin e Willa, quase me fazem chorar. Maya me observa da porta enquanto ligo a tevê e aperto a tecla mute, cutuco a manga da camisa, puxo um botão solto. Percebo o quanto ela está ansiosa pelo jeito como fica mexendo no lóbulo da orelha, um sinal de preocupação característico que tem em comum com Willa.

— Como está se sentindo?

Tento abrir um sorriso largo, radiante, e a dor na garganta se intensifica.

— Ótimo! Foi só um ataquezinho de pânico à toa.

Quero fazer alguma piada, mas em vez disso sinto um súbito tremor no queixo. Faço uma careta para disfarçá-lo.

Seu sorriso se desfaz.

— Talvez eu devesse te deixar em paz por um tempo...

— Não! — A palavra sai mais alta do que pretendi. Com o sangue subindo ao rosto, forço um sorriso desesperado. — Quer dizer, agora que nós temos um tempo livre, talvez devêssemos... enfim... ficar juntos, c-como nos velhos tempos. A menos, é claro, que você tenha algum dever de casa para fazer, ou algo assim.

Um toque de humor aparece nos seus lábios.

— Tá legal... Eu não vou desperdiçar uma tarde em casa fazendo dever, Lochan James Whitely!

Pego o controle remoto e aperto os botões.

— Hum... tem que ter alguma coisa além de desenhos animados... Que tal isso? — Paro de zapear os canais ao encontrar um velho episódio de *Friends* e olho para Maya, esperando sua aprovação.

Ela me dá mais um dos seus sorrisos tristes.

— Legal.

Risos enlatados enchem a sala, mas nenhum de nós parece sentir vontade de imitá-los. O episódio se arrasta. Tenho uma aguda consciência do fato de estarmos a sós, e mesmo assim não termos absolutamente nada para dizer um ao outro. Será que nossa amizade se estilhaçou também?

Quero pedir a ela, *implorar* a ela que me diga o que está se passando na sua cabeça. Quero tentar explicar o que estava acontecendo na minha na noite passada, por que fiz aquele papelão. Mas não consigo me virar para olhá-la. Sinto seus olhos, cheios de preocupação, no meu rosto. E começo a afundar na areia movediça do desespero.

— Quer conversar sobre isso? — Sua voz, suave de preocupação, me dá um susto. De repente tenho consciência da dor de morder o lábio, o peso das lágrimas que foram pouco a pouco se acumulando nos olhos.

Com um suspiro de pânico, faço que não depressa, levando a mão ao rosto. Pressiono os olhos brevemente, e balanço a cabeça, para indicar que não é nada.

— Estou só me sentindo meio indisposto depois do que aconteceu. — Apesar do esforço para manter a voz estável, ainda posso sentir o tom alterado. Virando o rosto para ela, me obrigo a enfrentar seu olhar aflito com um sorriso desesperado. — Mas eu estou bem agora. Não é nada. Sinceramente.

Depois de hesitar por um momento, ela levanta e vem sentar na outra ponta do sofá, um pé debaixo do corpo, fios ruivos emoldurando o rosto pálido.

— Vamos lá, seu bobo, não pode ser nada, se te faz chorar. — As palavras pairam no ar, sua preocupação inchando o silêncio.

— Eu não estou... Isso não é...! — respondo com veemência, o rosto ardendo. — É só... Eu só estou... — Respiro fundo, louco para desviar sua preocupação, para me recompor. A última coisa que quero é que ela saiba como me sinto arrasado por tê-la perdido, que se sinta pressionada a retomar um relacionamento que, na sua cabeça, é fundamentalmente errado.

Ela não se moveu.

— Só está o quê? — pergunta, com doçura.

Pigarreio e levanto os olhos para o teto, forçando uma risada curta, angustiada. Passo a manga depressa pelos olhos quando, para meu horror, uma lágrima escorre pelo rosto.

— Quer tentar dormir um pouco?

A preocupação na sua voz está me matando.

— Não. Sei lá. Acho que... Acho que... Ah, droga! — Mais uma lágrima escorre pelo rosto e eu a seco, furioso. — Merda! O que é isso?

— Lochie, me conta. O que aconteceu? O que aconteceu na escola? — Parecendo chocada, ela se inclina para mim, estendendo a mão.

Na mesma hora levanto o braço para repelir seu gesto.

— Me dá só um minuto! — Não consigo parar a coisa; não há nada que possa fazer. Meu peito treme com soluços reprimidos. Levo as mãos ao rosto e tento prender a respiração.

— Lochie, vai ficar tudo bem. Por favor, não... — pede sua voz, suave.

O ar irrompe dos meus pulmões.

— Droga, eu estou tentando, OK? Não posso... Não consigo... — Agora estou descontrolado, e isso me apavora. Não quero que Maya presencie isso. Mas também não quero que ela vá embora. Preciso sair desse sofá, dessa casa, mas as pernas não me obedecem. Estou preso. Posso sentir o pânico cego se abatendo novamente.

— Calma, calma, calma. — Maya segura minha mão com firmeza, e acaricia meu rosto. — Shhh. Está tudo bem, está *tudo bem*. Olha para mim. Foi aquela discussão? Foi? Podemos conversar um pouco sobre isso?

Estou cansado demais para relutar. Sinto meu tronco desabar, lentamente se inclinando para ela até minha cabeça encostar de lado na sua, minha mão cobrindo o rosto. Ela faz um carinho nos meus cabelos e, segurando minha outra mão, começa a beijar meus dedos.

— No... no cemitério — gaguejo, fechando os olhos. — Por favor, me diz a verdade. O q-que você disse, foi... foi sincero? — Respiro fundo, mas as lágrimas escapam por baixo de meus cílios.

— Por Deus, Lochie, não — exclama ela, ofegante. — É claro que não! Eu só estava zangada e de cabeça quente!

Sinto um alívio enorme, tão forte que quase dói.

— Maya, eu pensei que estava tudo terminado. Pensei que eu tinha estragado tudo. — Eu me endireito, respirando com força, esfregando o rosto furiosamente. — Me perdoe, de coração! Todas aquelas coisas horríveis que eu disse. É que eu entrei em pânico. Achei que você queria... achei que você ia...

— Eu só queria te tocar — diz ela em voz baixa. — Eu sei que não podemos ir até o fim. Sei que é ilegal. Sei que as crianças poderiam ser tiradas de nós se alguém descobrisse. Mas achei que ainda podíamos nos tocar, que ainda podíamos nos amar de outras maneiras.

Respiro depressa, angustiado.

— Eu sei. Eu também. Eu também! Mas nós temos que tomar muito cuidado. Não podemos perder a cabeça. Não podemos... não podemos arriscar... As crianças...

Vejo a tristeza nos olhos dela. Sinto vontade de gritar. É tão injusto. Horrivelmente injusto.

— Algum dia, quem sabe? — diz Maya em voz baixa, com um sorriso. — Algum dia, quando elas forem crescidas, nós podemos fugir. Começar de novo. Como um casal de verdade. Não mais irmão e irmã. Livres desse vínculo horrível.

Faço que sim, tentando desesperadamente compartilhar um pouco da sua esperança para o futuro.

— É, quem sabe. Pode ser.

Ela me dá um sorriso cansado e passa os braços pelo meu pescoço, voltando a encostar o rosto no meu ombro.

— E até lá, nós ainda podemos *ficar* juntos. Podemos nos abraçar e nos tocar e nos beijar e ficar um com o outro de todas as outras maneiras.

Concordo e sorrio por entre as lágrimas, de repente me dando conta do quanto nós *temos*.

– E também o mais importante de tudo – sussurro.

O canto de sua boca se curva.

– E o que é?

Ainda sorrindo, pisco depressa.

– Nós ainda podemos nos amar. – Engulo em seco para aliviar o aperto na garganta. – Não há leis nem limites para *sentimentos*. Nós podemos nos amar tanto e tão profundamente quanto quisermos. E ninguém, Maya, ninguém vai poder jamais tirar isso de nós.

MAYA

— Por que você veio hoje?

— Porque Lochan não está se sentindo muito bem.

— Ele vomitou? — Willa joga os longos cabelos claros para trás dos ombros, os brinquinhos dourados nas orelhas cintilando à luz do céu poente. Seu jumper está coberto de manchas amarelas de pudim, e ela está sem o cardigã outra vez.

— Não, não. Nada tão sério assim.

— Vomitar não é sério. Mamãe vomita o tempo todo.

Ignorando o último comentário, presto atenção nas suas roupas.

— Willa, quer fechar o casaco? Está fazendo um frio de rachar!

— Não posso. Os botões caíram.

— Todos eles? Você devia ter me dito!

— Mas eu disse. A Srta. Pierce falou que eu não posso mais remendar a mochila com durex, que eu tenho que comprar uma nova. — Ela me dá a mão e nós atravessamos o pátio até o campinho de futebol, onde Tiffin corre de um lado para o outro, sem camisa, com uma dúzia de outros meninos. — E eu *também* não posso usar uma meia-calça com buracos. Levei uma bronca na frente da escola inteira.

— Tiff! Hora de ir para casa! — grito quando ele passa correndo por mim. O jogo é interrompido brevemente para a cobrança de um arremesso lateral, e eu o chamo de novo.

Ele olha para mim, irritado:

— Mais cinco minutos!

— Não. Vamos agora. Está fazendo um frio de rachar, e você pode jogar bola com o Jamie lá em casa.

— Mas a gente tá no meio de uma partida!

O jogo recomeça e eu tento me aproximar, enquanto vou me desviando, nervosa, dos meninos que correm aos gritos, as faces coradas, os olhos fixos na bola, os gritos ecoando por todo o pátio onde o sol se põe. Quando ele passa correndo, tento apanhá-lo, corajosa, mas ele passa a metros de mim. Às minhas costas, Willa espera, recostada na cerca, tiritando de frio, o casaco aberto se agitando.

— Tiffin Whitely! Pra casa, agora! — grito a plenos pulmões, esperando que o vexame o leve a obedecer. Mas, em vez disso, ele divide uma bola com o adversário, consegue driblá-lo e sai tocando para o outro lado do campo em alta velocidade. Hesita um momento ao ver outro menino com o dobro do seu tamanho avançando feito um trem para cima dele. Então afasta a perna e manda um canhonaço, a bola tirando um fino da baliza ao entrar.

— GOOOL! — Seus punhos dão socos no ar. Gritos de euforia se juntam aos dele, os companheiros de time correndo ao seu encontro para comemorar. Dou mais um momento para ele, antes de me abaixar e arrastá-lo pelo braço.

— Eu não vou! — grita ele, o jogo recomeçando às nossas costas. — Meu time estava vencendo! E fui eu que marquei o primeiro gol!

— Eu vi, foi um golaço, mas está escurecendo, Willa está morta de frio e vocês dois têm dever de casa para fazer.

— Mas a gente sempre tem que ir direto pra casa! Por que os outros podem jogar? Eu já tô cheio dessa droga de dever! Tô cheio de ficar sempre em casa!

— Tiffin, pelo amor de Deus, você já está bem grandinho para ficar fazendo manha...

— Isso não é justo! — De repente, a ponta do seu tênis dá um pontapé violento na minha canela. — Eu nunca posso fazer nada legal. Eu te odeio!

Quando finalmente encontramos a mochila desaparecida de Tiffin e consigo tirar os dois do pátio, já está quase escuro e Willa com tanto frio que seus lábios ficaram roxos. Tiffin vai marchando à nossa frente, o rosto vermelho, a cabeleira loura desgrenhada, arrastando o casaco pelo chão de propósito para me irritar e dando chutes furiosos nos pneus dos carros estacionados. Minha canela ainda lateja de dor. *Quatro horas inteiras até eles irem dormir,* penso, abatida. *E mais uma até pegarem no sono. Cinco ao todo. Meu Deus, é quase a carga horária de um dia na escola.* Só quero chegar àquele momento em que a casa fica em silêncio, quando Kit finalmente abaixa o rap e Willa para de me bombardear de pedidos. Aquele momento em que os deveres feitos às pressas e ainda inacabados são postos de lado e Lochan está lá, um sorriso tímido, os olhos brilhantes, e tudo, ou quase tudo, parece possível...

— ... por isso eu acho que ela não quer mais ser minha amiga — conclui Willa, triste, sua mãozinha gelada enterrada na minha.

— Hum, não esquenta, tenho certeza de que Lucy vai mudar de ideia amanhã. Ela sempre muda.

A mãozinha é subitamente arrancada dos meus dedos.

— Maya, você não tá prestando atenção!

— Estou sim, estou sim! — protesto depressa. — Você disse que... hum... Lucy não queria ser sua amiga porque...

— Lucy não, Georgia! — exclama ela, em tom de queixa. — Eu falei pra você ontem que a Lucy e eu ficamos de mal porque ela roubou a minha caneta roxa favorita, aquela que tem os coraçõezinhos azuis, e ela não quis devolver, mas a Georgia viu quando ela pegou a caneta!

— Ah, tem razão — me apresso a dizer, tentando desesperadamente me lembrar da conversa. — Sua caneta.

— Agora você vive esquecendo tudo, que nem mamãe quando morava lá em casa — murmura.

Caminhamos por alguns minutos em silêncio. A culpa se enrola ao meu redor, fria e implacável como uma cobra. Tento em vão me lembrar da novela da caneta desaparecida, mas não consigo.

— Aposto que você nem sabe quem é a minha melhor amiga agora — diz Willa, em tom de desafio.

— É claro que sei — respondo depressa. — É... é a Georgia.

Willa balança a cabeça para mim na calçada, num gesto derrotado.

— Não.

— Bom, então é a Lucy, porque tenho certeza de que assim que ela devolver a caneta, vocês duas vão...

— Não é ninguém! — grita Willa de repente, sua voz cortando o ar gelado. — Eu nem tenho uma melhor amiga!

Paro e olho para ela, atônita. Willa jamais gritou comigo com essa fúria toda.

Tento passar o braço pelo seu ombro.

— Willa, calma, você só teve um dia ruim…

Ela tenta se afastar.

— Não tive não! A Srta. Pierce até me deu três estrelinhas douradas porque eu escrevi tudo direitinho. Eu já falei tudo isso, mas você só falou *Hum*. Você não presta mais atenção no que eu falo!

Contorcendo-se para se soltar de mim, ela começa a correr. Alcanço-a no momento em que dobra a esquina de nossa rua. Forçando-a a se virar para mim, eu me agacho e tento mantê-la imóvel. Ela soluça baixinho, esfregando o rosto com as palmas das mãos, zangada.

— Willa, me desculpe. Me desculpe, meu bem, me desculpe mesmo, aquilo foi muito egoísta da minha parte. Não é que eu não esteja interessada, não é que eu não me importe. É que eu tenho andado muito ocupada estudando para as provas e tenho tanto trabalho e me sinto tão cansada…

— Isso não é verdade! — Ela solta um soluço abafado e as lágrimas se derramam nos seus dedos, escorrendo por entre eles. — Você não… presta mais atenção… nem brinca comigo… como… fazia… antes…

Seguro uma cerca próxima para me apoiar.

— Não, Willa… Não é isso… Eu n… — Mas enquanto cato uma desculpa, sou forçada a enfrentar a verdade por trás de suas palavras.

— Vem cá — digo por fim, dando um abraço apertado nela. — Você é a minha menina favorita no mundo e eu te amo muito, muito, muito. Você tem razão. Eu não tenho prestado atenção em você direito porque Lochie e eu estamos sempre tendo que resolver todos os problemas da casa. Mas são só chatices. De agora em diante, você e eu vamos voltar a nos divertir. Combinado?

Ela concorda, fungando, e afasta os cabelos do rosto. Ponho-a no colo e ela me envolve com os braços e as pernas como um filhote de chimpanzé. Mas através do calor de seus braços no meu pescoço e de seu rosto colado ao meu, sinto que minhas palavras não a convenceram.

Apesar dos meus passos altos nos degraus de concreto, ele não abaixa o livro. Paro no meio da escada e me encosto ao corrimão, esperando, os sons do pátio crescendo abaixo de mim. Ele ainda se recusa a levantar o rosto, sem dúvida esperando que, quem quer que eu seja, o ignore e siga caminho. Quando fica claro que isso não vai acontecer, ele dá uma espiada por sobre o volume e quase o deixa cair, surpreso. Seu rosto se ilumina com um sorriso.

– Oi!

– Oi, moço!

Ele fecha o livro e olha para mim, em expectativa. Fico parada, olhando para ele, contendo um sorriso. Ele pigarreia, de repente tímido, o rosto ficando vermelho.

– O que... hum... você está fazendo aqui?

– Vim te dar um olá.

Ele segura minha mão e começa a se levantar, pronto para subir mais alguns degraus, longe dos olhares dos alunos no pátio.

– Não precisa, eu não vou ficar – me apresso a dizer.

Ele para e o sorriso se desfaz. Ao perceber a mochila nas minhas costas e o uniforme de educação física jogado sobre o ombro, ele parece preocupado.

– Aonde você vai?

– Aproveitar a tarde.

Seus olhos endurecem e sua expressão fica séria.

– Maya...

– É só uma tardezinha. Só tenho aula de arte, e mais umas bobagens.

Ele solta um suspiro preocupado, parecendo aborrecido.

– Tá, mas você sabe que, se for pega, isso pode dar problemas. A gente não pode se arriscar a chamar ainda mais atenção agora que mamãe não para mais em casa.

– E nem isso vai acontecer. Não se você vier comigo e usar o seu passe do último ano.

Ele me olha com um misto de incerteza e espanto.

– Você quer que eu vá também?

– Quero, por favor.

– Eu posso te *dar* o passe – observa ele.

– Mas aí eu não teria o prazer da sua companhia.

Seu rosto cora de novo, mas o canto da boca se curva.

– Tenho a impressão de mamãe ter dito que ia dar um pulo lá em casa hoje para pegar umas roupas...

– Eu não estava pensando em ir para casa.

– Quer caminhar pelas ruas até as três e meia? Porque eu não trouxe dinheiro.

– Não. Quero levar você a um lugar.

— Que lugar?

— É surpresa. Não fica muito longe.

Posso ver que sua curiosidade foi aguçada.

— T–tudo bem.

— Legal. Vai pegar suas coisas. Te encontro na entrada.

Volto a descer para o pátio antes que ele tenha tempo de começar a se preocupar de novo e mude de ideia.

Lochan demora séculos. Quando finalmente aparece, o recreio já está quase no fim, e eu com medo de que ele seja interrogado por sair do prédio logo antes de a campainha tocar. Mas o segurança mal olha para o passe dele, enquanto passo despercebida à sua frente pelas portas de vidro.

Já na rua, Lochan levanta a lapela do blazer para se proteger do frio e pergunta:

— Agora você vai me contar qual é o plano?

Sorrio, dando de ombros.

— Ter uma tarde livre.

— A gente devia ter planejado isso antes. Eu só tenho cinquenta *pence* na carteira.

— Não estou te pedindo para me levar ao Ritz! Nós só vamos até o parque.

— O parque? — Ele me olha como se eu estivesse louca.

Como eu tinha imaginado, Ashmoore está vazio num dia de semana no meio do inverno. Quase todas as árvores estão nuas, a silhueta de seus longos galhos irregulares se recortando contra o céu pálido, os vastos gramados cobertos por faixas prateadas de gelo. Seguimos pela ampla alameda central em direção à área arborizada no fim do parque, o zum-zum da cidade pouco a pouco diminuindo às nossas costas. Alguns bancos úmidos pontuam a paisagem deserta, abandonada e redundante. A distância, um idoso atira gravetos para seu cachorro, os latidos agudos do animal rompendo o ar silencioso. O parque parece vasto e desolado: uma ilha fria e esquecida no meio da cidade grande. Folhas amarelas onduladas avançam pelo chão, empurradas por um sussurro de vento. Um bando excitado de pombos saltita ao redor de migalhas, as cabeças para cima e para baixo, bicando o chão febrilmente. À medida que nos aproximamos das árvores, os esquilos dão carreiras atrevidas à nossa frente, virando a cabeça para os lados com os olhinhos pretos e brilhantes, na esperança de sinais de comida. No alto do céu anêmico, o orbe branco do sol, como um refletor gigante, fixa o parque com seus duros raios de inverno. Abandonamos a alameda e entramos no pequeno bosque, folhas secas e gravetos estalando triturados contra a terra gelada sob nossos pés. O terreno acidentado se inclina suavemente num declive.

Lochan me segue em silêncio. Nenhum de nós deu uma palavra desde que passou pelos portões do parque e abandonou o mundo, como se estivéssemos tentando deixar nossas personas cotidianas para trás, na barulheira das ruas sujas e do trânsito agressivo. Quando o arvoredo ao nosso redor começa a se tornar mais denso, passo por baixo de um tronco caído, paro e sorrio:

— Chegamos.

Estamos num baixio do terreno. A pequena depressão está atapetada de folhas, cercada pelo verde de algumas samambaias sobreviventes e arbustos de inverno abraçados por um círculo de árvores nuas. A terra abaixo de nós é uma tapeçaria em tons de ferrugem e ouro. Mesmo no auge do inverno, meu pedacinho de paraíso é lindo.

Lochan olha ao redor, confuso.

— Nós viemos aqui para enterrar ou desenterrar um corpo?

Dou um olhar cansado para ele, mas nesse momento uma súbita rajada de vento faz com que os galhos acima balancem, espalhando os raios gelados de sol como cacos de vidro pelo meu curral, o que lhe confere um ar mágico e misterioso.

— É para cá que eu venho quando as coisas passam dos limites em casa. Quando quero ficar sozinha por um tempo – explico.

Ele olha para mim, atônito.

— Você vem para cá sozinha? – Pisca os olhos, perplexo, as mãos no fundo dos bolsos do blazer, ainda olhando em volta. – Por quê?

— Porque quando mamãe começa a beber às dez da manhã, quando Tiffin e Willa estão correndo pela casa aos gritos, quando Kit está tentando comprar briga com qualquer um que cruze o seu caminho, quando eu gostaria de não ter uma família para cuidar, esse lugar me dá paz. Esperança. No verão, é maravilhoso. Silencia a barulheira que eu escuto o tempo todo na cabeça...

Em voz baixa, acrescento:

– Talvez, de tempos em tempos, pudesse se tornar o seu cantinho também. Todo mundo precisa de um tempo, Lochan. Até você.

Ele volta a concordar, ainda olhando ao redor, como se tentasse me imaginar sozinha aqui. Então se vira para mim, a lapela do blazer preto se agitando contra o colarinho aberto da camisa branca, a barra da calça cinza enlameada pela terra úmida e fofa. Suas faces estão rosadas da longa caminhada no frio, o cabelo despenteado pelo vento. No entanto, estamos protegidos aqui, o sol quente nos nossos rostos. Uma súbita revoada de pássaros pousa no galho mais alto de uma árvore, e quando ele ergue a cabeça, a luz se reflete nos seus olhos, tornando-os translúcidos, da cor do vidro verde.

Seu olhar encontra o meu.

– Obrigado – diz ele.

Sentamos no meu enclave coberto de relva e nos aconchegamos juntos para espantar o frio. Lochan passa o braço pelo meu ombro e me puxa para si, beijando o topo da minha cabeça.

– Eu te amo, Maya Whitely – diz baixinho.

Sorrio, inclinando a cabeça para olhá-lo.

– Quanto?

Ele não responde, mas escuto sua respiração ficar mais rápida: ele abaixa a boca sobre a minha e um estranho zumbido enche o ar.

Ficamos nos beijando por muito tempo, nossas mãos entre as camadas de roupas, absorvendo o calor um do outro até eu ficar aquecida, quase febril, o coração batendo com força, uma sensação deliciosa de mil bolhinhas correndo pelas veias. Os pássaros continuam bicando a terra ao nosso redor, em algum lugar a distância o grito alegre de uma criança rompe o ar. Aqui, estamos realmente a sós. Se por acaso alguém passasse, só veria um casal de namorados se beijando. Sinto a pressão dos lábios de Lochan aumentar, como se ele também percebesse o quão precioso é esse pequeno momento de liberdade. Sua mão desliza sob a saia do meu uniforme e eu pressiono a sua coxa com a minha.

De repente, ele se afasta e se vira, ofegante. Olho em volta, surpresa, mas só as árvores nos cercam como testemunhas imutáveis, inabaláveis, imperturbáveis. Ao meu lado, Lochan senta com os braços rodeando os joelhos dobrados, o rosto virado.

— Desculpe… — Ele dá um risinho encabulado.

— Pelo quê?

Sua respiração está curta e rápida.

— Por eu ter sentido necessidade de parar.

Algo se aperta em minha garganta.

— Está tudo bem, Lochie. Não precisa se desculpar.

Ele não responde. Há algo em sua imobilidade que me perturba.

Eu me aproximo, pressiono o corpo nas suas costas e lhe dou uma cutucadinha.

— Vamos dar uma volta?

Ele se afasta um pouco. Dá de ombros sem se virar. Não responde.

— Você está bem? — pergunto, sem me preocupar.

Ele faz que sim

Uma sensação de medo começa a se insinuar no meu peito. Faço um carinho nos seus cabelos, mas ele ainda não se vira.

— Tem certeza?

Nenhuma resposta.

— Talvez a gente devesse acampar aqui, longe do resto do mundo — brinco, mas ele não responde. — Achei que seria legal passar um tempo assim, só nós dois — digo com voz suave. — Vir aqui… foi má ideia?

— Não!

Cubro sua mão com a minha e acaricio-a com o polegar.

— O que foi, então?

— É que… — Sua voz treme. — Eu tenho medo de que algum dia tudo isso não vá ser mais do que uma lembrança distante.

Engulo em seco.

— Não diga isso, Lochie. Não tem que ser assim.

— Mas nós… isso… não vai durar. Não vai, Maya, nós dois sabemos. Em algum momento vamos ter que parar… — Ele se interrompe de repente e prende a respiração, sacudindo a cabeça, sem palavras.

— Lochie, é claro que vai durar! — exclamo, chocada. — Não podem nos proibir. Não vou deixar que ninguém nos proíba…

Ele segura minha mão e começa a beijá-la, seus lábios macios e quentes.

— Mas é o mundo inteiro — diz, sua voz um sussurro angustiado. — Como… como vamos conseguir triunfar sobre o mundo inteiro?

Quero que Lochie diga que vamos dar um jeito. Quero que diga que nós dois vamos dar um jeito. Juntos, vamos conseguir. Juntos, somos fortes. Juntos, criamos uma família inteira.

— As pessoas não podem nos separar! — exclamo, zangada. — Não podem, não podem! Ou podem...? — De repente, percebo que não faço a menor ideia. Por mais que tomemos cuidado, há sempre a chance de sermos apanhados. Do mesmo modo como, por mais que encubramos o que mamãe faz, a ameaça de alguém descobrir e alertar as autoridades aumenta a cada dia. Temos que tomar muito cuidado; tudo tem que ser escondido, mantido em segredo. Um deslize, e a família inteira poderia desmoronar como um castelo de cartas. Um deslize, e poderíamos todos ser separados... A atitude derrotista de Lochan me aterroriza. É como se ele soubesse algo que não sei. — Lochie, me diz que nós podemos ficar juntos!

Ele me puxa para si e eu me jogo nos seus braços, com um soluço. Passando os braços por mim, ele me aperta com força.

— Vou fazer de tudo — sussurra nos meus cabelos. — Te dou a minha palavra, vou fazer tudo que puder, Maya. Nós vamos dar um jeito de ficar juntos. Eu vou descobrir como. Vou, sim. Está bem?

Olho para ele, que pisca para afastar as lágrimas, me dando um sorriso largo, tranquilizador, esperançoso.

Faço que sim, sorrindo.

— Juntos, nós somos fortes — respondo, minha voz mais corajosa do que me sinto.

Ele fecha os olhos por um momento, como se sentisse dor, e então volta a abri-los e afasta meu rosto do seu peito, me beijando com suavidade. Ficamos nos abraçando com força por muito tempo, nos aquecendo, até o sol começar pouco a pouco a afundar no céu.

LOCHAN

Pelas manhãs tomo um banho rápido como um raio, visto o uniforme às pressas e assim que consigo fazer com que Tiffin e Willa sentem à mesa do café, volto para o andar de cima a pretexto de ter esquecido o blazer ou o relógio ou um livro e me encontro com Maya, que tem a tarefa nada invejável de tentar tirar Kit da cama. Geralmente ela está prendendo o cabelo ou abotoando os punhos da camisa ou guardando os livros na mochila, a porta do quarto aberta, e sai de vez em quando para dizer a Kit que se apresse; mas, assim que me vê, ela para e, com um olhar de excitação nervosa, segura a mão que lhe estendo. Com o coração palpitando de expectativa, nós nos fechamos no meu quarto. Dispondo de apenas alguns minutos preciosos, meu pé pressionando com firmeza a base da porta e a mão na maçaneta, eu a puxo para mim. Seus olhos se iluminam com um sorriso, as mãos indo para meu rosto, meu cabelo, às vezes até pressionando meu peito, os dedos arranhando o tecido fino da camisa. No começo nossos beijos são tímidos, meio assustados. Sei pelo seu gosto se ela usou Colgate ou a pasta cor-de-rosa das crianças para poupar tempo ao botar os dois para escovar os dentes.

É sempre um choque o momento em que nossos lábios se encontram, e eu tenho que me lembrar de respirar. Os lábios dela são macios, quentes e lisos; os meus parecem grossos e ásperos ao roçá-los. Quando ouvimos os passos lentos e arrastados de Kit do outro lado da parede fina, Maya tenta se afastar. No entanto, assim que ele bate a porta do banheiro, ela desiste e se vira, suas costas contra a porta. Cravo as unhas na madeira dos lados de sua cabeça numa tentativa de manter minhas mãos sob controle à medida que nossos beijos vão se tornando cada vez mais frenéticos; o desejo em mim supera qualquer medo de ser apanhado, enquanto sinto os últimos e preciosos segundos de êxtase escorrerem por entre os dedos como areia. Um grito na cozinha, os sons de Kit saindo do banheiro, passos na escada – sinais de que nosso tempo acabou – e Maya me afasta com firmeza, as faces coradas, a boca tingida de vermelho com o vinho dos beijos interrompidos. Ficamos olhando um para o outro, nossos hálitos quentes enchendo o ar, mas quando volto a apertar seu corpo, meus olhos implorando por mais um segundo, ela fecha os dela com uma expressão de dor e vira a cabeça. Geralmente é a primeira a sair do quarto, indo a passos largos para o banheiro que vagou a fim de jogar uma água no rosto enquanto eu vou para a janela do meu quarto e a escancaro, apertando a beira do parapeito e sorvendo grandes bocados de ar frio.

Não entendo, não entendo. Isso já deve ter acontecido antes. Outros irmãos e irmãs já devem ter se apaixonado. E devem ter tido o direito de expressar o seu amor, física e emocionalmente, sem serem difamados, estigmatizados, segregados, até mesmo presos. Mas o incesto é ilegal. Amando um ao outro não apenas emocionalmente, mas também fisicamente, estamos cometendo um crime. Estou apavorado. Uma coisa é nos escondermos do mundo, outra é nos escondermos da polícia. Então fico repetindo para mim mesmo: *Desde que não vamos até o fim, vai ficar tudo bem. Desde que não cheguemos a transar, não estamos, em tese, tendo uma relação incestuosa. Desde que não cruzemos a última linha, nossa família estará segura, as crianças não nos serão tiradas e Maya e eu não seremos forçados a nos separar. Só preciso ser paciente, aproveitar o que temos, até talvez um dia, quando os outros já estiverem crescidos, podermos ir para bem longe, forjar novas identidades e nos amar livremente.*

Tenho que me forçar a parar de pensar nisso ou não consigo fazer nada – estudar, preparar o jantar, fazer a compra semanal, buscar Tiffin e Willa na escola, ajudá-los com o dever de casa, ver se têm roupas limpas para o dia seguinte, brincar com eles quando estão entediados. Ficar de olho em Kit – ver se faz o dever de casa e poupa o dinheiro que lhe dei na semana passada, convencendo-o a jantar em casa em vez de ir com os amigos para o McDonald's, não permitir que mate aula e chegue tarde. E, é claro, discutir com mamãe por causa de dinheiro, sempre dinheiro, que recebemos cada vez menos e ela gasta cada vez mais com bebida e roupas novas para impressionar Dave. Enquanto isso, as de Tiffin vão ficando pequenas demais, o uniforme de Willa cada vez mais rasgado, Kit se queixa amargamente dos novos gadgets que todos os amigos têm, e as contas não param de chegar.

Sempre que estou longe de Maya, eu me sinto incompleto... menos do que incompleto. Eu me sinto como se não fosse nada, como se não existisse. Não tenho identidade, não falo, nem mesmo olho para as pessoas. A presença delas é tão insuportável como sempre – tenho medo de que, se prestarem atenção em mim, vão adivinhar o meu segredo. Eu poderia me trair de algum modo. No recreio, fico olhando para Maya por cima do livro, do meu degrau na escada, querendo tanto que ela viesse sentar comigo, falar comigo, me fazer sentir vivo, real e amado, mas até conversar é arriscado. Então ela senta no muro baixo do outro lado do pátio, batendo papo com Francie, tendo o cuidado de nunca olhar para mim, tão consciente quanto eu do perigo da nossa situação.

À noite vou até ela assim que Tiffin e Willa são postos na cama, cedo demais para estarmos seguros. Ela se vira da escrivaninha, os cabelos roçando a página do livro, e aponta a porta atrás de mim, para indicar que eles ainda não dormiram. Mas, quando isso acontece, agora é Kit quem está perambulando pela casa, procurando comida ou vendo tevê, e quando ele finalmente vai para a cama, Maya já apagou na dela.

As férias trazem um pouco de descanso. Chove a semana inteira e, presos em casa por falta de dinheiro para passeios ou mesmo um cinema, Tiffin e Willa brigam o tempo todo, enquanto Kit dorme o dia inteiro e depois desaparece com os amigos até as altas da madrugada. Já tarde uma noite, inquieto e tomado por uma agitação que não passa, ponho meus tênis de corrida e saio da casa adormecida, correndo até Ashmoore Park, subindo na grade à luz das estrelas, correndo pela grama enluarada. Tropeçando pelo bosque escuro, por fim encontro o oásis de paz de Maya, mas não me traz nenhuma. Caio de joelhos diante do tronco de um enorme carvalho e, fechando a mão em punho, esfrego os nós dos dedos na casca grossa, áspera, impiedosa, até sangrarem, em carne viva.

– Lochie precisa de um Band-Aid – anuncia Willa na tarde seguinte para Maya, a enfermeira da família, quando ela entra na cozinha parecendo exausta. – E dos grandes.

Maya joga a mochila e o blazer no chão, dando um sorriso cansado.

— Dia difícil? — pergunto.

— Três provas. — Ela revira os olhos. — E aula de educação física debaixo de uma tempestade de granizo.

— Estou ajudando Lochie a fazer o jantar — informa Willa, orgulhosa, ajoelhada num banquinho e formando desenhos com batatas fritas num tabuleiro. — Quer ajudar, Maya?

— Acho que nós dois estamos indo muito bem sozinhos — me apresso a dizer quando Maya desaba numa cadeira, a gravata torta, afastando os fios de cabelo soltos e me soprando um beijo discreto.

— Maya, olha! Eu escrevi meu nome com batatinhas maiúsculas! — exclama Willa de repente, notando nossa troca de olhares e ansiosa para ser incluída.

— Muito inteligente. — Maya se levanta e põe Willa no colo, em seguida sentando com ela no banquinho e se inclinando para escrever o próprio nome no tabuleiro. Observo as duas por um momento. Os braços compridos de Maya rodeiam os mais curtos de Willa, que fala pelos cotovelos sobre o seu dia, enquanto Maya ouve com atenção, fazendo todas as perguntas certas. Cabeças curvas e juntas, os longos cabelos das duas se misturam: os de Maya cor de cobre sobre os dourados de Willa. As duas têm a mesma pele clara e delicada, os mesmos olhos azuis e límpidos, o mesmo sorriso. No seu colo, Willa parece sólida, cheia de vida e alegria. Maya parece mais delicada, mais frágil, mais etérea. Há uma tristeza nos seus olhos, um cansaço que nunca chega a sair deles. Para Maya, a infância acabou há anos. Vendo-a sentada com Willa no colo, penso: *Irmã e irmã. Mãe e filha.*

— Você pode fazer o M assim — declara Willa, com ar importante.

— Você é boa nisso, Willa — diz Maya. — O que foi que você disse mesmo, que Lochan precisava de um Band-Aid?

Percebo que estou cortando as mesmas cebolinhas desde que Maya entrou. A tábua está cheia de confete verde e branco.

— Lochie cortou a mão — conta Willa com toda a naturalidade, os olhos ainda franzidos e fixos nas batatas.

— Com uma faca? — Maya me lança um olhar alarmado.

— Não, foi só um arranhãozinho — tranquilizo-a, balançando a cabeça e indicando Willa com um sorriso indulgente.

— Ele está mentindo — Willa cochicha alto com Maya, em tom cúmplice.

— Posso ver? — pede Maya.

Mostro rapidamente as costas da mão.

Ela estremece de horror e na mesma hora tenta se levantar, mas, sob o peso de Willa, é forçada a sentar novamente. Ela estende a mão para mim.

— Vem cá.

— Não quero ver! — Willa abaixa a cabeça, olhando para a bandeja. — Estava toda molhada de sangue e gosmenta. Eca, argh, um nojo!

Deixo que Maya segure minha mão, só pelo prazer de tocá-la.

— Não é nada.

Ela acaricia a palma com os dedos.

— Meu Deus, o que aconteceu? Não foi uma briga, foi?

— É claro que não. Eu só caí e me arranhei no muro da escola.

Ela me dá um longo olhar de incredulidade.

— Precisamos limpar isso direito — decreta.

— Já fiz isso.

Ignorando minha resposta, ela tira Willa com delicadeza do colo.

— Vou subir para fazer um curativo na mão do Lochie — diz. — Volto em um minuto.

No espaço ínfimo do banheiro, procuro um antisséptico no armário.

— Agradeço a preocupação, mas vocês duas não acham que estão sendo meio paranoicas?

Maya me ignora, sentando na beira da banheira e me puxando.

— Isso é porque nós te amamos muito. Vem cá.

Obedeço, me inclinando para ela e fechando os olhos por um breve momento, degustando seu toque, o gosto de seus lábios macios nos meus. Ela me puxa para mais perto e eu me viro, acenando com o vidro de antisséptico.

— Achei que você queria brincar de enfermeira!

Ela me olha com um misto de insegurança e surpresa, como se tentasse descobrir se estou brincando.

— Por mais que eu sinta prazer em limpar feridas, não se compara ao de aproveitar um raro momento para beijar o homem que eu amo.

Forço uma risada.

— Está dizendo que preferia me ver sangrar até morrer?

Ela finge considerar a possibilidade por um momento.

— Hum... pergunta difícil.

Começo a desatarraxar a tampa.

— Vem cá. Vamos acabar com isso logo de uma vez.

Segurando meu pulso com delicadeza, ela puxa minha mão para si, inspecionando os nós dos dedos em carne viva, a pele esfolada para trás da ferida: um retângulo escarpado e branco cercando as lacerações vermelho-escuras e úmidas. Ela estremece.

— Nossa, Lochan. Você arranhou desse jeito caindo e esbarrando no muro? Parece até que passou um ralador nas costas da mão!

Ela dá toques delicados com um algodão na região dilacerada. Respiro fundo e observo seu rosto: os olhos estão franzidos de concentração, os gestos são muito suaves. Engulo com esforço.

Depois de enfaixar minha mão com gaze e guardar os produtos, ela volta a sentar na banheira e a me beijar, e quando me afasto, faz um carinho no meu braço com um sorriso inseguro.

— Está doendo muito?

— Não, é claro que não! — exclamo, sincero. — Não sei por que vocês duas não podem ver uma gota de sangue sem entrar em pânico. Mas enfim, obrigado, Srta. Nightingale.* — Dou um beijo rápido na sua testa, levanto e abro a porta.

— Ei! — Ela estende a mão para me impedir, um brilho travesso nos olhos. — Não acha que eu mereço um pouco mais do que isso pelo meu trabalho?

Faço uma careta e um gesto constrangido em direção à porta.

— Willa…

— Ela deve estar totalmente desligada, na frente da tevê!

Dou um passo à frente, relutante.

— Tudo bem…

Mas ela me interrompe antes que eu tenha tempo de alcançá-la, mão no meu peito, me mantendo à distância. Sua expressão é intrigada.

— O que é que há com você hoje?

Balanço a cabeça com um sorriso maroto.

— Sei lá. Acho que estou só um pouco cansado.

Ela me olha longamente, esfregando a ponta da língua no lábio superior.

— Loch, está tudo bem?

---

* Referência a Florence Nightingale (1820-1910), enfermeira inglesa que se tornou famosa graças a suas contribuições durante a guerra da Crimeia. (N. da T.)

— É claro! — Abro um largo sorriso. — Agora, vamos sair daqui? Não é exatamente o lugar mais romântico do mundo!

Sinto sua perplexidade com tanta nitidez como se fosse minha. Durante todo o jantar, pego-a me observando, seus olhos logo se desviando quando esbarram nos meus. Que ela está distraída é óbvio, pois nem percebe que Willa está comendo com as mãos ou que Kit não para de provocar os menores, ignora o jantar e devora os bolinhos de chocolate que estavam reservados para a sobremesa. Sinto que é melhor deixá-los fazer o que quiserem a chamar sua atenção — por medo de que, se eu começar, não consiga mais parar, e as rachaduras apareçam. O que aconteceu no banheiro foi que entrei em pânico. Estava com medo, com muito medo de que se a deixasse se aproximar demais, ela intuiria a verdade e saberia que algo está errado.

Mas à noite não consigo dormir, a cabeça atormentada por mil medos. Com a avalanche de trabalhos da escola e a canseira do dia a dia para enfrentar, além do fato de não podermos nunca, jamais dar qualquer demonstração de afeto em público ou mesmo em família, os velhos grilhões opressivos se estreitam cada vez mais. Será que algum dia vamos ser livres para viver como um casal normal? Não sei. Viver juntos, dar as mãos em público, nos beijar numa esquina? Ou estamos para sempre condenados a uma vida clandestina, escondidos por trás de portas trancadas e cortinas fechadas? Ou, ainda pior, quando nossos irmãos tiverem bastante idade, será que não vamos ter escolha a não ser fugir e deixá-los para trás?

Não paro de dizer a mim mesmo para viver um dia de cada vez, mas como isso é possível? Estou prestes a sair da escola e entrar na universidade, o que me força automaticamente a contemplar o futuro. O que realmente gostaria de fazer é escrever — talvez para algum jornal ou revista —, mas sei que isso não passa de uma fantasia ridícula. O que importa é o dinheiro: é imperativo que eu procure um emprego com um salário inicial decente e boas possibilidades de ascensão. Porque tenho poucas esperanças de que nossa mãe vá continuar a nos sustentar quando eu tiver meu salário. Quando me formar, Willa vai estar com oito anos, ainda exigindo uma década inteira de sustento prático e financeiro. Tiffin vai precisar de mais sete anos, Kit de dois... Os anos, números e cálculos dão um nó na minha cabeça. Sei que Maya vai insistir em ajudar também, mas não quero ter que depender dela, não quero que jamais se sinta presa. Se ela quisesse continuar seus estudos, se de repente resolvesse realizar o sonho de infância de ser atriz, eu jamais poderia permitir que a família fosse um obstáculo. Jamais poderia negar a ela esse direito – o direito que qualquer ser humano tem de escolher a vida que quer levar.

De minha parte, a escolha já está feita. Permitir que as crianças sejam levadas para lares adotivos é algo de que venho tentando nos proteger desde que tenho doze anos. Nenhum sacrifício é grande demais para manter minha família unida, mas a longa estrada adiante parece ser tão íngreme e acidentada que sempre acordo à noite com medo de cair. Só a lembrança de Maya ao meu lado faz com que a subida pareça possível. Só que ultimamente os sacrifícios parecem estar se tornando cada vez maiores.

Nossa mãe está louca para se casar com Dave desde o momento em que pôs os olhos nele, mas Dave, mesmo agora que seu divórcio finalmente foi homologado, não a pediu em casamento, obviamente porque não está preparado para assumir a bagagem extra de outra família numerosa. Nossa mãe já fez sua escolha – mas, agora que estou prestes a fazer dezoito anos e me tornar legalmente um adulto, tenho medo de que ela nos corte definitivamente, numa última tentativa de pôr uma aliança no dedo. Toda vez que a obrigo a nos dar dinheiro para o básico – comida, contas, roupas novas, material escolar –, ela começa a gritar que largou os estudos e começou a trabalhar quando tinha dezesseis anos, saiu de casa e não pediu nada aos pais. Quando argumento que ela não tinha três irmãos mais novos para cuidar, isso é a deixa para ela dizer que nunca quis filhos, que só nos teve para agradar ao nosso pai, que ele queria um atrás do outro, até que um dia se encheu de todos nós e fugiu para começar uma nova vida com outra mulher. Observo que a deserção de nosso pai não lhe dá o direito, como num passe de mágica, de nos desertar também. Mas isso apenas a provoca mais ainda, e ela joga na minha cara sem o menor pudor que nunca teria se casado com nosso pai se não tivesse ficado grávida de mim por acidente. Sei que ela diz isso em sua fúria de bêbada, mas também sei que é verdade: é por isso que ela se ressentiu de mim, muito mais do que dos outros, durante toda a minha vida. Então vem o discurso de sempre, sobre como ela trabalha quatorze horas por dia só para manter um teto sobre as nossas cabeças, que só pede de mim que eu cuide dos meus irmãos por algumas horas ao chegar da escola todos os dias. Quando tento lembrar a ela que, embora esse tenha sido o esquema inicial quando nosso pai foi embora, a realidade agora é muito diferente, ela começa a gritar que tem o direito de ter uma vida também. Por fim, sou obrigado a recorrer à chantagem: a ameaça de aparecermos todos juntos na casa de Dave, de armas e bagagens, acaba por forçá-la a abrir a carteira. Sob muitos aspectos fico grato por ela ter finalmente saído das nossas vidas, mesmo que isso signifique que todas as considerações sobre o futuro, sobre o nosso futuro, caiam em peso sobre mim.

Mais uma vez o sono me foge, por isso de madrugada vou para a cozinha e enfrento a pilha de cartas endereçadas a mamãe que vêm se acumulando sobre o armário há semanas. Quando termino de abrir todas, a mesa está coberta de contas, faturas de cartão de crédito, cobranças... Maya põe a mão na minha nuca, me dando um susto.

— Não quis te assustar. — Ela senta numa cadeira ao lado, apoiando os pés descalços à beira dos meus, abraçando os joelhos. De camisola, com seus cabelos lisos e soltos da cor das folhas de outono, ela me olha com uns olhos tão grandes e inocentes como os de Willa. Sua beleza é uma punhalada em mim.

— Você está com uma cara igualzinha à do Tiffin quando perde uma partida mas tenta bancar o durão — comenta ela, com um olhar risonho.

Consigo rir um pouco. Às vezes, minha incapacidade para esconder as emoções diante dela é frustrante.

A risada deixa um rastro perturbador de silêncio.

Maya dá uma puxadinha na minha mão.

— Me conta.

Dou um suspiro rápido e alto, balançando a cabeça para o chão.

— Só... enfim, o futuro, essas coisas.

Embora ela continue sorrindo, vejo que seus olhos mudaram e sinto que também tem pensado nisso.

— É um assunto muito abrangente para as três da manhã. Alguma parte em especial?

Obrigo meus olhos a encontrarem os dela.

— Basicamente, de hoje até o dia em que Willa vai para a universidade ou começa a trabalhar.

— Acho que você está indo um pouco longe demais! — exclama ela, obviamente determinada a me tirar daquele estado de espírito. — O destino de Willa é outro. Um dia desses fui com ela à Belmont para pegar um dever de casa que tinha esquecido, e todo mundo ficou encantado! Minha professora de arte disse até que a gente devia descolar um contrato para ela em alguma agência de modelos infantis. Por isso, acho que seria o caso de só investir na carreira da Willa, e quando ela fizer dezoito anos, vai estar na passarela e sustentando a gente! Para não falar no Tiffin. Ouvi dizer que o Sr. Simmons, o professor de educação física, nunca viu um menino tão talentoso! E você sabe quanto ganha um jogador de futebol! – Ela ri, frenética em seu esforço para me animar.

– É verdade. Exatamente… – Tento imaginar Willa numa passarela, na esperança de arrancar um sorriso sincero de Maya. – É uma excelente ideia! Você pode ser, hum… a estilista dela, e eu o agente.

Mas o silêncio volta. É óbvio pela expressão de Maya que ela tem consciência de que a tática não funcionou. Ela passa as unhas na palma da mão, sua expressão ficando séria.

– Olha aqui, seu moço. Para começo de conversa, nós não sabemos o que vai acontecer com mamãe, nem com a nossa situação financeira. Mesmo que ela se case com o Dave e decida parar de nos sustentar, nós podemos ameaçar entrar na justiça contra ela por negligência; ela é burra demais para entender que nós nunca faríamos isso por causa da Agência de Serviço Social. E pelo simples fato de existirmos, vamos sempre ter o potencial de ferrar com a relação dela; até agora, as ameaças de aparecer na casa de Dave para convencê-la a pagar as contas têm dado certo, não têm? Em terceiro, até você se formar, muita água já vai ter passado por baixo da ponte. Willa vai estar com quase nove anos, Tiffin já vai ser quase um adolescente, e eles vão poder ir sozinhos à escola, ser responsáveis pelos próprios deveres de casa. A essa altura Kit talvez já tenha tomado juízo, mas mesmo que não, nós vamos exigir que ele saia de casa, ou arranje um emprego, ou assuma sua parte nas tarefas, nem que tenhamos que recorrer à chantagem. – Ela sorri, segurando minha mão e dando um beijo nela. – A parte mais difícil está acontecendo agora, Lochie, com mamãe abandonando o barco de uma hora para outra, e Tiffin e Willa ainda tão pequenos. Mas de agora em diante tudo vai ser mais fácil: as coisas vão melhorar para todos nós, e você e eu vamos ter cada vez mais tempo para passar juntos. Confia em mim, meu amor. Eu tenho pensado nisso tudo também, e não estou falando só para tentar te animar.

Levanto os olhos para ela e sinto uma parte do peso se erguer do meu peito.

— Eu não tinha pensado nas coisas por esse ângulo…

— Isso é porque você está sempre ocupado pensando na pior hipótese possível! E porque tem essa mania de ficar remoendo tudo sozinho. — Ela me dá um sorriso brincalhão, balançando a cabeça. — E sempre se esquece do mais importante!

Consigo abrir um sorriso tão largo quanto o dela.

— E o que é?

— Eu – declara, fazendo um floreio, seu braço entornando a caixa de leite em cima da mesa. Felizmente, está quase vazia.

— Você e o seu talento para… *derrubar todos os obstáculos.*

— Exatamente – concorda ela. — E o fato muito importante de que estou aqui para me preocupar também e enfrentar *tudo* isso, nos seus menores detalhes, ao seu lado: até a sua pior hipótese, se chegar a se realizar. Você não passaria por nada disso sozinho. — Ela se cala e fica olhando para nossas mãos pousadas no seu colo, os dedos entrelaçados. — Aconteça o que acontecer, sempre vamos estar juntos.

Faço que sim, de repente sem conseguir falar. Quero dizer a ela que não posso arrastá-la para o fundo. Quero dizer que ela precisa soltar minha mão para poder nadar. Quero dizer que deve viver sua própria vida. Mas sinto que ela já sabe que todas essas opções estão à sua disposição. E que ela também fez uma escolha.

MAYA

— Só quinze minutinhos — pede Francie. — Ah, por favor! Tá, então dez. Lochan sabe que você teve aula à tarde, portanto dez minutos a mais com certeza não vão fazer muita diferença!

Olho para o rosto suplicante e animado da minha amiga, e vivo um momento de tentação. Uma Coca gelada e um muffin no Smileys com a Francie, enquanto ela tenta chamar a atenção do novo garçom, um rapaz que descobriu lá – adiando a rotina agitada de casa, o jantar, os banhos, a hora de dormir... –, de repente parece o luxo dos luxos...

— Liga para o Lochan agora — insiste Francie, enquanto atravessamos o pátio, mochilas a tiracolo, cabeças aéreas e corpos inquietos depois do longo e tedioso dia na escola. — Por que ele se importaria?

Não se importaria, esse é que o problema. Na verdade ele até me incentivaria a ir, e só saber disso já me pesa na consciência. Deixá-lo fazer o jantar, supervisionar os deveres de casa e enfrentar Kit, quando seu dia na escola foi tão longo quanto o meu, e sem dúvida mais cansativo. Mas, para ser mais exata, estou ansiosa para vê-lo, mesmo que isso signifique mais uma noite resistindo ao desejo insuportável de abraçá-lo, de tocá-lo, de beijá-lo. Sinto sua falta depois de um dia inteiro separados; ele literalmente me falta, como uma parte de mim. E mesmo que isso signifique pular de uma aula de história sacal para o caos histérico de casa, mal posso esperar para ver seus olhos se iluminarem ao me ver, o sorriso de alegria que encontro quando passo pela porta — mesmo quando ele está fazendo equilibrismo com panelas na cozinha, tentando convencer Tiffin a pôr a mesa ou impedindo Willa de se empanturrar de sucrilhos.

— Não vai dar, me desculpe – digo a Francie. – É que eu tenho tanta coisa para fazer...

Mas, pela primeira vez, ela não se mostra nada compreensiva. Em vez disso, fica chupando o lábio inferior, o ombro encostado no muro do pátio, do lado de fora da escola, o ponto onde costumamos nos despedir.

— Pensei que era sua melhor amiga – diz ela de repente, sua voz deixando transparecer a mágoa e o ressentimento.

Fico chocada.

— Mas você é... você sabe que é... isso não tem nada a ver com...

— Eu sei o que está acontecendo, Maya – interrompe ela, suas palavras cortando o ar entre nós.

Meu pulso começa a acelerar.

— Como assim?

— Você conheceu alguém, não conheceu. – A pergunta é feita em tom de afirmação, com os braços cruzados, e ela se vira para apoiar as costas no muro, olhando em outra direção, os músculos em volta da boca contraídos.

Por um momento, fico sem palavras.

— Não! – A palavra sai como pouco mais do que um sopro chocado. – Não conheci, juro! Por que você...? O que te faz pensar...?

— Não acredito em você. – Ela balança a cabeça, seu olhar zangado ainda perdido ao longe. – Eu te conheço, Maya, você mudou. Quando você fala, parece estar sempre pensando em outra coisa. É como se estivesse sonhando acordada, sei lá. E você tem parecido estranhamente feliz nos últimos tempos. E está sempre correndo quando toca a última campainha. Eu sei que você tem toda aquela merda para lidar em casa, mas agora é como se ficasse ansiosa para voltar, como se mal pudesse esperar para ir embora...

— Francie, eu não tenho nenhum namorado secreto! – afirmo, em desespero. – Você sabe que seria a primeira pessoa a quem eu contaria, se tivesse! – As palavras soam tão sinceras que chego a me sentir meio envergonhada. *Mas ele não é só um namorado*, digo a mim mesma. *Ele é muito mais.*

Francie examina meu rosto, continuando a fazer perguntas, mas depois de alguns momentos começa a se acalmar, parecendo acreditar em mim. Sou obrigada a inventar uma súbita paixão por um menino do último ano para explicar os momentos em que sonho acordada, mas felizmente tenho a presença de espírito de escolher um que já tem uma namorada firme, para que Francie não resolva bancar o Cupido. Mesmo assim, a conversa me deixa preocupada. Pelo visto, vou ter que tomar mais cuidado. Tenho que prestar atenção até ao jeito como me comporto quando estou longe dele. Até a menor mancada poderia nos entregar...

Chego em casa e encontro Kit e Tiffin na sala, vendo tevê, o que me surpreende. Não tanto pelo fato de ser isso que estão fazendo, mas por estarem juntos e ser Tiffin quem está com o controle remoto. Kit se esparrama no fim do sofá, os tênis da escola sujos de lama e meio desamarrados, a cabeça apoiada na mão, olhando com ar entediado para a tela. Tiffin, a camisa manchada de ketchup, está sentado sobre as pernas na outra ponta do sofá, hipnotizado por um desenho violento, os olhos arregalados, a boca aberta como um peixe. Nenhum dos dois se vira quando entro.

— Olá! — exclamo.

Tiffin levanta uma caixa de sucrilhos e a sacode um pouco na minha direção, os olhos ainda fixos à sua frente.

— Temos permissão — anuncia.

— Antes do jantar? — pergunto, desconfiada, jogando o blazer no sofá e desabando em cima dele. — Tiffin, não acho que seja uma boa...

— Isso *é* o jantar — informa ele, tirando mais um grande punhado da caixa e enfiando-o na boca, espalhando vários ao redor. — Lochie disse que a gente podia comer o que quisesse.

— Como é...?

— Eles foram para o hospital. — Kit vira a cabeça para mim, com um olhar de tédio. — E eu tenho que ficar aqui com o Tiffin e viver de sucrilhos por todo o futuro previsível.

Sento devagar.

— Lochie e Willa foram para o hospital? — pergunto, a voz incrédula.

— Foram — é a resposta de Kit.

— Mas o que foi que aconteceu? — Minha voz se ergue e eu me levanto de um pulo e começo a revirar a mochila atrás das chaves. Assustados com meu grito, os dois finalmente descolam os olhos da tela.

— Aposto que não é nada – diz Kit, azedo. – Aposto que eles vão passar a noite inteira esperando na Emergência, Willa vai pegar no sono, e quando acordar, vai dizer que não está mais nem doendo.

— Você está delirando! – Tiffin se vira para ele, os olhos azuis arregalados e acusadores. – Talvez ela até tenha que ser operada. Talvez eles tenham que amputar o...

— Mas afinal, o que aconteceu? – grito, agora frenética.

— Não sei! Ela machucou o braço, mas eu nem estava aqui embaixo na hora! – diz Kit, defensivo.

— Eu estava – anuncia Tiffin com ar importante, afundando o braço até o cotovelo na caixa de sucrilhos. – Ela escorregou na bancada e caiu no chão e começou a gritar. Quando Lochie pôs ela no colo ela gritou ainda mais, daí ele saiu com ela pra pegar um táxi e ela *ainda* estava gritando...

— Para onde eles foram? – Sacudo Kit pelo braço. – Para o St. Joseph's?

— Ai, me larga! É, foi o que ele disse.

— Nenhum dos dois sai daqui! – grito da porta. – Tiffin, você não pode ir para a rua, está me ouvindo? Kit, você me promete que vai ficar com o Tiffin até eu voltar? E atender o telefone assim que tocar?

Kit revira os olhos, teatral.

— Lochan já disse tudo isso.

— Você me promete?

— Prometo!

— E não abre a porta para ninguém, e se houver qualquer problema, liga para o meu celular!

— OK, OK!

Vou correndo pelas ruas até o hospital. Deve ficar a uns três quilômetros de onde moramos, mas o trânsito na hora do rush é tão horrível que de ônibus demoraria muito mais, e a tortura seria muito maior. Além disso, correr ajuda a ativar a válvula de segurança no meu cérebro, bloqueando as visões de Willa gritando, ferida. Se alguma coisa grave tiver acontecido com aquela criança, vou morrer, tenho certeza. Meu amor por ela me atinge como uma dor violenta no peito e o sangue lateja na cabeça, um martelo de culpa batendo, batendo, batendo, mais uma vez me forçando a reconhecer que desde que meu relacionamento com Lochie começou – apesar de meus esforços recentes – ainda não tenho dado a minha irmãzinha tanta atenção quanto antes. Foi sempre às pressas que dei banho nela e a pus para dormir e li histórias, perdi a paciência com ela em ocasiões em que Kit era o culpado, recusei seus pedidos para brincar uma vez atrás da outra, usando o trabalho em casa e os deveres da escola como desculpa, preocupada demais em manter tudo em ordem para dar a ela dez minutinhos que fosse do meu tempo. Kit exige atenção constante por sua volubilidade, Tiffin por sua hiperatividade, o que deixa Willa em segundo plano, sua presença ofuscada pelos irmãos nas conversas durante o jantar. Como sua única irmã, eu costumava brincar com ela, arrumar a mesinha do chá para as bonecas, produzi-la, maquiá-la, fazer mil penteados no seu cabelo. Mas ultimamente tenho andado tão preocupada com outras coisas que nem percebi que ela tinha se desentendido com a melhor amiga, nem reconheci que precisava de mim: para ouvir suas histórias, perguntar sobre o seu dia e elogiá-la pelo comportamento quase impecável que, por sua própria natureza, não chamou muita atenção. O corte na perna, por exemplo: não apenas Willa ficou presa na escola, sentindo dor a tarde inteira sem ninguém para ir buscá-la e confortá-la, como, o que é ainda mais grave e revelador, nem pensou em me contar sobre o incidente até por acaso eu notar o Band-Aid enorme atrás do buraco na meia-calça.

Estou à beira das lágrimas quando chego ao hospital, e quando entro, é um custo trancá-las enquanto tento conseguir informações sobre o seu paradeiro. Por fim, localizo o ambulatório infantil e uma enfermeira me diz que Willa está bem mas "descansando" e que vou poder vê-la assim que acordar. Sou conduzida a uma saleta no fim de um longo corredor e informada de que basta dobrar a parede para chegar à enfermaria, aonde um médico virá falar comigo em seguida. Assim que a enfermeira desaparece, saio da saleta correndo.

Contornando a parede, reconheço, no finzinho de outro corredor com paredes de um branco cegante, uma figura familiar na frente das portas pintadas em cores chamativas da enfermaria infantil. Cabeça baixa, ele está curvado para frente, apertando a beirada de um parapeito.

— Lochie!

Ele gira o corpo como se tivesse sido golpeado, se endireita devagar e então se aproxima depressa, levantando as mãos, como num gesto de rendição:

— Ela está bem, ela está bem, ela está ótima! Deram a ela um sedativo e um anestésico leve para a dor e conseguiram empurrar o osso de volta para o lugar. Estive com ela agorinha mesmo, ela está dormindo, mas parece estar muito bem. Depois que os médicos fizeram a segunda radiografia, disseram que tinham certeza de que ela não ficaria com sequelas; não vai ser nem preciso engessar, e o ombro vai estar normal em uma semana, talvez até menos! Eles disseram que as crianças deslocam o ombro toda hora, é uma coisa muito comum, eles veem isso o tempo todo, nós não precisamos nos preocupar! — Ele fala numa velocidade insana, seus olhos irradiando uma espécie de otimismo maníaco, olhando para mim com uma expressão frenética, quase suplicante, como se esperasse que eu começasse a dar pulos de alívio.

Paro de andar, ofegante, afastando do rosto os fios soltos de cabelo, e fico olhando para ele.

— Ela deslocou o ombro? — exclamo.

Ele estremece, como se a pergunta fosse uma ferroada.

— Deslocou, mas foi só isso! Mais nada! Eles fizeram uma radiografia e todos os exames e...

— O que *aconteceu*?

— Ela caiu da bancada da cozinha! — Ele tenta segurar minha mão, mas eu me afasto. — Olha, ela está bem, Maya, estou te *dizendo*! Não tem nada quebrado, o osso só saltou do encaixe. Eu sei que parece dramático, mas eles só tiveram que empurrar de volta. Deram um anestésico leve também, por isso não foi muito... muito doloroso, e... e agora ela está só descansando.

Seu comportamento maníaco e o discurso de metralhadora são um tanto apavorantes. Seus cabelos estão todos arrepiados, como se ele os tivesse eriçado com os dedos, o rosto pálido, a camisa da escola para fora da calça, colando-se à pele em manchas úmidas.

— Eu quero ver ela...

— Não! — Ele me segura quando tento avançar. — Eles querem que ela durma até passar o efeito do sedativo, não vão te deixar entrar até ela acordar...

— Não quero nem saber! Ela é minha irmã e sofreu um acidente e eu vou ficar com ela e ninguém pode me impedir! — começo a gritar.

Mas Lochan me contém à força e, para meu espanto, me vejo lutando com ele nesse longo, iluminado e deserto corredor de hospital. Por um momento me sinto tentada a lhe dar um pontapé, mas então ele sussurra, ofegante:

— Não faz escândalo. Só vai piorar as coisas.

Eu me afasto, respirando com força.

— Piorar que coisas? Do que você está falando?

Ele se aproxima e tenta pôr as mãos nos meus ombros, mas eu recuo, me recusando a ser acalmada por meia dúzia de palavras de conforto. Lochan solta os braços com uma expressão vencida, desesperada.

— Eles querem ver mamãe. Eu disse a eles que ela estava no exterior a trabalho, mas eles insistiram para que eu desse um número. Então eu dei o do celular dela, mas caiu direto na caixa postal...

Tiro o celular do bolso.

— Vou ligar para a casa do Dave. E tentar o celular dele, e o bar também...

— Não. — Lochan levanta a mão num gesto derrotado. — Ela... ela não está lá...

Fico olhando para ele.

Abaixando o braço, ele engole em seco e volta em passos lentos para a janela. Noto que está mancando.

— Ela... ela viajou com ele. Só para passar o feriado, pelo que eu soube. Algum lugar de Devon, mas o filho do Dave não sabe exatamente onde. Ele só disse que achava... que eles voltariam no domingo.

Fico olhando boquiaberta para ele, o horror correndo pelas veias.

— Ela foi passar a semana inteira fora?

— Pelo visto, sim. Luke não sabia, ou talvez não se importe. E o celular dela está desligado há dias. Ou ela se esqueceu de levar o carregador, ou o desligou deliberadamente. — Lochan volta a se recostar no parapeito, como se o peso de seu corpo fosse grande demais para as pernas suportarem. — Eu tentei ligar para ela, por causa das contas. Ontem, quando cheguei da escola, fui até a casa do Dave, e foi aí que o Luke me contou. Ele está com a namorada na casa do pai. Eu não quis te preocupar...

— Você não tinha o direito de esconder isso de mim!

— Eu sei. Desculpe, mas é que eu achei que não havia nada que a gente pudesse fazer...

— E agora? — Não estou mais falando num tom comedido. Alguém enfia a cabeça pela porta mais adiante e eu tento me controlar. — Ela vai ter que ficar no hospital até mamãe vir buscá-la? — sibilo.

— Não, não... — Ele estende a mão para mim num gesto apaziguador, e mais uma vez eu a rejeito. Estou furiosa com ele por ficar tentando me acalmar, por esconder isso de mim, por me tratar como se fosse uma das crianças e repetir que tudo vai ficar bem.

Antes que eu tenha chance de fazer mais perguntas, um médico baixinho e calvo passa por entre as portas duplas, se apresenta como Dr. Maguire e nos conduz novamente à saleta. Sentamos num sofá de espuma baixo demais e, exibindo grandes chapas de raios-X, o médico mostra o antes e o depois, explicando o procedimento que foi feito e o que esperar agora. Ele é simpático e tranquilo, repete quase tudo que Lochan já disse e garante que, embora o ombro de Willa vá ficar dolorido por alguns dias e ela vá ter que usar uma tipoia, deve voltar ao normal em uma semana. Também nos informa que ela já está acordada e jantando e que podemos levá-la para casa assim que estiver pronta.

Podemos levá-la para casa. Sinto o corpo ficar mole. Nós três nos levantamos e Lochan agradece ao Dr. Maguire, que abre um largo sorriso, reiterando que podemos levar Willa para casa assim que estiver pronta, e então pergunta se pode mandar a Sra. Leigh entrar. Lochan põe a mão na parede, como que para se equilibrar, e dá um rápido aceno de cabeça, mordendo a unha do polegar enquanto o médico sai.

— Sra. Leigh? — pergunto, franzindo a testa, sem entender.

Ele se vira e me olha, respirando com força.

— Não diz nada, tá? Não diz nada. — Sua voz é baixa e urgente. — Deixa que eu falo. Não podemos correr o risco de nos contradizer. Se ela te perguntar qualquer coisa, conta a história de sempre, da viagem de negócios, e então diz a verdade, que você teve uma aula à tarde e só chegou em casa muito depois do acidente.

Fico olhando para Lochan do outro lado da saleta, perplexa.

— Você deu a entender que eles não tinham criado nenhum problema por causa de mamãe.

— E não criaram. Isso é só… um procedimento de praxe… para esse tipo de acidente, pelo que disseram. Eles têm que preencher uma espécie de formulário… — Antes que possa continuar, batem à porta e uma mulher corpulenta, com uma cabeleira frisada cor de cenoura, entra na saleta.

— Olá. O médico avisou que eu viria dar uma palavrinha com vocês? Sou Alison, da Agência de Proteção à Criança. — Ela estende a mão para Lochan.

Deixo escapar um gemido, que me apresso a transformar em tosse.

— Lochan Whitely. P-prazer em conhecê-la.

Ele sabia!

Tenho consciência de que a mulher se dirige a mim. Aperto sua mão roliça. Por um momento, literalmente não consigo falar. Tive um branco total e esqueci meu próprio nome. Então me forço a sorrir, me apresento e sento no pequeno triângulo.

Alison revira o interior de uma bolsa enorme e fica batendo papo enquanto tira uma pasta, uma caneta e diversos formulários. Ela pede a Lochan para confirmar a situação de mamãe, o que ele faz com um tom de uma firmeza impressionante. Ela parece satisfeita, faz algumas anotações e então levanta os olhos, com um largo sorriso artificial.

— Bem, eu já dei uma palavra com Willa sobre o que aconteceu. É uma garotinha encantadora, não é? Ela explicou que quando caiu estava na cozinha com você, Lochan. E que você, Maya, ainda estava na escola, mas que seus dois outros irmãos estavam em casa.

Olho para Lochan, desejando que também olhe para mim. Mas ele parece continuar olhando em frente de caso pensado.

— Exatamente.

Mais um daqueles sorrisos falsos.

— Muito bem. Agora, sem pressa, me explique como o acidente aconteceu.

Não entendo. O problema não é com mamãe. E Lochan deve ter dado detalhes da queda para o médico de plantão quando trouxe Willa.

— C-certo. OK. — Lochan se inclina para frente, cotovelos nos joelhos, como que desesperado para contar cada detalhe à mulher. — Eu... eu entrei na cozinha e Willa estava em cima da bancada, onde não deveria, porque é... é muito alta, e... e ela estava na ponta dos pés tentando alcançar uma caixa de b-biscoitos na última prateleira... — Ele está falando naquele staccato maníaco outra vez, quase tropeçando nas palavras em sua ansiedade de dizê-las. Vejo os músculos de seus braços vibrando, e ele cutuca a ferida sob a boca com tanta força que ela começa a sangrar.

Alison apenas faz que sim, rabisca mais algumas coisas e volta a levantar a cabeça, esperando.

— Eu d-disse a ela para descer. Ela se recusou, dizendo que os irmãos tinham comido daqueles biscoitos e colocado a caixa de p-propósito lá em cima para ela não alcançar. – Ele está ofegante, olhos no formulário, como se tentasse ler o que está sendo anotado.

– Continue...

– Então eu... eu repeti o que já tinha dito...

– E o que exatamente você *tinha* dito? – A voz da mulher fica mais dura.

– Que... Bom, basicamente foi: *Willa, desce daí agora.*

– Isso foi falado ou gritado?

Ele parece estar tendo dificuldade para respirar, o ar fazendo um som arranhado no fundo da garganta.

– Hum... bom... a primeira vez eu falei bem alto p-porque estava com medo de que ela subisse de novo, e... e da segunda vez, quando ela se recusou, eu... eu acho que s-sim, que eu gritei um pouco. – Dá uma olhada nela, mordendo o canto do lábio, o peito subindo e descendo depressa.

A audácia dessa mulher! Fazer com que Lochan se sinta culpado por gritar com a irmã quando ela estava fazendo uma coisa perigosa?

– E depois? – Os olhos dela são duríssimos. Agora parece estar prestando toda a atenção.

– Willa... ela, bom, ela me i-ignorou.

– E aí o que você fez?

Há um silêncio terrível. *O que você fez?*, repito para mim mesma, louca para me intrometer mas presa pela promessa feita a Lochan, além do fato de não estar presente quando aconteceu. Será que essa assistente social pergunta aos pais de cada criança ferida que é levada a um hospital o que foi que eles fizeram? Culpados até provarem o contrário? Isso é ridículo! Crianças caem e se machucam o tempo todo!

Mas Lochan não responde. Sinto o coração começar a palpitar. *Não vá ter uma crise de pânico agora*, imploro a ele em minha cabeça. *Não dê a impressão de que está escondendo alguma coisa!*

Lochan está com a testa franzida, suspirando e mordendo o lábio como se tentasse se lembrar, e com um choque percebo que está à beira das lágrimas.

Pressiono as costas na cadeira e trinco os dentes para me impedir de intervir.

– Eu dei um p-puxão nela. – Seu queixo treme por alguns segundos. Ele não levanta o rosto.

— Pode me explicar exatamente como fez isso?

— Eu fui… fui até a bancada e segurei o braço dela e então… e então eu a puxei da bancada. — Ele se cala e leva o punho ao rosto, pressionando os nós dos dedos com força na boca.

Lochan, do que é que você está falando? Você nunca machucaria Willa intencionalmente, e sabe disso tão bem quanto eu!

— Você segurou o braço dela e a puxou para o chão? — A mulher arqueia uma sobrancelha.

Silêncio na saleta. Posso ouvir meu coração batendo. Finalmente Lochan tira o punho da boca e solta um suspiro trêmulo.

— Eu puxei o braço dela e… e… — Ele olha para a aresta do teto, lágrimas se aglomerando nos olhos como bolas de gude transparentes. — Eu sei que não devia ter feito isso… Eu não estava raciocinando…

— Apenas me conte o que aconteceu.

— Eu p-puxei o braço dela, e ela escorregou. Ela… ela estava de meia-calça e os pés escorregaram na superfície. Eu… eu continuei segurando o braço dela quando ela caiu para tentar impedir que se machucasse e foi então que ouvi um… estalo! — Ele fecha os olhos com força por um momento, como se sentisse uma dor terrível.

— Então você estava segurando o braço de Willa quando ela caiu no chão, e foi o próprio peso do corpo dela que tirou o osso do encaixe?

— Seria contraintuitivo *soltar* o braço dela justamente no momento em que caiu. Eu… eu achei que a tinha apanhado, não… não tirado o osso do encaixe. Santo Deus! — Uma lágrima escorre pelo seu rosto, e ele se apressa a secá-la. — Eu não pensei…

— Lochie!

Dessa vez seus olhos encontram os meus.

— Foi… foi um acidente, Maya.

— Eu sei! — exclamo, num tom levemente ultrajado.

A infeliz está rabiscando de novo.

— Você costuma ficar encarregado de cuidar das crianças com frequência, Lochan? — pergunta.

Eu me encolho na cadeira. Lochan aperta os olhos e respira pausadamente, tentando se recompor. Faz que não com veemência.

— Só quando nossa mãe viaja a negócios.

— E com que frequência isso acontece?

— Depende… De dois em dois meses, mais ou menos…

— E quando ela viaja, imagino que você tenha que pegá-los na escola, cozinhar para eles, ajudá-los a fazer o dever de casa, brincar com eles, pô-los para dormir…

— Nós fazemos isso juntos — digo depressa.

A mulher se dirige a nós dois agora:

— Isso deve ser exaustivo, depois de um longo dia na escola…

— Eles sabem muito bem se divertir por conta própria.

— Mas quando se comportam mal, vocês devem ter que discipliná-los.

— Não mesmo — digo com firmeza. — Eles são muito bem-educados.

— Você já machucou algum de seus irmãos antes? — pergunta a mulher a Lochan.

Ele respira fundo. Um flash da briga com Kit se acende em minha memória.

— Não! — exclamo, ultrajada. — Nunca!

No táxi para casa ficamos os três em silêncio, esgotados, exaustos. Willa está enroscada no colo de Lochan, o braço imobilizado contra o peito pela tipoia, o polegar da outra mão enfiado na boca. A cabeça está encostada no pescoço de Lochan, manchas de luz dos faróis dos carros flutuando por seus cabelos dourados. Lochan a abraça com força, olhando com ar apático pela janela, o rosto pálido e embotado, os olhos vidrados, recusando-se a encontrar os meus.

Chegamos em casa e encontramos a cozinha de pernas para o ar, como se um tornado tivesse passado por ali, o carpete da sala cheio de farelos de batata frita, biscoitos e sucrilhos. Para nossa surpresa, no entanto, Tiffin já foi dormir e Kit ainda está em casa, no sótão, a batida pesada da música atravessando o teto. Enquanto Lochie dá a Willa, que ainda está dopada e mole, um copo d'água e uma colherada de xarope analgésico e a põe para dormir, subo a escada de madeira e aviso a Kit que chegamos.

— E aí, ela quebrou o braço ou o quê? — Apesar do tom indiferente, reconheço um toque de preocupação em seus olhos quando ele os levanta do Gameboy. Empurro suas pernas para o lado, abrindo espaço no colchão, e sento ao lado de seu corpo esparramado.

— Ela não chegou a quebrar nada. — Conto toda a história do ombro deslocado.

— É, tô sabendo. Tiff falou que o Loch perdeu a cabeça e puxou a Willa da bancada. — Seu rosto fica subitamente sombrio.

Dobro os joelhos contra o peito e respiro fundo.

— Kit, você sabe que foi um acidente. Sabe que Lochan nunca machucaria Willa de propósito, não sabe? — Meu tom é sério, inquisidor. Já sei a resposta, e sei que ele também sabe, mas preciso que seja honesto comigo por um momento e admita isso.

Kit respira fundo, já pronto para me dar uma resposta sarcástica, mas então hesita, seus olhos encontrando os meus.

— Sei — confessa após um momento, uma ponta de derrota na voz.

— Eu sei que você se sente revoltado — digo em voz baixa — por tudo que papai e mamãe fizeram, por sermos Lochie e eu que estamos sempre no comando da casa, e tem todo o direito de se sentir, Kit, mas você sabe qual é a alternativa.

Seus olhos se afastam dos meus, voltando ao Gameboy, desconfortáveis com a súbita mudança no rumo da conversa.

— Se a Agência de Serviço Social descobrisse que mamãe não está mais morando aqui, que só estamos nós em casa...

— Eu sei, eu sei — interrompe ele, mal-humorado, os polegares batendo com violência nos botões do console. — Nós seríamos mandados para uma instituição, separados e toda essa merda. — Sua voz parece farta e irritada, mas sinto o medo por trás dela.

— Isso não vai acontecer, Kit — me apresso a tranquilizá-lo. — Lochan e eu vamos cuidar para que não aconteça, prometo. Mas para isso nós vamos ter que tomar cuidado, *muito* cuidado com o que dizemos para os outros. Mesmo que seja só um colega na escola. Bastaria que ele fizesse um comentário com os pais, ou com outro colega... bastaria *um telefonema* para a Agência de Serviço Social.

— Maya, eu já entendi. — Seus polegares param de se mover sobre os botões e ele me dá um olhar sombrio, de repente parecendo ter muito mais idade do que seus treze anos. — Eu não vou contar a ninguém sobre o braço da Willa, ou sobre nada que possa criar problemas pra gente, OK? Eu prometo.

LOCHAN

Decidimos não levar Willa à escola pelo resto da semana para evitar perguntas indiscretas, e eu telefono para dizer que estou doente e fico em casa com ela. Mas quando chega a segunda-feira ela está entediada, já perdeu a tipoia e está ansiosa para rever as amiguinhas. Mamãe volta de Devon, e quando finalmente consigo encontrá-la na casa de Dave para pedir dinheiro, ela não demonstra o menor interesse pelo acidente de Willa.

Estou tendo problemas para dormir de novo. Sempre que pergunto a Willa sobre o ombro, ela me olha com ar preocupado e garante que "já consertou direitinho". Sei que ela percebe o sentimento de culpa no meu rosto, o que só faz com que eu me sinta ainda pior.

Os números verdes no despertador digital marcam duas e quarenta e três da manhã quando me levanto, saio do quarto de fininho e atravesso o corredor. Longe do calor do edredom, logo começo a tiritar, vestindo só uma camiseta esburacada e a cueca. O som da porta rangendo leva Maya a se remexer e eu estremeço, ansioso para não acordá-la. Caminho pé ante pé até a parede em frente à cama, deslizando as costas por ela, meus braços prateados ao luar. Ela continua a se remexer, sonolenta, esfregando o rosto no travesseiro, e então se apoia bruscamente num cotovelo, afastando a longa cortina de cabelos.

— Lochie, é você? — Um sussurro alarmado.

— Shhh, sou eu! Desculpe, volta a dormir!

Ela se esforça para sentar, esfregando o sono dos olhos. Por fim, fixa-os em mim e treme, puxando o edredom sobre os braços.

— Está tentando me matar do coração? Que diabos está fazendo?

— Desculpe... Eu não quis te acordar...

— Bom, mas agora *acordou*! — Ela sorri com ar sonolento e me estende uma ponta do edredom.

Recuso depressa.

— Não... Eu queria... Posso só ficar vendo você dormir? Sei que isso parece meio estranho, mas... mas não consigo dormir e estou ficando com a cabeça exausta! — Dou uma risada estridente, angustiada. — Ver você dormindo me faz sentir... — Respiro fundo. — Sei lá... em paz... Lembra que eu fazia isso quando nós éramos pequenos?

Ela sorri, lembrando vagamente.

— Acho difícil que você consiga dormir sentado aí no chão. — Volta a me estender um pedaço do edredom.

— Não, não, não precisa. Vou só ficar aqui um pouquinho e depois voltar para a cama.

Com um suspiro de falsa irritação, ela se levanta, vem até mim e me puxa pelo pulso.

— Vem deitar. Nossa, você está tremendo!

— Só estou com frio! — A voz sai mais ríspida do que pretendi.

— Vem para cá, então!

O calor do edredom me envolve. Ela se aninha no meu colo e o contato com sua pele quente, seus braços e pernas ao meu redor, me obriga a começar a relaxar. Ela me abraça com força, enterrando o rosto no meu pescoço.

— Nossa, você está um picolé!

Solto uma risada tensa.

— Desculpe.

Por alguns momentos ficamos em silêncio. Seu hálito úmido faz cócegas no meu rosto. Continuamos deitados e eu sinto o corpo lentamente começar a degelar junto ao seu, enquanto ela acaricia a parte de trás da minha cabeça, passando os dedos pela minha nuca... Meu Deus, como gostaria que pudéssemos ficar assim para sempre. De repente, sem qualquer razão, eu me sinto à beira das lágrimas.

— Me conta.

É como se ela pudesse sentir a minha dor por osmose.

— Nada. Só as besteiras de sempre.

Intuo que ela não acredita em mim.

— Olha só – diz ela. – Lembra o que a Willa disse outro dia? Nós somos os adultos. Sempre dividimos as responsabilidades. Você não tem que começar a me proteger da realidade agora.

Aperto a boca no seu ombro e fecho os olhos. Tenho medo de preocupá-la, medo de lhe dizer o quanto me sinto dividido.

— Você acha que pode se preocupar por nós dois – sussurra ela. – Mas não é assim que funciona, Loch. Não numa relação de igual para igual. E é isso que a nossa é. É isso que nós sempre tivemos. Nossa relação pode estar mudando sob alguns aspectos, mas não há a menor possibilidade de perdermos o que tínhamos antes.

Suspiro baixinho. Tudo que ela diz é lógico. Sob todos os sentidos imagináveis, ela é muito mais sensata do que eu.

Ela sopra no meu ouvido e faz cócegas no meu corpo.

— Ei, pegou no sono?

Esboço um sorriso.

— Não, estou só pensando.

— No que, meu amor?

Um choque. *Meu amor.* Ela nunca tinha me chamado assim. Mas essas são as pessoas que nos tornamos. Duas pessoas apaixonadas.

— O que aconteceu com Willa… – começo, inseguro – … deve ter te dado um susto.

— Acho que deu um susto em nós dois.

Palavras não ditas pairam no ar entre nós.

— Maya, eu… eu realmente puxei o braço dela com força. Não… não admira que ela tenha caído – consigo dizer num jorro frenético.

Ela levanta a cabeça do meu peito e a apoia numa das mãos, seu rosto ficando branco ao luar.

— Lochie, você teve a intenção de puxar Willa da bancada?

— Não.

— Teve a intenção de machucá-la?

— É claro que não.

— Teve a intenção de deslocar o ombro dela?

— Não!

— OK — diz ela baixinho, acariciando meu rosto. — Sendo assim, esse raciocínio não leva a parte alguma. Foi uma coisa totalmente acidental. Não deixe que aquela idiota no hospital te leve a duvidar disso por um segundo que seja!

Lágrimas de alívio ameaçam tomar conta de mim. Não achava que ela me culpasse, mas não podia ter certeza. Respiro fundo.

— Mas agora nós caímos no radar da Agência de Serviço Social... Meu Deus!

— O que significa que vamos ter que continuar disfarçando, como sempre. — Maya se apoia sobre o cotovelo, olhando para mim. Seu cabelo esconde metade do rosto, por isso não posso decifrar sua expressão. — Lochie, você vai fazer dezoito anos mês que vem. Nós chegamos até aqui. Podemos continuar! Podemos manter nossa família unida, você e eu. Formamos uma boa dupla, aliás, uma ótima dupla. Juntos, somos fortes!

Faço que sim devagar, a cabeça no travesseiro, e acaricio seu rosto. Maya enlaça meu pulso com a mão e beija cada dedo. Minha mão desliza pelo seu pescoço, seu peito, para nos seios... De repente, sinto meu coração.

Maya me observa com atenção, os olhos muito brilhantes em meio às sombras. Escuto minha respiração, quente e pesada, e sou tomado pela súbita consciência de que as únicas barreiras entre nossos corpos são uma camisola de algodão, uma camiseta fina e uma cueca. Passo a mão pelas suas costelas, pelo estômago, em direção à coxa nua. Maya se inclina para frente. Pegando a barra da camiseta, começa a suspendê-la, puxando-a lentamente pela minha cabeça. Em seguida, começa a tirar a camisola. Solto uma exclamação trêmula. Seu corpo está totalmente branco, num contraste gritante com os cabelos, quase de fogo ao luar. Seus lábios são de um rosa escuro, as faces levemente coradas, e os olhos mais azuis do que qualquer oceano — atentos, inseguros. As cores e contrastes me assombram. Meus olhos viajam pelo seu corpo, observando a curva empinada dos seios, a pele rija do estômago, as pernas longas e esguias. Eu poderia ficar olhando-a para sempre. Posso distinguir as reentrâncias das clavículas, os picos dos quadris. Sua pele parece tão lisa que sinto vontade de beijá-la. Quero sentir cada parte dela, mas minhas mãos apenas apertam o lençol.

— Nós podemos nos tocar — sussurra Maya. — Só *tocar* um no outro. Não existe nenhuma lei contra *isso*.

Ela começa a passar o dedo com delicadeza pelo meu estômago, pelo meu peito, até a curva do pescoço; então, segurando meu rosto, ela se inclina para me beijar. Fecho os olhos e, com mãos trêmulas, acaricio seu pescoço, seus ombros, seus seios. Enlaçando-a com os braços, puxo-a novamente para os travesseiros e, com lentidão insegura, como se temesse machucá-la, meus dedos começam a percorrer o seu corpo...

Acordo com um sobressalto e me vejo sozinho na cama de Maya, mas a casa ao meu redor está em silêncio. Um pedaço de papel com meu nome foi deixado ao meu lado no chão. Depois de lê-lo, torno a me recostar nos travesseiros, olhando para o teto descascado. A madrugada parece um sonho. Mal posso acreditar que a passamos juntos, nus, nossas mãos acariciando o corpo um do outro; mal posso acreditar que cheguei a sentir sua forma nua apertada contra a minha. No começo tive medo de que perdêssemos a cabeça e cruzássemos aquela última fronteira proibida, mas apenas tocar um ao outro foi uma coisa tão incrível, tão poderosa, tão extasiante, que eu mal cabia em mim de euforia. Queria mais, é claro que queria mais, mas sabia que, por hora, isso teria que bastar.

A porta da sala batida me arranca do devaneio, o som de uma mochila sendo largada no chão, seguido por um leve rangido de passos na escada. A porta se abre alguns centímetros, e eu me recosto na cabeceira da cama, vendo um sorriso se desenhar no rosto de Maya.

— Você está acordado!

Ela corre para a janela e abre as cortinas, e eu esfrego os olhos, feridos pela luz excessiva da manhã. Bocejo e me espreguiço, acenando com o bilhete que ela me deixou.

— Maya, onde é que você estava com a cabeça? Nós não podemos ficar matando aula assim, na maior. — Interrompo a repreensão quando ela pula na cama ao meu lado e me dá um beijo frio.

— Ai, você está gelada!

Ela se joga ao meu lado, a cabeça batendo na parede, as pernas achatando as minhas.

— Você não tinha nenhuma aula importante hoje, tinha?

— Acho que não...

— Ótimo, eu também não.

Observo seu rosto corado, os fios de cabelo emoldurando o rosto, o uniforme da escola.

— Você fingiu para o pessoal que ia para a escola, e aí voltou para casa?

— Exatamente. Assim que vi Kit passar pelo portão, voltei! Você não achou que eu ia te deixar passar um dia livre sozinho, achou? — Ela sorri com ar travesso.

Balançando a cabeça, levo a mão à boca e bocejo de novo.

— Acho que não. Como foi que eu não ouvi o despertador?

— Eu desliguei.

— Por quê?

— Você estava dormindo tão bem, Loch. Tem parecido tão exausto ultimamente. Não tive coragem de te acordar...

Começo a sorrir, piscando, sonolento.

— Não estou me queixando.

— Mesmo? — Observo seu rosto se iluminar. — Temos o dia inteiro só para nós! — Ela olha para o teto, encantada. — Vou trocar de roupa, e aí pensei em fazer umas panquecas, e depois a gente podia ir dar uma volta, e aí...

— Peraí, peraí, peraí. Antes, vem cá. — Tento pegar seu braço quando ela já está prestes a se levantar da cama.

— Que é?

— Vem *cá*! — Ainda franzindo um pouco os olhos por causa da luz, dou uma puxadinha no seu pulso. — Me beija.

Maya ri e faz o que peço, voltando a se deitar ao meu lado. Lentamente desabotoo sua camisa e ela contorce os quadris para se livrar da saia. Então eu me enfio sob o calor do edredom, começando a traçar uma linha de beijos pelo seu corpo...

Ela está nua diante da porta aberta do armário quando volto do banho, e demora um momento para notar que estou parado na porta, observando-a. Ela se vira, olhos nos olhos, seu rosto corando. Procura o lençol embolado aos pés da cama e o enrola no corpo, do colo para baixo. O tecido branco se embola aos seus pés, me levando a sorrir. Visto a cueca e vou até seu lado diante da janela, dando um beijo no seu rosto.

— Aceito.

Ela olha para mim, sem entender, e então dá uma espiada no lençol, antes de cair na gargalhada.

— Na saúde e na doença? — pergunta. — Até que a morte nos separe?

Ela segura minhas mãos e se inclina para um beijo. Dói. De repente, tudo dói, e eu não sei por quê.

— Olha só para o céu — diz ela, a cabeça encostada na curva do meu pescoço. — Está tão azul.

De repente, eu sei; é porque tudo está tão lindo, tão maravilhoso, de uma perfeição tão divina — e ainda assim não pode durar, e eu quero preservar esse momento para o resto da minha vida.

Passo os braços por ela e encosto o queixo no alto da sua cabeça, e então noto a pulseira sobre a pele branca, a prata cintilando ao sol da manhã. Passo os dedos pela joia.

— Me promete que nunca vai se desfazer dela — digo, a voz de repente trêmula.

— É claro que não — responde ela na mesma hora. — Por que faria isso? É a coisa mais linda que eu tenho.

— Me promete — repito, passando os dedos pelo metal liso. — Mesmo que... mesmo que as coisas não deem certo... Você não tem que usá-la. Basta deixá-la escondida em algum canto.

— Ei. — Ela inclina tanto a cabeça que me força a olhar nos seus olhos. — Prometo. Mas as coisas *vão* dar certo. Aliás, já deram; olha só para nós. Você está prestes a fazer dezoito anos, eu faço dezessete no mês que vem. Somos quase adultos, Lochie, e quando isso acontecer, ninguém vai poder nos impedir de fazermos o que quisermos.

Levanto a cabeça, concordo e dou um sorriso forçado.

— Certo.

Vejo sua expressão mudar. Ela encosta a testa no meu rosto e fecha os olhos, como se sentisse dor.

— Você tem que acreditar, Lochie — sussurra. — Nós dois temos que acreditar com todas as nossas forças, se quisermos que aconteça.

Engulo em seco e seguro seus braços.

— Eu acredito!

Ela abre os olhos e sorri.

— Eu também!

Essa é a definição de felicidade: um dia inteiro se estendendo adiante de mim, lindo em seu vazio e simplicidade. Sem salas lotadas, corredores apinhados, recreios solitários, almoços em cantinas, lenga-lenga de professores, tique-taque implacável de relógios, contagem regressiva de minutos até o final de mais um dia morto... Nada disso: passamos o nosso numa espécie de delírio de euforia, tentando degustar cada momento, aproveitar ao máximo a bolha de felicidade antes que estoure. Fazemos panquecas e inventamos mil recheios bizarros: Maya é a vencedora na categoria "Mais Nojenta" com uma combinação de extrato de cevada, sucrilhos e ketchup que quase me faz vomitar na lata de lixo. Eu venço na categoria "Mais Artística" com ervilhas congeladas, uvas vermelhas e confeitos numa base de maionese. Fechamos as cortinas da sala e nos aconchegamos no sofá. Lá para o começo da tarde, Maya pega no sono nos meus braços. Fico vendo-a dormir, passando o dedo pelo contorno do seu rosto, pelo pescoço, o ombro liso e claro, toda a extensão do braço, cada um dos dedos. O sol inunda a sala através das cortinas fechadas às pressas, o relógio em cima da lareira marcando sua implacável contagem regressiva, o ponteiro fino dando voltas e mais voltas inexoráveis ao redor do mostrador. Fecho os olhos e afundo o rosto nos cabelos de Maya, tentando bloquear o som, desesperado para impedir que o precioso tempo que temos juntos escorra como areia por entre meus dedos.

Quando ela acorda, já passa das três. Daqui a meia hora ela vai ter que ir buscar Tiffin e Willa, enquanto eu limpo a bagunça na cozinha e tenho o cuidado de recolher quaisquer roupas que tenham ficado no chão do seu quarto. Seguro seu rosto corado e sonolento entre as mãos e começo a beijá-la com um ardor que beira a histeria. Estou me sentindo feroz, desesperado.

– Lochie, me ouve – ela tenta dizer entre meus beijos. – Ouve, meu amor, ouve. Nós agora vamos começar a matar aula de quinze em quinze dias!

– Eu não aguentaria esperar mais quinze dias inteiros...

– E se nós não tivermos que esperar? – diz ela de repente, os olhos se animando. – Nós podemos ficar juntos todas as noites, como ontem. Quando tivermos certeza de que Tiff e Willa já dormiram, você pode vir para a minha cama...

– *Todas* as noites? E se um deles entrar de repente? Nós não podemos fazer isso! – Mas ela tem minha atenção.

— Tem um trinco enferrujado na base da minha porta, lembra? A gente só precisa passá-lo! Kit sempre pega no sono com os headphones nos ouvidos. E os outros dois já quase não acordam mais de madrugada.

Fico roendo a unha do polegar, refletindo sobre os riscos, profundamente dividido. Olho para os olhos brilhantes de Maya e me lembro da noite passada, da maciez do seu corpo nu nas minhas mãos pela primeira vez.

— Combinado! — sussurro com um sorriso.

— Lochie? Você melhorou, Lochie? Vai levar a gente à escola amanhã, Lochie? — Willa está morta de preocupação, subindo no meu colo, eu esparramado diante da tevê.

A preocupação de Tiffin é mais casual, mas presente, mesmo assim.

— Está gripado, ou o quê? — pergunta com seu sotaque do East End cada vez mais forte, soprando os cabelos caídos nos olhos. — Está doente? Se está, não parece. Por quanto tempo vai ficar doente, afinal?

Com um choque, percebo que meu dia em casa os confundiu. Sempre fui à escola quando estava com gripe e até bronquite, só porque alguém precisava levar as crianças, ficar de olho em Kit e manter a Agência de Serviço Social longe dos nossos calcanhares, de modo que faltar à aula não era uma opção. Também me dou conta de que eles associam qualquer tipo de doença "grave" a mamãe: ela caindo de bêbada na soleira da porta, vomitando no vaso, desmaiada no chão da cozinha. Eles não estão preocupados com minha suposta dor de cabeça, e sim com medo de que eu desapareça.

— Nunca me senti tão bem na vida — garanto a eles, sincero. — A dor de cabeça passou completamente. Por que não vamos brincar lá fora juntos, para variar?

É incrível a diferença que um dia longe da escola pode fazer. A essa hora geralmente já estou caindo pelas tabelas, irritado e nervoso, louco para pôr as crianças na cama e poder ficar a sós com Maya por alguns momentos e começar a fazer os deveres antes de pegar no sono sentado à escrivaninha. Hoje, enquanto nós quatro organizamos uma partida de buldogue, estou me sentindo quase sem peso, como se a gravidade da Terra tivesse diminuído drasticamente. Assim, com o sol começando a se pôr ao fim do ameno dia de março, eu me vejo parado no meio da rua vazia, mãos nos joelhos, esperando que os três comecem a correr na minha direção, torcendo para chegar ao lado oposto sem serem apanhados. Tiffin parece pronto para a largada, um pé apoiado à parede, os braços dobrados, mãos fechadas em punhos, um olhar de feroz determinação. Já sei que na primeira partida vou ter que dar uma canseira nele, sem chegar a apanhá-lo. Willa recebe instruções finais de Maya, que, pelo jeito, está planejando algumas táticas diversivas para permitir que ela corra em linha reta pela rua sem ser interceptada.

— Anda logo! — grita Tiffin, impaciente.

Maya se endireita, Willa dá pulos de animação e eu conto: *Três, dois, um, já!*

Ninguém se mexe. Saio galopando de lado, ficando bem de frente para Willa, que dá gritinhos de pavor e alegria, se apertando contra o muro com as pernas e os braços abertos como uma estrela-do-mar, como se tentasse afundar nele. Então Tiffin dispara feito uma bala, se afastando de mim num ângulo agudo. Já prevendo sua direção, corro para ele, bloqueando sua trajetória. Ele hesita, dividido entre a humilhação de voltar para a segurança do muro e o risco de tentar sair correndo pela rua. Corajoso, escolhe a segunda opção. Saio atrás dele na mesma hora, mas ele é incrivelmente rápido para alguém do seu tamanho. Consegue chegar ao outro lado por pouco, o rosto brilhando, corado do esforço, os olhos triunfantes.

Essa foi a tática usada por Maya para despachar Willa. Ela corre esbaforida em direção a Tiffin, tão determinada a alcançar o outro muro que quase se joga direto nos meus braços. Dou um passo para trás e rosno, tentando espantá-la em outra direção. Ela fica paralisada, um coelho hipnotizado pelos faróis de um carro, os olhos azuis arregalados com a excitação do medo. De cada lado da rua, os outros dois gritam instruções:

— Volta, volta! — urra Tiffin.

— Passa em volta dele, se desvia dele! — berra Maya, confiante, pois sabe que só vou fingir tentar pegá-la.

Willa ensaia alguns passos para a minha direita. Avanço para ela, meus dedos roçando o capuz do seu casaco, e com um gritinho ela se lança em direção à parede, dando uma cabeçada na barriga de Tiffin, que se dobra em dois com um grito dramático.

Agora Maya é a única que restou, dançando do outro lado da rua, o que faz Tiffin e Willa caírem na gargalhada.

— Corre, corre depressa, Maya! — grita Tiffin, tentando ajudá-la.

— Vai por esse lado… não, por esse! — grita Willa, confusa, apontando em todas as direções.

Dou um sorrisinho cruel para Maya, indicando que tenho a firme intenção de pegá-la, e ela prende o riso, um brilhozinho maroto nos olhos. Mãos nos bolsos, caminho gingando até ela.

Mas ela me pega desprevenido, disparando num ângulo agudo. Vou alcançando-a passo a passo e já começo a rir, antecipando a vitória, quando nos aproximamos do limite. Então, sem mais nem menos, ela me dribla e sai correndo para a parede oposta. Eu me atiro atrás dela, mas não adianta: ela consegue chegar ao outro muro, gritando, vitoriosa.

Na partida seguinte, apanho Tiffin, cuja decepção logo se transforma em euforia quando se vê no papel de predador. Implacável, ele vai direto para Willa e a apanha segundos depois que ela abandona a segurança do muro, fazendo-a cair. Corajosa, ela se levanta e examina por alto as mãos arranhadas, e então dança no meio da rua, excitada, estendendo os braços, como se pretendesse bloquear nosso caminho. Quando avançamos para ela, Maya e eu nos esforçamos tanto para deixar que ela nos pegue que acabamos dando um esbarrão e ela põe as mãos nos dois ao mesmo tempo, o que provoca muita histeria. Quando chega a vez de Maya ser a pegadora, vejo a distância uma figura solitária caminhando pela rua em nossa direção e reconheço Kit, que vem se arrastando para casa, abatido, depois de passar uma hora de castigo na escola por xingar o professor.

— Kit, Kit, a gente tá brincando de buldogue! — grita Tiffin, excitado. — Vem jogar! Por favor! Lochie e as meninas são uma porcaria. Eu mando muito nesse jogo!

Kit para diante do portão.

— Vocês estão parecendo um bando de retardados — comenta ele, com frieza.

— Então vem emprestar sua inteligência ao jogo — sugiro. — Sabe como é, um pouco de competição cairia bem. Esse joguinho é moleza para um corredor como eu.

Kit abaixa a mochila e vejo que hesita, dividido entre o impulso de demonstrar o desprezo de sempre pela família e a vontade de voltar a ser criança.

— … a menos que você tenha medo de que eu corra mais do que você — desafio-o.

— Tá legal, vai sonhando! — rebate ele, com um risinho debochado. Então se vira para a porta da sala, mas, na última hora, volta. De repente, começa a tirar o blazer.

— Oba! — comemora Tiffin.

— Você pode jogar no nosso time! — grita Willa.

— Nós não temos times, sua burra! — devolve Tiffin no mesmo tom.

Logo estamos disputando mais uma partida. Estou de volta ao centro e determinado a fazer Kit suar a camisa — sem chegar a pegá-lo, obviamente. Como sempre, ele é o último a se afastar do muro, depois que os outros já chegaram em segurança ao muro oposto. Ele espera um tempão, obviamente testando minha paciência. Começo a me afastar, dando as costas, até mesmo me abaixo para amarrar o tênis, mas ele percebe meus truques. Só quando já estou a uns dois metros é que ele finalmente se mexe, fazendo questão de dificultar as coisas ao máximo para si mesmo. Ele me dribla, dá uma guinada súbita para a direita, hesita quando o bloqueio, e então começa a recuar. Dá um sorrisinho arrogante e debochado, mas posso ver a feroz determinação em seu olhar. Avanço. Ele se desvia a milímetros de mim e dispara numa velocidade absurda. Corro atrás dele, decidido a zerar a curta distância entre nós. Agarro seu colarinho no momento exato em que as mãos dele batem na parede. Quando ele se vira para mim, seu rosto exibe uma alegria que não vejo há anos.

Continuamos brincando até bem depois de escurecer. Por fim, Willa não aguenta mais de cansaço, indo sentar no calorzinho do corredor, assistindo e gritando instruções pela porta aberta. Maya é a próxima a pedir arrego. Fico com Tiffin e Kit, e de repente estamos os três jogando para valer. A experiência de Tiffin como jogador de futebol o favorece, tornando dificílimo pegá-lo. Kit recorre a mil e um truques para me distrair, e logo os dois estão se unindo contra mim, usando um ao outro como escudo, me prendendo no papel de perseguidor. Avanço para Kit como um touro enlouquecido. Ponho as mãos nele a centímetros de alcançar a parede, mas ele não se rende, duro na queda, estendendo o braço, desesperado, me arrastando junto com ele. Caímos no chão e eu agarro sua camisa para impedir que fuja, enquanto Tiffin tenta formar uma corrente humana entre Kit e a parede.

— Ganhei, ganhei! — berra Kit.

— Ganhou uma ova! Você tem que encostar na parede, seu trapaceiro!

— Eu encostei!

— Não encostou, não senhor!

— Encostei na mão do Tiff, e ele está encostando na parede!

— Assim não vale!

Mantenho Kit imobilizado no chão e ele pede socorro a Tiffin, aos gritos. Tiffin, corajoso, deixa a segurança da parede, mas vou logo puxando-o para cima de nós.

— Peguei vocês dois! – exclamo.

— Trapaceiro, trapaceiro! – Eles me ensurdecem com seus gritos.

Logo não conseguimos mais nos mexer, exaustos de tanto rir. Tiffin monta nas minhas costas e Kit, ainda se sacudindo de risos, pega um graveto caído na rua e o usa para encostar na parede. Finalmente voltamos para casa, imundos e exaustos. Kit está com o rosto todo sujo e Tiffin com o colarinho rasgado quando entramos mancando, muito depois da hora de jantar, muito depois da hora de fazer os deveres. Quando os meninos já foram convencidos a lavar as mãos, despencamos nas cadeiras em volta da mesa da cozinha com Maya e Willa, improvisando um banquete de biscoitos e Nutella direto do pote.

Kit tenta me dar um calço quando levanto para pôr a chaleira no fogão.

— Vamos à revanche – anuncia. – Você precisa praticar.

E sorri.

MAYA

Nas últimas semanas, uma mudança extraordinária parece ter ocorrido. De repente, todo mundo parece muito mais feliz, muito mais à vontade. Kit começa a se comportar como um ser humano civilizado. Lochan faz dezoito anos – vamos todos ao Burger King para comemorar, e Willa e eu fazemos um bolo delicioso, embora saia meio torto. Mamãe não se digna sequer a telefonar. O esquema de matar aula de vez em quando permite que Lochan e eu tenhamos algum tempo para nós mesmos, tempo para desbravar a montanha de coisas que já deviam ter sido feitas há séculos: idas ao médico, ao dentista, ao cabeleireiro. Lochan ajuda Kit a consertar a bicicleta e finalmente recebe dinheiro bastante de mamãe para comprar novos uniformes e pagar algumas das contas vencidas. Juntos, fazemos uma faxina geral nos dois andares da casa, elaboramos um novo conjunto de regras domésticas para incentivar as crianças a assumir responsabilidades, mas, principalmente, arranjamos tempo para fazer coisas em família – brincar no parque, jogar à mesa da cozinha. Agora que Lochan e eu passamos as noites juntos e matamos aula sempre que as coisas começam a ficar estressantes demais, o tempo que passamos a sós não é mais tão limitado, e brincar com as crianças se tornou tão importante quanto cuidar delas.

Mamãe vem "dar uma olhada em nós" de tempos em tempos, raramente ficando mais do que uma ou duas noites, e de má vontade nos dá a quantia que, sabe-se lá como, deve durar uma semana, uma expressão ressentida ao tirar da bolsa o talão de cheques para pagar as contas que Lochan põe na sua frente. Muito da sua raiva se deve ao fato de que Lochan e eu nos recusamos a largar os estudos para trabalhar, mas há um motivo mais profundo também. Ela ainda é obrigada a sustentar uma família de que não faz mais parte – de que *escolheu* não fazer mais parte. Mas, salvo do ponto de vista financeiro, nenhum de nós espera mais coisa alguma dela, de modo que ninguém se decepciona. Tiffin e Willa não correm mais para recebê-la, nem imploram por alguns minutos do seu tempo. Lochan já está começando a procurar um emprego para depois do A-Level. Na universidade, insiste, vai poder trabalhar em meio expediente para não termos mais que ficar mendigando dinheiro para mamãe. Como família, agora estamos completos.

Mas eu vivo em função da noite. Acariciar Lochan, sentir cada parte do seu corpo, excitá-lo apenas com o toque de minha mão, tudo isso me faz querer mais.

– Você às vezes imagina como seria? – pergunto a ele. – Chegar realmente a…

– O tempo todo.

Há um longo silêncio. Ele me beija, seus cílios fazendo cócegas no meu rosto.

– Eu também – sussurro.

– Um dia – arqueja ele baixinho, enquanto meus dedos passeiam pela sua coxa.

– Um dia…

Mas, algumas noites, chegamos muito perto. Sinto o corpo torturado de desejo, e intuo a frustração de Lochan tão intensamente quanto a minha. Quando ele me beija com tanta força que quase chega a doer e seu corpo pulsa contra o meu, desesperado para ir mais longe, começo a ter medo de que dividindo a cama com ele todas as noites estejamos nos atormentando. Mas toda vez que conversamos sobre o assunto, sempre concordamos que preferimos mil vezes ficar juntos desse jeito a voltarmos para os nossos quartos e nunca tocarmos um no outro.

Na escola, quando observo Lochan sentado sozinho no alto da escada durante o recreio e ele olha para mim, o abismo entre nós parece enorme. Trocamos um aceno discreto e eu conto as horas até poder vê-lo em casa. Sentada no muro baixo ao lado de Francie, toda hora perco o fio da meada e começo a sonhar acordada com ele, até que um dia, para meu espanto, vejo que ele não está sozinho.

— Ah, meu Deus, com quem será que ele está falando? – interrompo Francie no meio de uma frase.

Os olhos dela seguem a direção dos meus.

— Parece que é Declan, aquele menino que entrou na turma dele há pouco tempo. Acho que a família dele acabou de chegar da Irlanda. Ouvi dizer que ele é superinteligente, e está se candidatando a um monte de universidades... Você já deve tê-lo visto por aí!

Não, não vi, mas também, ao contrário de Francie, não passo todo o tempo devorando com os olhos cada aluno do último ano.

— Caramba! – exclamo, a voz atônita. – Sobre o que você acha que eles estão conversando?

— Eles almoçaram juntos ontem – informa Francie.

Eu me viro para encará-la.

— Sério?

— Seriíssimo. E quando passei por Lochan pelo corredor outro dia, nós batemos um papinho. – Ela escancara a boca de um jeito bem exagerado.

— *O quê?*

— Pois é! Em vez de passar batido por mim, fingindo que não tinha me visto, ele parou e me perguntou como eu estava.

Sinto um sorriso de incredulidade se abrir no meu rosto.

— Viu só? Ele *pode* falar com as pessoas, sim. – Francie solta um suspiro melancólico. – Talvez eu consiga finalmente convencê-lo a sair comigo.

Torno a olhar para a escada, com um sorriso encantado.

— Ah, meu Deus... – Declan ainda está lá. Parece mostrar algo a Lochan no celular. Vejo Lochan fazer um gesto engraçado e Declan rir.

Ainda em estado de choque, decido saltar no escuro e perguntar a Francie uma coisa que venho querendo lhe perguntar há tempos.

— Olha só, eu andei pensando numa coisa... Você... acha que *quaisquer* duas pessoas, se verdadeiramente se amam, têm o direito de ficar juntas, não importando quem sejam?

Francie me olha como se achasse graça da pergunta, mas então percebe que estou falando sério e franze os olhos, pensativa.

— Claro, por que não?

— E se a religião delas proibir? E se os pais ficarem arrasados ou ameaçarem cortar relações, por exemplo, você acha que elas devem ir à luta mesmo assim?

— É claro — responde Francie, dando de ombros. — A vida é delas, portanto têm o direito de escolher quem quiserem. Se os pais forem doidos o bastante para tentar impedi-las de se ver, elas podem fugir, casar em outro lugar.

— Mas e se fosse alguma coisa ainda mais difícil? — pergunto, refletindo intensamente. — E se fossem... sei lá... um professor e uma aluna?

Os olhos de Francie se arregalam e ela segura meu braço.

— Não brinca! Quem é? O Sr. Elliot? Ou aquele cara do Departamento de Informática?

Rindo, balanço a cabeça.

— Não sou eu, sua boba! Estava só pensando hipoteticamente. Como nós estávamos falando na aula de história, aquele lance de a sociedade ter mudado tanto nos últimos cinquenta anos...

— Ah. — O rosto de Francie é o retrato da decepção.

Olho para ela, bufando.

— O Sr. Elliot? Está brincando? Ele deve ter uns sessenta anos!

— Pois eu acho que ele tem o seu charme!

Reviro os olhos.

— Porque você é doida. Mas falando sério. Hipoteticamente...

Francie solta um longo suspiro.

— Bom, antes de mais nada, eles deveriam esperar até que a menina tivesse idade para transar do ponto de vista legal...

— Mas e se já tivesse? E se tivesse dezesseis anos e o cara quarenta e poucos? Eles deveriam fugir? Seria certo fazer isso?

— Bom, o cara perderia o emprego e os pais da menina ficariam péssimos, por isso seria melhor para eles ficar na moita durante uns anos. E depois, quando ela já tivesse uns dezenove, por aí, já nem seria mais nenhum bicho de sete cabeças! — Ela dá de ombros. — Taí, acho que seria maneiro sair com um professor. Imagina só, durante a aula, daria pra...

Paro de prestar atenção ao que ela diz e respiro fundo, frustrada. Não há nada, percebo de repente, absolutamente nada que possa se comparar à nossa situação.

— Quer dizer então que nada mais é tabu? — interrompo-a. — Você está dizendo que não existem duas pessoas que, desde que se amem, devam ser forçadas a se separar?

Francie reflete por um momento, e então dá de ombros.

— Acho que não. Pelo menos, não aqui, graças a Deus. A gente tem sorte por viver num país bastante liberal. Desde que uma das pessoas não esteja forçando a outra, acho que qualquer amor é permitido.

Qualquer amor. Francie não é nada boba. E no entanto, o único tipo de amor que jamais será permitido nem sequer passou pela sua cabeça. O único que é tão repulsivo e inaceitável que nem é mencionado numa conversa sobre relacionamentos proibidos.

Não consigo parar de pensar na conversa durante as semanas seguintes. Embora não tenha a menor intenção de jamais contar nosso segredo a alguém, não posso deixar de me perguntar qual seria a reação de Francie se descobrisse. Ela é uma menina inteligente, com uma cabeça muito aberta e um lado meio rebelde. Apesar da afirmação ousada de que nenhum amor é errado, desconfio seriamente que ficaria tão horrorizada quanto qualquer um se soubesse de minha relação com Lochan. *Mas ele é seu irmão!*, posso até ouvi-la exclamar. *Como você pode ter coragem de fazer* aquilo *com o seu próprio irmão? Que nojo! Meu Deus, Maya, você está doente, muito doente. Você precisa de ajuda.* E o mais estranho é que uma parte de mim concorda. *Sim, se Kit fosse mais velho e fosse com ele, seria nojento em último grau. A simples ideia é impensável. Nem quero imaginar. Chega a me dar náusea.* Mas como explicar ao mundo exterior que Lochan e eu somos irmãos apenas por causa de um acidente biológico? Que nunca fomos irmãos na acepção da palavra, mas sempre parceiros, tendo que criar uma família real à medida que crescíamos? Como explicar que jamais senti Lochan como irmão e sim como algo muito, muito além disso – minha alma gêmea, meu melhor amigo, parte das próprias fibras do meu ser? Como explicar que essa situação, o amor que sentimos um pelo outro – tudo que aos olhos da sociedade pode parecer doentio, pervertido e repulsivo –, para nós é totalmente natural, maravilhoso e...tão certo?

À noite, depois que nos beijamos, aconchegamos e tocamos, ficamos deitados conversando até tarde. Falamos sobre qualquer coisa, sobre todas as coisas: como as crianças estão indo, casos engraçados da escola, como nos sentimos em relação um ao outro. E como eu o vi na escada tendo uma *conversa*, discutimos essa nova faceta que ele parece ter descoberto. Embora ele tente diminuir a importância do fato, acaba confessando que fez *uma espécie de amigo* em Declan, que tomou a iniciativa de se aproximar porque ambos receberam ofertas da University College. Falar com os outros é algo que ele sempre evita, mas fico eufórica. O fato de ter criado um vínculo com alguém fora da família significa que ele *pode* criá-los, que vai haver outros, e que assim que ele for para a universidade vai finalmente conhecer pessoas com quem tem algo em comum. E na noite em que Lochan me diz que conseguiu ficar na frente da turma inteira na aula de inglês e ler uma redação em voz alta, solto um gritinho que tem que ser silenciado por um travesseiro.

— Por quê? – pergunto, ofegante, encantada. – Por quê? O que aconteceu? O que mudou?

— Eu andei pensando… no que você falou, que eu devia dar um passo de cada vez e… bom, principalmente que você achava que eu conseguiria.

— E como foi? – pergunto, fazendo um esforço para continuar sussurrando, olhando nos olhos que, mesmo à meia-luz, exibem um leve brilho de vitória.

— Horrível.

— Ah, Loch!

— Minhas mãos tremiam e eu gaguejava e as palavras na página de repente viraram um bolo de hieróglifos, mas, sei lá como, consegui ir até o fim. E quando terminei, algumas pessoas, e não eram só meninas, chegaram a aplaudir. – Ele solta uma curta exclamação de surpresa.

— Ora, é claro que tinham que aplaudir! Suas redações são maravilhosas!

— Também teve um cara… chamado Tyrese, que é até legal… ele veio falar comigo quando a aula acabou e disse alguma coisa sobre a redação, não sei o que exatamente, porque ainda estava meio surdo de pavor – dá uma risada –, mas deve ter sido vagamente elogioso, porque ganhei um tapinha nas costas.

— Está vendo? – digo com doçura. – Eles se sentiram inspirados pela sua redação! Não admira que sua professora estivesse querendo tanto que você lesse uma em voz alta. Você disse alguma coisa para o Tyrese?

— Acho que alguma coisa tipo assim *ah-hum-tá-hã-valeu.* – Lochan solta um bufo debochado.

Dou uma risada.

— Isso é ótimo! E da próxima vez você vai conseguir dar uma resposta um pouco mais coerente!

Lochan sorri e se vira de lado, apoiando a cabeça na mão.

– Sabe, nos últimos tempos, mesmo quando você e eu não estamos juntos, às vezes eu penso que talvez consiga vencer esse troço, que um dia vou ser capaz de me tornar um cara normal.

Dou um beijo na ponta do seu nariz.

– Você é um cara normal, seu bobo.

Ele não responde, apenas começando a esfregar uma mecha de meus cabelos entre os dedos, pensativo.

– Às vezes eu me pergunto... – E se cala bruscamente, como se tivesse resolvido examinar meu cabelo com toda atenção.

– Às vezes você se pergunta...? – Inclino a cabeça e beijo o canto da sua boca.

– O que... eu faria sem você – conclui num sussurro, seu olhar evitando o meu.

– Iria dormir numa hora mais razoável, numa cama onde poderia rolar sem cair...

Ele ri baixinho no silêncio da noite.

– Ah sim, uma vida mais fácil sob tantos aspectos! Mamãe nunca devia ter engravidado tão depressa depois que me teve...

Ele se cala. A piada deixa um clima pesado, a escuridão sugando o nosso bom humor à medida que a verdade nas entrelinhas fica clara.

Depois de um longo silêncio, Lochan pergunta de repente:

– É óbvio que ela não nasceu para ter filhos, mas...não é que eu acredite em destino ou nada desse tipo, mas... e se nós estivéssemos predestinados?

Não respondo imediatamente, sem saber ao certo aonde ele quer chegar.

– Acho que o que estou tentando dizer é que talvez, o que parece ser uma situação horrível para milhares de crianças abandonadas, por causa do jeito como aconteceu com a gente, levou a uma coisa muito especial.

Reflito sobre suas palavras por um momento.

– Você acha que, se nós tivéssemos tido pais convencionais, ou simplesmente *pais*, ainda assim teríamos nos apaixonado?

Agora é ele quem fica em silêncio. O luar ilumina metade do seu rosto, banhando-a num brilho branco-prateado, a outra continuando imersa na sombra. Ele exibe aquele olhar distante que indica que está com a cabeça longe, ou refletindo seriamente sobre a minha especulação.

— Eu já me perguntei muitas vezes… – começa a dizer em voz baixa. Espero alguns momentos, e ele continua: – Muita gente afirma que as vítimas de abusos crescem e passam a cometê-los, por isso, para a maioria dos psicólogos, a negligência da nossa mãe, que é considerada uma forma de abuso, estaria diretamente associada ao nosso comportamento "anormal", que eles também interpretariam como sendo abusivo.

— Abusivo? – exclamo, atônita. – Mas quem está abusando de quem? No abuso, há um agressor e uma vítima. Como nós poderíamos ser vistos ao mesmo tempo como as duas coisas?

O brilho branco-azulado do luar ilumina o rosto de Lochan o suficiente para que eu veja sua expressão passar de pensativa a perturbada.

— Ora, Maya, basta pensar. Eu seria automaticamente visto como o agressor, e você como a vítima.

— *Por quê?*

— Quantos casos de irmãs mais novas que abusaram sexualmente dos irmãos mais velhos você já viu nos jornais? Pensa bem: quantas estupradoras e pedófilas existem por aí?

— Mas isso é um absurdo! – exclamo. – Poderia ter sido eu a forçar você a ter um relacionamento sexual! Não fisicamente, mas sei lá, com suborno, chantagem, ameaças, o que for! Você está dizendo que mesmo que eu tivesse abusado de *você*, as pessoas ainda achariam que eu era a vítima só porque sou mulher e um ano mais nova?

Lochan balança a cabeça devagar, seus cabelos negros arrepiados no travesseiro.

— A menos que houvesse alguma evidência muito forte em contrário, uma admissão de culpa da sua parte, testemunhas ou algo desse tipo, achariam, sim.

— Mas isso é tão sexista, tão injusto!

— Concordo, mas as pessoas tendem a basear os julgamentos em generalizações, e embora às vezes a situação deva se inverter, imagino que seja bastante raro. Antes de mais nada, tem o aspecto físico da questão… Por isso não chega a ser tão espantoso assim que em situações como essa as pessoas pensem automaticamente que os homens são os culpados, principalmente se forem mais velhos.

Encosto as pernas dobradas no estômago de Lochan e fico ruminando por algum tempo. Tudo isso parece tão errado. Mas ao mesmo tempo sei que também sou culpada dos mesmos preconceitos; sempre que escuto dizer que houve um estupro ou uma criança foi sequestrada, eu imediatamente penso no estuprador, no pedófilo.

— Mas e se *nenhuma das partes* estiver sendo vítima de um abuso? – pergunto de repente. – Se for cem por cento consensual, como no nosso caso?

Ele solta um lento suspiro.

— Não sei. Ainda seria contra a lei. Ainda seria incesto. Mas não há muitas informações a respeito, porque pelo visto é algo que acontece muito, muito raramente...

Paramos de conversar por um tempo. Por tanto tempo, na verdade, que começo a achar que Lochan pegou no sono. Mas quando viro a cabeça no travesseiro para descobrir, vejo que seus olhos estão bem abertos, fixos no teto, brilhantes e intensos.

— Lochie... — Viro de lado e passo os dedos pelo seu braço. — Quando você disse que *não há muitas informações a respeito*, o que quis dizer? Como você sabe?

Ele está mordendo o lábio de novo. Ao meu lado, seu corpo parece tenso. Ele hesita por um momento, e então torna a se virar para mim.

— Eu... dei uma pesquisada na Internet... Só queria... Só queria... — Respira fundo antes de recomeçar. — Só queria saber em que pé nós estamos.

— Em relação a quê?

— À... lei.

— Para descobrir um jeito de mudarmos nossos nomes? De vivermos juntos?

Ele esfrega o lábio, recusando-se a me olhar nos olhos, parecendo cada vez mais agitado e desconfortável.

— Que é? – pergunto em voz alta, começando a me assustar.

— Para ver o que aconteceria se fôssemos apanhados.

— Apanhados vivendo juntos? – pergunto, incrédula.

— Apanhados... tendo uma relação...

— Transando?

— É.

— Por quem?

— Pela polícia.

De repente começo a ter dificuldade para respirar, como se a traqueia estivesse se fechando. Sento bruscamente, os cabelos caindo no rosto.

— Olha só, Maya. Não é... Eu só queria checar... — Lochan se recosta na cabeceira da cama, lutando para encontrar palavras que me acalmem.

— Isso quer dizer que nós nunca vamos poder...?

— Não, não, não necessariamente — ele se apressa a dizer. — Só que não vai ser possível até as crianças crescerem e estarem seguras, e que mesmo nesse dia, vamos ter que tomar muito, muito cuidado.

— Eu sabia que era *oficialmente* ilegal — digo, desesperada. — Mas fumar maconha é ilegal, dirigir acima do limite de velocidade é ilegal, urinar em um lugar público é ilegal. Enfim, como a polícia poderia notar, e por que se importaria? Nós não estamos fazendo mal a ninguém, nem a nós mesmos! — Começo a ficar sem fôlego, mas estou determinada a expor meu ponto de vista. — E de todo modo, se nós chegássemos a ser apanhados, o que a polícia poderia fazer? Multar a gente? — Solto uma risada nervosa. Por que Lochan está tentando me assustar desse jeito? Por que está levando tudo tão a sério, como se estivéssemos cometendo um crime real?

Recostado na cabeceira da cama, Lochan me encara. Se não fosse pela expressão sofrida nos seus olhos, ele pareceria hilário, com aqueles cabelos todos em pé. Seu rosto irradia uma mistura de medo e desespero.

— Maya...

— Lochie, o que é? Qual é o problema?

Ele sussurra:

— Se nós fôssemos descobertos, seríamos presos.

LOCHAN

Felizmente estamos exaustos demais para continuarmos conversando sobre o assunto por muito mais tempo aquela noite. Antes de pegarmos no sono, no entanto, Maya quis saber mais detalhes: a que tipo de pena poderíamos ser condenados, se a lei era diferente em outros países – mas só pude repetir o pouco que tinha apurado com minha pesquisa secreta na Internet. Na verdade, há pouquíssimas informações disponíveis sobre incesto *consensual*, embora não faltem artigos sobre o tipo *não consensual*, que parece ser o único que a maioria das pessoas conhece. Fiz uma busca extensiva de depoimentos, mas só encontrei dois que tivessem chegado ao domínio público – nenhum deles no Reino Unido, e ambos entre irmão e irmã separados ao nascer que se reencontraram em adultos.

O assunto só volta a ser mencionado por alto no dia seguinte, para então ser abandonado de vez. Apesar de sua reação inicial, o choque e a indignação de Maya parecem ter se amenizado quando afirmei que a única informação jurídica que encontrei foi hipotética – em tese, sim, um casal acusado de incesto poderia ser condenado à prisão, mas isso raramente aconteceria caso se tratasse de dois adultos. Agora sou legalmente um adulto, e Maya está quase lá, por isso não vamos ter que esperar muito mais. A polícia não sai por aí atrás desse tipo de coisa. Mesmo que alguma pessoa aleatória *descobrisse* – o que seria extremamente improvável –, por que tentaria mandar nos prender, ou nos processaria? Por nos odiar? Por estar em busca de algum tipo de vingança? E a menos que tivéssemos filhos biológicos – o que seria insano –, como alguém poderia reunir provas suficientes para sustentar uma acusação no tribunal? A pessoa teria que nos apanhar em flagrante, e mesmo nesse caso seria a palavra dela contra a nossa.

Minha maior preocupação em relação ao futuro é como impedir que Kit, Tiffin e Willa sejam discriminados caso comecem a circular boatos de que eu e Maya estamos vivendo juntos e nunca nos relacionamos com pessoas do sexo oposto. Mas a essa altura eles já teriam suas próprias vidas, Maya e eu, espero, já teríamos ido embora e, se necessário, mudado nossos nomes através de uma escritura de declaração unilateral. Sim, nós poderíamos simplesmente mudar de nome e viver tão aberta e livremente quanto qualquer casal não casado. Sem termos que nos esconder, sem termos que ficar atrás de portas fechadas. Liberdade. E o direito de nos amarmos sem perseguições.

Mas no momento Maya e eu temos é que estudar às pressas para as provas. Ficamos pasmos quando, sem mais nem menos, Kit se oferece para levar Tiffin e Willa ao cinema, para nos dar tempo de estudar. Em outra ocasião, ele os leva ao parque para jogar uma pelada. Desde a época daquela partida de buldogue na rua, ele parou de ficar me hostilizando, de bater as portas, de provocar as crianças e de tentar minar minha autoridade o tempo todo. Não chegou propriamente a se transformar num anjo da noite para o dia, mas parece não se sentir mais ameaçado pelo meu papel na família. É quase como se tivesse aceitado a mim e a Maya como seus pais substitutos. Não faço a menor ideia do que ocasionou essa mudança. Talvez ele tenha arranjado um grupo de amigos melhores na escola. Talvez esteja apenas amadurecendo. Mas, qualquer que seja a razão, ouso acreditar que Kit realmente começou a virar a página.

Uma noite ele desce as escadas correndo para jantar, brandindo um papel, triunfante:

— Vou participar de uma excursão com a minha turma quando as aulas acabarem! Yesss, yesss, yesss! — Faz uma careta para provocar os outros dois.

— Pra onde? — grita Willa, excitada, como se também estivesse incluída.

— Ah! Mor injustiça! — exclama Tiffin, o rosto decepcionado.

— Aqui, rapidinho, você tem que assinar isso num vapt-vupt! — Kit acena com a folha acima do meu prato, enfiando a caneta na minha mão.

— Não sabia que o seu professor está esperando na porta!

Kit faz uma careta.

— Engraçadinho. Quer *assinar* esse troço logo de uma vez?

Dou uma olhada na carta e fico meio baqueado ao ver o preço, na mesma hora pensando num jeito de descolar a quantia. Sustar o cheque da conta de telefone que só depositei ontem, comer feijão durante os próximos quinze dias, inventar para mamãe que estamos sem água corrente e pedir grana para chamar o bombeiro...

Falsifico a assinatura de nossa mãe. Fico um pouco triste ao ver como Kit está delirando de excitação com a viagem; é só uma semana de atividades na Ilha de Wight, mas ele nunca foi mais longe do que Surrey.

— É no exterior! — diz ele para Tiffin. — Nós vamos ter que tomar um navio! Vamos pra uma ilha no meio do oceano!

Abro a boca para corrigir sua visão de uma ilha deserta cercada por palmeiras, para que ele não tenha uma amarga decepção, mas Maya olha para mim e balança sutilmente a cabeça. Ela tem razão. Kit não vai se decepcionar. Mesmo fria, chuvosa e barrenta, a Ilha de Wight vai parecer o paraíso para ele — e a um milhão de quilômetros de casa.

— O que vocês vão fazer lá? — pergunta Tiffin, desolado, costas jogadas na cadeira, cutucando pedaços de frango com o garfo.

Kit se esparrama na cadeira, lendo a carta recém-assinada:

— Canoagem, camping, rapel, corrida de orientação... — Sua voz se ergue com prazer crescente. — ... *equitação?* — Tira as pernas da cadeira, plantando os pés no chão com um baque perplexo. — Eu não tinha visto isso. Yesss! Eu sempre quis andar a cavalo!

— Eu também! — exclama Tiffin. — Por que não posso ir? Você pode levar irmãos?

— Vai ter cavalo! — Os olhos de Willa estão arregalados de incredulidade.

— Por que a St. Luke's nunca leva a gente pra fazer excursões? — O lábio inferior de Tiffin começa a tremer. — A vida é tão injusta.

Não me lembro de já ter visto Kit tão animado. O único problema é seu medo de altura. É uma coisa que ele jamais admitiu, mas houve uma ocasião, para sempre gravada na minha memória, em que ele desmaiou na beira do trampolim mais alto e despencou inconsciente na piscina. E ainda no ano passado, teve uma vertigem e caiu quando tentava escalar um muro alto com os amigos. Ele nunca praticou rapel e, como sei que preferiria morrer a ficar só sentado assistindo aos colegas, resolvo dar uma palavra com o Sr. Wilson, o professor encarregado da excursão, tendo o cuidado de lhe pedir que Kit não seja excluído, só que um adulto fique de olho nele. Mesmo assim, continuo preocupado. As coisas com Kit estão indo bem, quase bem demais. Tenho medo de que a viagem fique aquém das suas expectativas; e ainda mais medo de que, com sua natureza inconsequente, ele sofra algum acidente. Então me lembro do que Maya disse sobre eu sempre pensar na pior hipótese, e me obrigo a tirar todas as preocupações da cabeça.

No fim do trimestre, Maya e eu estamos exaustos de tanto ralar, e o feriadão da Páscoa se aproxima. Mal posso acreditar que em breve a escola vai ser uma coisa do passado. Salvo por algumas revisões depois do feriado, só faltam as provas, mais nada. Naturalmente, estou um pouco preocupado com elas, porque a localização da minha futura universidade pesa na balança, mas elas são a promessa de uma nova vida.

Nunca tive tão poucas chances de ficar a sós com Maya, e eu a quero toda para mim, mesmo que só por um dia. Mas Kit vai viajar em cima da Páscoa, e vamos ter que arranjar uma brecha para fazer as revisões finais durante essas duas semanas, sem descuidar das crianças. Tenho a sensação de que *nunca* vamos ter uma chance de ficar realmente a sós. Depois de passar o dia na escola, brincar com as crianças a tarde inteira, fazer as tarefas domésticas correndo e então meter a cara nos livros durante horas, mal sobra tempo para mais do que uns beijos antes de dormirmos nos braços um do outro. Sinto falta daquelas horas que tínhamos no fim de cada dia; sinto falta de acariciar cada parte do seu corpo, de sentir suas mãos nas minhas, de conversar até pegarmos no sono. E me sinto profundamente revoltado com o fato de que, só por considerarem nossa relação errada, todas essas horas de felicidade que poderíamos viver nos estão sendo roubadas, e somos obrigados a ficar nos esgueirando pelos cantos, sempre com medo de sermos apanhados.

Estou louco para poder fazer até as menores coisas – dar a mão a ela a caminho da escola, um beijo de despedida no corredor antes de seguir cada um para a sua sala, almoçar juntos, passar o recreio aconchegados num banco ou nos beijando apaixonadamente atrás de algum dos prédios, correr para um abraço quando nos encontramos nos portões depois da última campainha. Todas as coisas que os outros casais na Belmont fazem naturalmente. Seus namoros provocam assombro e inveja nos alunos que ainda estão sozinhos, apesar do fato de raramente durarem mais do que algumas semanas, logo desfeitos por causa de alguma briguinha boba ou porque pintou uma candidata mais bonita no pedaço. Não sinto horror ou nojo dessas pessoas por serem frívolas e levianas. Vejo tantas relações superficiais ao meu redor, tantos caras que só estão interessados em sexo, em mais um troféu para a sua coleção de conquistas, antes de passar para a próxima. É difícil de entender por que alguém entra num relacionamento sem qualquer sentimento verdadeiro, substancial, e no entanto ninguém os julga por isso. Eles são "jovens"; estão "só se divertindo" e, é claro, se é o que querem, por que não fariam isso? Mas, nesse caso, por que é tão terrível assim que eu fique com a mulher que amo? Todo mundo tem o direito de fazer o que quiser, de expressar seu amor como bem entender, sem medo de assédio, ostracismo, perseguição ou mesmo a lei. Até relacionamentos emocionalmente violentos e adúlteros costumam ser tolerados, apesar do mal que causam aos outros. Na nossa sociedade progressiva e permissiva, todos esses tipos de "amor" daninhos e doentios são permitidos – mas não o nosso. Não consigo pensar em nenhum outro tipo de amor que seja tão unanimemente rejeitado, embora o nosso seja profundo, apaixonado, generoso e forte a tal ponto que uma separação forçada nos causaria uma dor intolerável. Estamos sendo punidos pelo mundo por uma única e simples razão: o fato de termos sido gerados pela mesma mulher.

A raiva e a frustração me roem por dentro, embora eu tente controlá-las, embora procure me concentrar no dia em que Maya e eu finalmente vamos ser livres para viver juntos abertamente, livres para nos amarmos como qualquer casal. Às vezes, ainda pior do que vê-la a distância na escola é vê-la em casa, ao meu alcance, juntos mas separados, tão perto e tão longe. Ter que recolher a mão quando sinto o impulso de segurar a dela na mesa do jantar, tentar roçar nela "por acaso" só para sentir aquele arrepiozinho de prazer causado pelo contato com a sua pele. Olhar para o seu rosto quando ela lê para Willa no sofá, desejar sentir seus cabelos, seu rosto, sua boca. Embora mal possa esperar que a Páscoa chegue, para poder passar cada minuto do dia com ela, sei que essa distância ínfima mas impenetrável entre nós vai ser uma tortura.

* * *

E então, faltando dias para o trimestre acabar, um milagre acontece. Maya acaba de falar ao telefone uma noite e volta para a mesa de jantar anunciando que Freddie e a irmãzinha convidaram Tiffin e Willa para passar o fim de semana na casa deles. A coincidência não poderia ser mais oportuna – no mesmo dia em que Kit vai viajar para a Ilha de Wight. Dois dias – dois dias inteirinhos de horas ininterruptas um com outro. Dois dias de liberdade... Disfarçadamente, Maya olha para mim com uma expressão de pura felicidade, e eu me sinto encher de euforia como um balão de hélio. Enquanto Tiffin finge cair da cadeira de entusiasmo e Willa bate com os sapatos embaixo do tampo da mesa, sinto vontade de dar pulos de alegria, de sair dançando pela sala.

– Uau. Quer dizer então que sábado nós três vamos cair fora – comenta Kit, quase pensativo, olhando primeiro para Maya, depois para mim. – Vão ficar só você e Maya presos em casa.

Balanço a cabeça, dando de ombros, fazendo o possível para não deixar a euforia transparecer.

Não temos chance de comemorar até Maya pôr Tiffin e Willa para dormir, mas assim que ela termina, volta correndo para a cozinha, onde estou agachado, esfregando a geladeira com uma esponja de aço.

– Nós merecemos *tanto* isso! – sussurra numa alegria quase histérica, segurando meus ombros e me dando uma sacudida. Eu me endireito, rindo de sua expressão, seus olhos brilhando de entusiasmo. Largo a esponja e seco as mãos no jeans, enquanto ela passa os braços pelo meu pescoço e me puxa para si. Fechando os olhos, eu me perco em um beijo longo e apaixonado, afastando seus cabelos dos olhos. Ela começa a acariciar meu rosto, mas então se afasta bruscamente.

– Que foi? – pergunto, surpreso. – Está todo mundo lá em cima...

– Eu ouvi alguma coisa. – Ela olha fixamente para a porta da cozinha, que por descuido deixamos aberta.

Por um breve momento Maya e eu nos entreolhamos, alarmados. Então reconhecemos a batida distante da música de Kit e as vozes de Tiffin e Willa brigando no quarto acima de nós. Começamos a rir.

– Meu Deus, nós estamos com os nervos à flor da pele! – digo baixinho.

– Vai ser tão bom poder relaxar um pouco – diz Maya, suspirando. – Mesmo que seja só por dois dias. Esse clima de paranoia constante... com medo até de nossas mãos se roçarem!

— Dois dias de liberdade — sussurro, com um sorriso, puxando-a para mim.

Quando o grande dia finalmente se aproxima, começo a contar as horas. Kit deve ir para a escola à hora de sempre, e vamos levar Tiffin e Willa para a casa dos amiguinhos pouco depois. Quando forem dez horas da manhã de sábado, vamos descartar os rótulos sem sentido de irmão e irmã e ficar livres, finalmente livres do vínculo que nos separa.

Na noite de sexta, Kit já está pronto, suas sacolas enfileiradas cuidadosamente no corredor. Todo mundo está eufórico e eu me dou conta de que nos esquecemos de fazer a compra semanal e não há nada para comer em casa. Para meu espanto, Kit se oferece para ir ao mercado comprar alguma coisa para o jantar. Mas minha surpresa logo se transforma em aborrecimento quando ele volta com uma sacola cheia de batatas fritas, biscoitos, barras de chocolate, balas e sorvetes. Mas Maya só acha graça.

— É o fim do trimestre, a gente bem que podia comemorar um pouco!

Meio de má vontade, concordo, e a noite logo descamba numa folia generalizada, nós cinco fazendo piquenique no carpete em frente à tevê. A glicose de Tiffin vai às estrelas e ele começa a saltar cambalhotas do sofá, enquanto Kit tenta provocar um pouso forçado, ficando na sua frente. Willa quer participar, e começo a achar que alguém vai quebrar o pescoço, mas eles estão rindo tanto dos golpes de caratê de Kit que desisto de tentar pôr ordem na casa. De repente Kit tem a brilhante ideia de ir buscar os alto-falantes no sótão e improvisar um karaokê. Logo estamos todos espremidos no sofá, fazendo um esforço sobre-humano para não rir enquanto Willa nos brinda com sua interpretação de "Mamma Mia", errando a letra toda, mas cantando com tanta vontade que eu tenho certeza de que os vizinhos vão bater aqui em casa. A interpretação de Kit de "I Can Be" é impressionante, apesar dos palavrões, e Tiffin continua pulando pela sala, correndo e se jogando com as mãos espalmadas nas paredes como uma bola de borracha.

Às dez da noite, Willa já desmaiou de exaustão no sofá. Levo-a no colo para a cama, enquanto Maya arrasta Tiffin e seu pico de glicose para o banheiro. Esbarro com Kit no corredor e paro.

— Tudo pronto para amanhã? Tem tudo de que precisa?

— Yes! — responde ele com uma nota de satisfação, os olhos brilhantes.

– Kit, obrigado por essa noite – digo. – Você foi... enfim, muito legal.

Por um momento ele parece não saber ao certo como responder ao elogio. Parece constrangido, mas então sorri.

– É, mas toma cuidado. Os artistas costumam cobrar cachê.

Dou um empurrãozinho brincalhão nele e, quando ele sobe a escada com os enormes alto-falantes debaixo dos braços, percebo que a diferença de cinco anos entre nós já não parece tão abissal assim.

MAYA

Nunca vi Kit tão ansioso para ir à escola. Quem dera que fosse assim todos os dias, penso, abatida. Depois de devorar a torrada em três mordidas e engolir o suco em dois goles, ele pega o pacote com o lanche que Lochan lhe estende e vai depressa para o corredor a fim de apanhar o resto das coisas. Quando volta com as sacolas, olho para ele em sua nova jaqueta cáqui, comprada especialmente para a ocasião, contrastando com o jeans esburacado de que se recusa a se desfazer e o suéter rasgado e grande demais, e sinto uma pontada de tristeza. Seu cabelo louro-escuro está todo despenteado, e ele parece pálido das noites viradas em claro – magro, vulnerável, quase frágil.

– Lembrou de colocar o carregador do celular na mala? – pergunto.

– Lembrei, lembrei.

– Não esquece de dar uma ligada quando chegar, OK? – acrescenta Lochan. – E, de repente, no meio da semana também, só para a gente saber como você está.

– Tá legal, tá legal. – Ele cruza a alça de uma das sacolas no peito, pendurando a outra no ombro.

– Está com o dinheiro que eu te dei? – pergunta Lochan.

– Não, gastei.

Os olhos de Lochan se arregalam.

Kit dá um risinho debochado.

– Vocês todos são tão ingênuos!

– Muito engraçado. Mas não vai gastar com cigarros, ou vão te mandar direto para casa.

— Só se eu for pego! OK... fui! — grita antes que Lochan possa responder, avançando pelo corredor.

— Tchau! — diz Willa de longe. — Vou sentir saudades!

— Me traz um presente! — grita Tiffin, otimista.

— Divirta-se e *comporte-se*! — grita Lochan.

— E tome cuidado! — acrescento.

A porta é batida, fazendo as paredes trepidarem. Dou uma espiada no relógio da cozinha, olho para Lochan e rio. Oito e meia: só pode ser um recorde. Menos um, penso, com expectativa crescente: só faltam dois.

Depois de um café da manhã forçado, Tiffin começa a pular de um lado para o outro, dizendo que não tem problema ser cedo demais, Freddie não vai se importar, a gente tem que ir! Willa se refugia no meu colo, remexendo os sucrilhos já ressecados na tigela, dizendo que está em dúvida se passar uma noite inteira na casa de outra pessoa é uma ideia tão boa assim. Ainda mais porque ela tem medo de escuro, às vezes tem pesadelos, Susie pode não querer deixá-la mexer nos seus brinquedos e quatro quarteirões é muito longe se ela decidir voltar para casa de madrugada. Lochan dá as costas para a pia e nos olha com uma expressão de tamanho horror que não posso deixar de rir.

Vou logo relembrando a Willa das vantagens de passar a noite com uma amiga da escola que não apenas tem um jardim com uma casinha, como também ganhou um filhote de cachorro. Willa se anima e de repente decide que na certa seu novo joguinho de chá vai ser muito útil, e então corre para o quarto a fim de incluí-lo na sacola de brinquedos. Assim que ela sai, Lochan se vira da pia com espuma até os cotovelos.

— E se ela mudar de ideia? — pergunta, preocupado. — Ela nunca dormiu fora antes. Poderia dar um piti de madrugada ou resolver voltar para casa assim que escurecer. Nós teríamos que ir buscá-la.

Caio na risada.

— Não se preocupe tanto, meu amor! Ela não vai fazer isso. Tiffin vai estar lá, ela adora a Susie e tem um *filhotinho de cachorro*, pelo amor de Deus.

Ele balança a cabeça, com um lento sorriso.

— Tomara que você tenha razão. Se aquele telefone tocar, eu juro por Deus que vou arrancar da tomada...

— Você faria isso com a sua irmã de cinco anos? — exclamo, fingindo estar chocada.

— Por uma noite inteira sozinho com você? Eu a venderia para os ciganos, Maya!

Rindo, vou pegar uma coisa na mesa do corredor.

— Adivinha só o que eu consegui. — Estendo o punho para ele, bem--humorada.

Lochan segura minha mão com delicadeza e desdobra os dedos.

— Uma chave?

— A chave de mamãe. Roubei do chaveiro dela quando deu um pulo aqui em casa no fim de semana passado para pegar umas roupas.

O rosto dele se ilumina.

— Uau, grande sacada!

— Concordo! É muito improvável que ela dê as caras, mas agora a gente sabe que mesmo que fizesse isso, não poderia entrar em casa!

— Que pena que a gente não pode impedi-la de entrar para sempre!

Depois de deixar as crianças na casa de Freddie, corro como fazia em pequena: eufórica, livre, veloz. Meus sapatos afundam nas poças de lama, respingando as pernas de salpicos imundos, levando umas senhoras de idade curvadas sob os guarda-chuvas a sair da frente depressa, me encarando, enquanto continuo em alta velocidade. O branco céu aguado abre as comportas, grossos cordões de chuva, um vento gelado fincando as farpas finas no meu rosto, espetando minha pele. Estou ensopada até os ossos, meu casaco se agitando aberto, a camisa quase transparente, a água escorrendo dos cabelos para as costas. Continuo correndo cada vez mais rápido. Sinto que estou prestes a ser levada pelo vento, elevada no ar como uma pipa, ora mergulhando, ora girando lá no alto, acima das árvores, rumo ao horizonte distante. Nunca me senti tão viva, transbordando de liberdade e alegria.

Batendo a porta e correndo para a cozinha, levanto os braços.

— Uau. — Fico olhando para ele, a felicidade ameaçando estourar em mim como um jorro de bolhas efervescentes. — Não acredito. Eu literalmente não acredito. Pensei que esse momento nunca chegaria.

Lochan começa a rir.

— Que foi? — pergunto.

— Você está parecendo um rato afogado.

— Muito obrigada!

– Vem cá! – Ele contorna a mesa depressa e me segura pelo pulso. – Me beija!

Rindo, inclino a cabeça, e ele leva as mãos quentes ao meu rosto.

– Ai, você está gelada! – Ele me dá um beijo leve, e então outro um pouco mais sério. Percebo que meu cabelo está pingando em cima dele.

– Me deixa trocar de roupa, então!

Subo as escadas correndo para o meu quarto. Quando puxo a toalha de baixo de uma pilha de roupas, Lochan entra e se joga na minha cama, sentando com os joelhos no peito, as costas na cabeceira. Esfrego o cabelo e seco o rosto, e então tiro a saia encharcada, tentando abrir o botão mais alto com uma das mãos enquanto me curvo para procurar uma calça jeans com a outra. Não consigo encontrá-la, e percebo que o botão está preso. Com um suspiro irritado, começo a puxá-lo com as unhas.

Vejo com o canto do olho Lochan se levantar e se aproximar.

– Argh, você é ainda mais desajeitada do que o Tiffin!

– É porque está molhado! Acho que a porcaria dessa camisa encolheu na chuva, ou sei lá o quê.

– Calma lá, calma lá... – Suas mãos quentes roçam as minhas, puxando com delicadeza o tecido encharcado. Tiritando, solto os braços e sinto sua franja fazer cócegas na minha testa quando ele se inclina para mim, cabeça baixa, o fôlego quente no meu rosto. Seus olhos estão franzidos de concentração, enquanto, sob seus dedos insistentes, o botão começa finalmente a afrouxar. Ele continua a remexê-lo, cabeça ainda curva, e eu sinto sua respiração acelerar, o calor irradiando do seu rosto. O botão de cima se abre e, sem levantar os olhos, ele começa a abrir o próximo.

Não me mexo, consciente de que nenhum de nós fala há vários segundos. Uma tensão estranha parece encher o espaço como um pensamento não revelado pairando entre nós. Lochan está determinado a abrir minha camisa, mas parece não acertar, as mãos trêmulas. Observo seu rosto com cuidado, imaginando se estará pensando o mesmo que eu. Quando ele chega ao terceiro botão, a camisa se abre, revelando o alto do sutiã. Ouço a respiração de Lochan acelerar enquanto ele continua a descer em silêncio, concentrado na tarefa. A beira de sua mão roça o alto do meu seio; ele está abrindo o último botão, e tenho consciência do rápido sobe e desce do meu peito, o toque dos seus dedos através do tecido fino e molhado arrepiando a minha pele. A camisa se abre, e ele a puxa pelos meus ombros, deixando-a cair no carpete. Quando está prestes a tocar meu sutiã, ele para de repente, uma das mãos acima dos meus seios, e basta esse único momento de hesitação para que eu entenda.

— Tudo bem — sussurro, minha voz subitamente fraca. — Eu quero.

Os olhos dele voam nervosos para os meus, o sangue quente nas faces, sua expressão uma mistura de medo e desejo.

— Tem certeza?

— Absoluta!

Lágrimas e risos redemoinham dentro de mim. Roço o rosto no dele com tanta delicadeza que sua pele parece as asas de uma borboleta. Fecho os olhos e passo os lábios de leve pelo seu rosto, mal o tocando, de modo que minha boca inteira começa a formigar. Ele também fecha os olhos, respirando fundo e soltando o ar muito lentamente. Meus lábios seguem uma trilha pelo seu pescoço até a reentrância sob a clavícula. Seus dedos se apertam ao redor dos meus e ele prende a respiração. Levantando a cabeça, beijo de leve o canto da sua boca antes de passar para o rosto. Sua boca segue a minha e eu o provoco, não permitindo que nossos lábios se encontrem, até que seu fôlego fica mais rápido e ele solta minha mão para segurar meu rosto, puxando minha boca para a sua. Finalmente começamos a nos beijar — beijos macios, suaves, levíssimos. Arrepios de prazer correm pelo meu corpo inteiro, e sua mão treme no meu rosto. Sua respiração se aprofunda, ele quer me beijar com mais força, mas eu resisto, tentando prolongar o momento o máximo possível. Ele toca meu rosto, passa os dedos pela face, e continuamos nossos pequenos beijos leves como plumas, pele contra pele, tão quentes, tão familiares, tão suaves, até que ele cruza os braços por minhas costas e abre o sutiã.

Ele acaricia os meus seios com dedos trêmulos, rodeando os mamilos, meu corpo inteiro se arrepiando de excitação. Olhos fixos, testa franzida, ele parece estar prendendo a respiração. Então, de repente ele solta um pequeno gemido, o ar saindo de seus pulmões de um jorro. Com gestos inseguros, pego a barra de sua camiseta. Como ele não reclama, puxo-a com delicadeza pela sua cabeça. Quando ele reaparece, cabelos desgrenhados, passa as pontas dos dedos pela minha pele, beijando meus seios. Desabotoo sua calça jeans e ele respira com força, o corpo imediatamente se contraindo quando o toco. Seu hálito é quente e úmido, a respiração rápida no meu rosto, e ele procura minha boca, me beijando ainda com mais força. Quando me puxa para perto, um tremor forte percorre seu corpo, passando para o meu. Seus braços me enlaçam com força, e o calor do seu peito apertando o meu quase me faz gritar. Ele está beijando meu pescoço, meus ombros, meus mamilos, se interrompendo para respirar em pausas curtas, as mãos nos meus seios, meu estômago, dentro da minha calcinha, puxando-a pelas pernas. Termino de tirá-las, e então ficamos totalmente nus, pela primeira vez em plena luz do dia.

Como é maravilhoso ficarmos assim, juntos, com a porta aberta, a janela aberta, as cortinas esvoaçando na brisa! As nuvens de chuva se foram e o sol saiu, e tudo no meu quarto parece branco e brilhante. Lochan tem o reflexo de tatear a maçaneta, mas então para, rindo. E de repente é como se toda a alegria e a felicidade do mundo estivessem aqui, bem aqui, entre nós, nesse quarto. Nosso amor, nosso primeiro gostinho de liberdade – até o sol parece irradiar a sua bênção –, e eu finalmente sentindo que tudo entre nós vai dar certo. Não vamos ter que nos esconder para sempre: as pessoas vão aceitar, vão *ter* que aceitar. Quando virem o quanto nos amamos, quando perceberem que sempre estivemos destinados a ficar juntos, quando compreenderem como estamos felizes – como poderão nos rejeitar? Foram todas as nossas lutas que nos permitiram chegar a esse momento, esse momento perfeito – finalmente nos abraçarmos, nos tocarmos, nos beijarmos sem medo de sermos apanhados, sem culpa ou vergonha – compartilhar nossos corpos, nossos seres, cada parte de nossas almas.

Ele me segue até a cama, deitando ao meu lado e continuando a me beijar, acariciando meus mamilos com as pontas dos dedos, lambendo meu pescoço. Toco no seu pênis, mas ele afasta minha mão, respirando com força.

– Espera… – Olha para mim, seu corpo retesado junto ao meu irradiando energia como um fio de alta tensão. – Maya, você… tem certeza?

Faço que sim devagar, começando a sentir uma pontinha de medo.

– Vai doer?

– Se doer, a gente… a gente para. Basta falar que eu paro. Vou ser supercuidadoso, prometo…

O fervor do seu tom me faz sorrir.

– Mas só se você tiver *certeza*… – Suas mãos parecem garras em volta dos meus pulsos, ainda tentando me impedir de tocá-lo.

Respiro fundo, como se me preparasse para saltar num abismo.

— Tenho. Absoluta.

Nossos olhos se fixam, selando um acordo silencioso, e em seu rosto vejo meu próprio medo e desejo refletidos.

— Você se lembrou de comprar...

— Lembrei. — Ele se levanta depressa e sai do quarto.

Momentos depois, volta com o pacotinho na mão. Sinto um tremor de pânico no coração. Sem uma palavra, Lochan senta de costas para mim e começa a rasgar a embalagem de papel metalizado roxo. Recostada nos travesseiros, eu me cubro com o edredom. Meu coração martela no peito. Não posso acreditar que vamos mesmo fazer isso. Observo a curva lisa e branca da sua espinha, os ângulos agudos das espáduas, o tórax se expandindo e se contraindo depressa, os músculos dos braços se retesando enquanto suas mãos continuam ocupadas entre as pernas. Noto que ele está tremendo.

Finalmente ele se vira para mim, a respiração curta e rápida. Eu me inclino para beijá-lo e nós nos deitamos, sua boca feroz e urgente na minha. Dessa vez ele está em cima de mim, apoiado sobre os cotovelos, esfregando o rosto no meu. Passo as mãos pelo seu estômago e o sinto estremecer. Hesitante, afasto as pernas e dobro os joelhos. Sinto uma cutucada na minha coxa.

— Mais para cima — sussurro.

Agora ele parou de me beijar, seu rosto centímetros acima do meu, um vinco de concentração entre as sobrancelhas enquanto ele se remexe ligeiramente, tentando encontrar o lugar certo. Depois de várias tentativas, ele se inclina de lado e tenta guiar sua virilidade com a mão. Seus dedos esbarram na minha perna.

— Me ajuda — sussurra ele.

Levo a mão à sua e, depois do que parece uma eternidade, dirijo-o ao ponto certo. Retiro a mão e na mesma hora fico tensa. Lochan pressiona contra mim; eu tremo de antecipação; nunca vai caber. Por um momento, nada acontece. Então, sinto-o começar a entrar em mim.

Respiro com força. O rosto de Lochan paira acima do meu, olhando para mim, respirando depressa e com esforço. Seus olhos estão bem abertos, as íris verdes com pontinhos azuis. Posso distinguir cada cílio, os vincos nos lábios, as gotinhas de suor na testa. E posso senti-lo dentro de mim, seu corpo tremendo com o desejo de ir mais fundo.

— Você está bem? — pergunta ele com voz trêmula.

Faço que sim.

– Posso... continuar?

Faço que sim novamente. Dói, mas isso não tem importância no momento. Eu o quero, quero abraçá-lo, quero senti-lo dentro de mim. Ele começa a ir mais fundo. Uma punhalada aguda me faz estremecer, mas então de repente ele está todo dentro de mim. Estamos o mais perto que duas pessoas podem estar. Dois corpos que se fundiram em um...

Lochan ainda está olhando para mim, um olhar urgente, sua respiração recortada, curta, ofegante. Ele começa a se mover devagar para frente e para trás, os cotovelos afundados no colchão, agarrando o lençol de cada lado da minha cabeça.

– Me beija – peço, arfando.

Ele abaixa o rosto em direção ao meu, os lábios roçando meu rosto, meu nariz, lentamente se aproximando da minha boca. Ele me beija com delicadeza, muita delicadeza, agora respirando com força. A dor entre minhas pernas começa a passar enquanto ele continua a se mover dentro de mim, e eu sinto outra sensação que faz meu corpo inteiro tremer. Passo as costas das mãos pelo seu peito e estômago, pelas depressões entre os quadris até os lados, incentivando-o com as mãos a ir mais depressa. Ele faz isso, apertando os lábios e prendendo a respiração, o rubor no seu rosto aumentando, se espalhando pelo pescoço e pelo peito. O suor brilha no seu rosto inteiro, uma pequena gota escorrendo por ele e caindo no meu. Quando ele se move, sua franja roça minha testa. Escuto o som da minha própria respiração, pequenas baforadas de ar escapando da boca, se misturando com as dele. Não quero que isso jamais acabe: esse medo misturado com êxtase, todo o meu ser pulsando de desejo, a pressão do seu corpo contra o meu. A sensação dele dentro de mim, se movendo contra mim, me fazendo tremer de excitação. Inclino a cabeça para outro beijo e seus lábios descem sobre os meus, dessa vez com mais força. Fechando os olhos, ele se afasta e prende a respiração por alguns segundos, e então a solta num jorro. De repente ele volta a abrir os olhos, a expressão desesperada e urgente.

– Está tudo bem – tranquilizo-o depressa.

– Não posso... – As palavras travam na sua garganta e eu o sinto tremer contra mim.

– Tudo bem!

Com um curto arquejo, seus movimentos começam a ficar mais rápidos.

– Desculpe!

Sinto-o se remexer dentro de mim, sua pelve afundando na minha. De repente ele parece preso no seu próprio mundo. Ele fecha os olhos e seus arquejos recortados rasgam o ar, seu corpo ficando cada vez mais rijo, suas mãos crispando os lençóis. Então, respirando fundo e alto, ele pressiona o corpo com força dentro de mim, e de novo, e de novo, tremendo violentamente com uma série de gemidos guturais, ferozes.

Quando ele fica imóvel, o peso inteiro do seu corpo me pressiona e descai, seu rosto se enterrando no meu pescoço. Ele me abraça com muita força, seus braços pressionando os meus, os dedos cravados nos meus ombros, o corpo ainda se contorcendo. Expirando lentamente no frio ar do quarto, passo a mão pelos seus cabelos úmidos, pelo pescoço e pelas costas, sentindo seu coração bater com violência contra o meu. Beijo seu ombro, a única parte que alcanço, olhando assombrada para o velho teto azul desbotado.

A realidade foi alterada, ou pelo menos minha percepção dela mudou drasticamente. A sensação de tudo é diferente, a aparência é diferente... Por alguns momentos nem sei mais quem sou. Esse menino, esse homem deitado entre meus braços se tornou parte de mim. Temos uma nova identidade juntos: as duas metades de um todo. Nos últimos minutos, tudo entre nós mudou para sempre. Eu vi Lochie como ninguém jamais o viu, eu o senti dentro de mim, no auge da vulnerabilidade e, por minha vez, eu me abri para ele. Naqueles minutos, eu o recebi dentro de mim, eu me tornei parte dele, tão próximos quanto dois seres separados possam ficar.

Ele levanta a cabeça devagar do meu ombro e me olha com ar preocupado.

– Você está bem? – pergunta, arfando.

Faço que sim, sorrindo.

– Estou.

Ele solta um suspiro de alívio e dá um beijo no meu pescoço, o suor escorrendo entre nós. Ele me beija entre arquejos, e quando vejo seu rosto vermelho e transtornado, começo a rir. Olhando para mim, ele também começa a achar graça, todo o seu ser parecendo irradiar alegria. E de repente, penso: *Durante todo esse tempo, durante toda a minha vida, aquele caminho acidentado e pedregoso me conduziu a esse único ponto. Eu o segui cegamente, cambaleando, arranhada e exausta, sem saber aonde levava, sem jamais me dar conta de que a cada passo eu me aproximava da luz no fim de um túnel longo e tenebroso. E agora que a alcancei, agora que estou aqui, quero pegá-la em minha mão, me agarrar a ela para sempre, para relembrá-la – o ponto em que minha vida realmente começou. Tudo que eu já quis, aqui e agora, foi capturado nesse único momento. O riso, a alegria, a imensidão do amor entre nós. Esse é o momento em que nasce a felicidade. Tudo começa agora.*

Então, da porta, vem um grito estilhaçador.

LOCHAN

Nunca na vida ouvi um som tão horrível. Um grito de puro terror, de ódio, fúria e rancor em estado bruto. E ele não para, se erguendo cada vez mais, se aproximando cada vez mais, bloqueando o sol, sugando tudo: o amor, o calor, a música, a alegria. Dilacerando a luz brilhante ao nosso redor, navalhando nossos corpos nus, arrancando o sorriso dos nossos rostos, roubando o ar dos nossos pulmões.

Maya me agarra, horrorizada, braços em volta de mim, me apertando com força, o rosto apertado no meu peito, como que implorando ao próprio corpo para se fundir com o meu. Por um momento não consigo reagir, apenas a apertando contra mim, preocupado só em protegê-la, em defender seu corpo com o meu. Então, escuto os soluços — os soluços histéricos, as acusações aos gritos, os uivos insanos. Eu me obrigo a levantar a cabeça e vejo, emoldurada pela porta aberta, nossa mãe.

Assim que seu olhar horrorizado encontra o meu, ela se atira em cima de nós, me agarrando pelos cabelos e puxando minha cabeça para trás com uma força inacreditável. Seus punhos me esmurram, suas unhas afiadas se cravam nos meus braços, nos meus ombros, nas minhas costas. Nem mesmo tento empurrá-la. Meus braços envolvem a cabeça de Maya, meu corpo aperta o dela, agindo como um escudo humano entre ela e essa louca, tentando desesperadamente protegê-la do ataque.

Maya grita de terror embaixo de mim, tentando se enterrar no colchão, me puxando para si com todas as forças. Mas então os gritos começam a se transformar em palavras, perfurando meu cérebro congelado, e eu escuto:

– Sai de cima dela! Sai de cima dela! Seu *monstro*! Seu monstro diabólico, pervertido! Sai de cima da minha filhinha! Sai! Sai! Sai!

Não me mexo nem solto Maya, embora continue a ser arrastado pelos cabelos para fora da cama. Maya, subitamente se dando conta de que a intrusa é nossa mãe, começa a lutar para se soltar de meus braços.

– Não! Mãe! Deixa ele! Deixa ele! Ele não fez nada! O que está fazendo? Você está machucando o Lochie! Não machuca o Lochie! Não machuca o Lochie! *Não machuca o Lochie!*

Ela está aos gritos, soluçando de terror, tentando se arrastar de baixo de mim, seus braços tentando empurrar mamãe, mas não deixo que as duas se encostem, não deixo que o monstro a alcance. Quando vejo a mão de unhas afiadas dar um rasante no rosto de Maya, giro o braço com força e ele atinge seu ombro. Ela cambaleia para trás e ouvimos um baque, seguido pelo barulho de livros despencando das prateleiras, e então sai do quarto, seus uivos ecoando pela escada até o andar de baixo.

Pulo da cama e bato a porta, passando o trinco.

– Depressa! – grito para Maya, pegando uma calcinha e uma camiseta na sua pilha de roupas e atirando-as para ela. – Veste isso. Ela vai voltar com Dave, ou sei lá quem. O trinco não é forte o bastante...

Maya está sentada no meio da cama, apertando o lençol contra o peito, cabelos desgrenhados, o rosto pálido de choque e lavado de lágrimas.

– Ela não pode fazer nada com a gente – diz, em desespero, sua voz se erguendo. – Não pode fazer nada, não pode fazer nada!

– Está tudo bem, Maya. Está tudo bem, está tudo bem. Veste isso, por favor. Ela vai voltar!

Só consigo encontrar minha cueca – o resto de minhas roupas deve estar enterrado debaixo da pilha de livros caídos.

Maya veste o que lhe entrego, levanta e corre para a janela aberta.

– Nós podemos fugir pela janela – exclama. – Podemos pular...

Puxo-a de volta, obrigando-a a sentar na cama.

– Presta atenção. Nós não podemos fugir. Eles nos apanhariam de qualquer maneira, e pensa, Maya, pensa! E os outros? Nós não podemos abandoná-los. Vamos ter que esperar aqui, está bem? Ninguém vai te machucar, prometo. Mamãe está só histérica. E ela não estava tentando te agredir, estava tentando te salvar. De mim. – Tenho que me esforçar para respirar.

— Não quero saber! — Maya está gritando de novo, lágrimas escorrendo pelo rosto. — Olha só o que ela fez com você, Lochie! Suas costas estão sangrando! Não consigo acreditar que ela te machucou desse jeito! Ela estava puxando seus cabelos! Ela... ela...

— Shhh, querida, shhh... — Eu me viro para ela na beira da cama, segurando seus braços para aquietá-la. — Maya, você *tem* que se acalmar. Você *tem* que me ouvir. Ninguém vai nos fazer mal, está entendendo? Eles só querem salvar você...

— Do quê? — pergunta ela, soluçando. — De quem? Eles não podem me tirar de você! Não podem, Lochie, não podem!

Mais gritos. Ficamos paralisados ao ouvi-los, agora vindos da rua. Sou o primeiro a chegar à janela. Mamãe está andando de um lado para o outro na frente da casa, gritando no celular.

— Vocês têm que vir agora! — soluça. — Ah, meu Deus, por favor, depressa! Ele já me deu um soco, e agora se trancou no quarto com ela! Quando entrei, ele tentou estrangulá-la! Acho que vai matá-la!

Vizinhos curiosos enfiam a cabeça pelas janelas e portas, alguns já atravessando a rua depressa para socorrê-la. Começo a suar frio, as pernas ameaçando se dobrar.

— Ela está ligando para o Dave — grita Maya, tentando me afastar quando começo a arrastá-la da janela. — Ele vai arrombar a porta. Eles vão te dar uma surra! Eu preciso descer e explicar tudo! Preciso dizer a eles que você não fez nada de errado!

— Não, Maya, não faça isso. Você não pode! Não vai fazer a menor diferença! Você tem que ficar aqui e me ouvir. Preciso falar com você.

De repente, já sei o que devo fazer. Sei que há apenas uma solução, que restou apenas uma maneira de salvar Maya e as crianças. Mas ela não quer me ouvir, lutando e chutando minhas pernas enquanto a abraço para impedir que corra até a porta. Eu a obrigo a sentar de novo na beira da cama, prendendo-a com meu corpo.

— Maya, você *tem* que me ouvir. Acho que tenho um plano, mas você *tem* que me ouvir, ou não vai dar certo. Por favor, querida, eu te imploro!

Maya para de relutar.

— Tá, Lochie, tá – choraminga. – Fala, estou ouvindo. Vou fazer. Faço tudo que você quiser.

Ainda segurando-a, olho para sua expressão apavorada, seus olhos alucinados, e respiro fundo, num esforço frenético para ordenar as ideias, me acalmar, conter as lágrimas crescentes que só vão aterrorizá-la ainda mais. Aperto seus pulsos com força e me preparo para agarrá-la se resolver dar uma carreira até a porta.

— Mamãe não está falando com Dave — explico, a voz tremendo muito. — Ela está falando com a polícia.

Maya fica paralisada, seus olhos azuis arregalados de choque. Lágrimas pendem dos seus cílios, a cor desapareceu do seu rosto. O silêncio no quarto é rompido apenas por sua respiração frenética.

— Vai ficar tudo bem — afirmo em tom categórico, me esforçando para manter a voz firme. — Na verdade, isso é até *bom*. A polícia vai resolver a questão. Eles vão acalmar mamãe. Vão me levar para me interrogar, mas vai ser só…

— Mas é contra a lei. — A voz de Maya está baixa de horror. — O que aconteceu entre nós. Vamos ser presos porque infringimos a lei.

Respiro fundo mais uma vez, meus pulmões falhando sob a tensão, a garganta ameaçando se fechar completamente. Se eu chorar, vai estar tudo acabado. Vou assustá-la tanto que ela vai deixar de me ouvir e nunca vai concordar com o que estou prestes a sugerir. Tenho que convencê-la de que essa é a melhor saída, a *única* saída.

— Maya, você tem que me ouvir, nós temos que passar por isso depressa, eles podem chegar a qualquer momento. — Paro e recobro o fôlego de novo. Apesar do terror nos seus olhos, ela apenas faz que sim, esperando que eu continue.

— Tudo bem. Primeiro você tem que lembrar que ser detido não significa ser preso. Nós não vamos ser presos, porque somos apenas adolescentes. Mas presta atenção: isso é muito, muito importante. Provavelmente mamãe vai estar bêbada, e mesmo que não esteja, a Agência de Serviço Social vai ser chamada pela polícia e as três crianças vão ser levadas por causa do que fizemos. Imagina só, Maya, imagina Tiffin, imagina como eles vão ficar apavorados. Pois se Willa estava com medo… — Minha voz treme e eu me calo por um momento. — … se W-Willa estava com medo de passar uma noite fora! — Lágrimas penetram meus olhos como facas. — Você entende? Entende o que vai acontecer com eles se nós dois formos presos?

Maya balança a cabeça para mim em silêncio, horrorizada, muda de choque, mais lágrimas enchendo seus olhos.

— Mas *existe* uma solução — continuo, desesperado. — Existe um jeito de impedir que tudo isso aconteça. Eles não vão levar as crianças se um de nós ficar aqui para cuidar delas e limpar a barra de mamãe. Está entendendo, Maya? — Começo a levantar a voz. — Um de nós tem que ficar. E tem que ser você...

— Não! — A voz de Maya é uma facada no meu coração. Aperto seus pulsos com mais força quando ela tenta se afastar. — Não! Não!

— Maya, se elas forem levadas pela Agência de Serviço Social, nenhum de nós vai voltar a pôr os olhos nelas até serem adultas! Elas vão ficar traumatizadas para o resto da vida! Se você me soltar, há uma boa chance de eu ser libertado em alguns dias. — Olho para ela, esperando que confie em mim o bastante para acreditar nessa mentira.

— *Você* fica! — Maya olha para mim, seus olhos suplicantes. — Você fica e *eu* vou! Não estou com medo. Por favor, Lochie. Vamos fazer desse jeito!

Faço que não, em desespero.

— Não vai dar certo! — digo, frenético. — Lembra aquela conversa que tivemos semanas atrás? Ninguém vai acreditar em nós se dissermos que foi *você* quem *me* forçou. E se dissermos que foi consensual, vão prender a nós dois! Nós *temos* que fazer desse jeito. Você não entende? Pensa, Maya, pensa! Você sabe que não há outras opções! Se um de nós vai ficar aqui, tem que ser você!

O corpo inteiro de Maya desaba para frente quando a conscientização a atinge. Ela cai sobre mim, mas não posso pegá-la nos braços, pelo menos ainda não.

— Por favor, Maya — imploro. — Diz que concorda. Diz agora, neste exato momento. Senão, eu vou enlouquecer sem saber... se você e os outros estão seguros ou não. Não vou aguentar isso. Você tem que concordar. Por mim. Por nós. É nossa única chance de ficarmos juntos como uma família novamente.

Ela abaixa a cabeça, seus lindos cabelos ruivos escondendo o rosto.

— Maya... — Um som frenético escapa de mim e eu lhe dou uma sacudida. — Maya!

Ela faz que sim em silêncio, sem levantar o rosto.

Vários minutos se passam sem que ela se mova. Com mãos trêmulas, enxugo o suor do rosto. Então, de repente, Maya levanta a cabeça com um soluço estrangulado e estende os braços, pedindo para ser confortada. Não posso fazer isso. Simplesmente não posso. Balançando a cabeça, ríspido, eu me afasto dela, prestando atenção para ver se escuto alguma sirene. Um murmúrio baixo de vozes se ergue abaixo de nós — provavelmente vizinhos preocupados, correndo para socorrer nossa mãe. Sem receber o abraço de que precisa tão desesperadamente, Maya busca conforto num travesseiro puxado contra o peito. Balançando-se para frente e para trás, ela parece estar em estado de completo choque.

— Tem mais uma coisa... — Viro-me para ela, me dando conta subitamente. — Nós... temos que combinar o que vamos dizer, ou eles vão me prender por mais tempo e você vai ser intimada a depor uma vez atrás da outra, e as coisas vão ficar muito mais complicadas...

Maya fecha os olhos, como se tentasse me apagar.

— Nós não temos tempo para inventar nada — digo, minha voz travando a cada palavra. — Vamos... vamos ter que contar exatamente o que aconteceu. Tudo que aconteceu, como começou, há quanto tempo vem rolando... Se nossas histórias não baterem, eles podem prender você também. Por isso você tem que dizer a verdade, Maya, está entendendo? Tudo, cada detalhe que perguntarem! — Respiro, frenético. — A única coisa que vamos acrescentar é isso: que fui eu que te forcei. *Eu te forcei a fazer tudo que nós fizemos*, Maya. Está me ouvindo?

Estou voltando a perder o controle, as palavras tremendo como o ar ao meu redor.

— A primeira vez que nós nos beijamos, eu disse que você tinha que deixar, ou... eu bateria em você. Eu jurei que se você contasse para alguém, eu te mataria. Você ficou apavorada. Você acreditou piamente que eu seria capaz de cumprir a ameaça, por isso, dali em diante, toda vez que... eu te quis, você... fez o que eu mandei.

Ela levanta o rosto para mim, horrorizada, lágrimas silenciosas escorrendo pelo rosto.

— Eles vão prender você!

— Não. — Balanço a cabeça, fazendo um esforço para soar o mais convincente possível. — Você só vai dizer que não quer prestar queixa. Se não houver acusador, não vai haver processo, e eu saio em alguns dias! — Fico olhando para ela em silêncio, implorando para que me acredite.

Ela franze a testa e balança a cabeça devagar, como se tentasse desesperadamente compreender.

— Mas isso não faz sentido...

— Confia em mim. — Estou respirando depressa demais. — A maioria dos casos de abuso sexual nunca vai a julgamento porque as vítimas têm medo e vergonha demais para prestar queixa. Por isso, você só vai dizer que também não quer prestar queixa... Mas, Maya — seguro seu braço —, você não deve nunca, *jamais* admitir que foi consensual. Não deve nunca, *jamais* admitir que participou do que aconteceu por livre e espontânea vontade. Eu forcei você. Não importa o que eles perguntem, não importa o que digam, eu ameacei você. Está entendendo?

Ela faz que sim, atordoada.

Sem me convencer, seguro-a pelos braços com rispidez.

— Não acredito em você! Me diz o que aconteceu! O que foi que eu fiz com você?

Ela levanta o rosto para mim, o lábio tremendo, os olhos brilhando de lágrimas.

— Você me estuprou — responde, levando as mãos à boca para abafar um grito.

Nós nos aconchegamos sob o edredom uma última vez. Ela está enroscada contra mim, o rosto encostado no meu peito, tremendo, em estado de choque. Abraço-a com força, olhando para o teto, morto de medo de começar a chorar, morto de medo de que ela veja como estou apavorado, morto de medo de que de repente entenda que, embora *ela* não vá prestar queixa, há uma pessoa que vai.

— N-não entendo — exclama. — Como isso foi acontecer? Por que mamãe resolveu voltar logo hoje? Como ela conseguiu entrar sem a chave?

Estou estressado demais para pensar nisso, ou me importar. A única coisa que importa é que fomos apanhados. Denunciados à polícia. Nunca cheguei a pensar que as coisas poderiam chegar a esse ponto.

— Deve ter sido algum vizinho. Nós não tomamos cuidado com as cortinas. — Maya treme com um soluço silencioso. — Você ainda tem tempo. Lochie, eu simplesmente não entendo! Por que você não foge? — Sua voz se ergue, angustiada.

Porque aí não vou estar presente para contar a minha versão da história. A versão que quero que a polícia escute. A versão que te absolve de qualquer culpa. Se eu fugir, eles podem prender você. E se nós dois fugirmos, vamos nos expor como cúmplices, e aí vai estar tudo acabado.

Não digo nada, apenas a abraço com mais força, na esperança de que ela confie em mim.

O som da sirene nos assusta. Maya levanta correndo da cama e tenta alcançar a porta. Obrigo-a a voltar e ela começa a chorar.

— Não, Lochie, não! Por favor! Me deixa descer e explicar. Vai parecer tão pior desse jeito!

Mas eu preciso que pareça pior. Preciso que pareça o pior possível. De agora em diante, tenho que pensar como um estuprador, agir como um estuprador. Provar que estou mantendo Maya aqui contra a sua vontade.

Sons de portas de carro batendo se elevam da rua. A voz histérica de mamãe recomeça.

A porta da sala é batida. Passos pesados na escada. Maya fecha os olhos com força e se aperta a mim, soluçando em silêncio.

— Vai dar tudo certo — sussurro no seu ouvido, desesperado. — Isso é só uma formalidade. Eles só vão me levar para me interrogar. Quando você disser a eles que não quer prestar queixa, eles vão me soltar.

Abraço-a com força, afagando seus cabelos, esperando que um dia entenda, que um dia me perdoe por mentir. Tento me controlar para não pensar, para não entrar em pânico, para não hesitar. Vozes altas no andar de baixo, principalmente de mamãe. O som de múltiplos passos na escada.

— Me solta — sussurro, meu tom urgente.

Ela não responde, ainda apertada contra mim, a cabeça enterrada no meu ombro, os braços envolvendo meu pescoço com força.

— Maya, me solta agora! — Tento afastar seus braços. Ela não quer me soltar. Ela não quer me soltar!

As batidas na porta nos dão um susto violento. O barulho é seguido por uma voz dura e autoritária:

— Aqui é a polícia. Abra a porta.

Desculpe, mas acabei de estuprar minha irmã e a estou mantendo aqui contra sua vontade. Não posso ser tão amável assim.

Eles me dão um aviso. Então, o primeiro golpe se faz ouvir. Maya solta um grito aterrorizado. Ela ainda se recusa a me soltar. É fundamental que eu faça com que ela se vire, pois assim, quando eles entrarem, vão me encontrar imobilizando-a de costas para mim, os braços presos. Outra rachadura. A madeira em volta do trinco começa a se arrebentar. Só mais um golpe, e eles vão entrar.

Empurro Maya com todas as minhas forças. Olho nos seus olhos – seus lindos olhos azuis – e sinto as lágrimas encherem os meus.

– Eu te amo – sussurro. – Me perdoa! – Então, levanto a mão direita e dou um tapa violento no seu rosto.

Seu grito enche o quarto segundos antes de o trinco ser arrebentado e a porta se escancarar. De repente a soleira está ocupada por uniformes pretos e rádios chiando de estática. Meus braços rodeiam os de Maya e sua cintura, prendendo suas costas a mim. Sob a mão apertada na sua boca, sinto um filete de sangue que me enche de alívio e coragem.

Quando eles ordenam que eu a solte e me afaste da cama, não consigo me mexer. Preciso colaborar, mas constato que é fisicamente impossível. Estou paralisado de medo. Medo de destapar a boca de Maya e ela começar a contar a verdade. Medo de que depois que levarem Maya eu nunca mais volte a vê-la.

Eles me mandam pôr as mãos para o alto. Começo a soltar Maya. *Não, estou gritando por dentro. Não me deixe, não vá! Você é o meu amor, a minha vida! Sem você, eu não sou nada, não tenho nada. Se eu te perder, eu perco tudo.* Levanto as mãos muito devagar, me esforçando para mantê-las no ar, lutando contra o instinto imperioso de voltar a pegar Maya em meus braços, de beijá-la uma última vez. Uma policial se aproxima, cautelosa, como se Maya fosse um animal selvagem prestes a fugir, e a convence a se afastar da cama. Ela solta um soluço curto, abafado, mas a ouço respirar fundo e prender o ar. Alguém a envolve com um cobertor. Estão tentando convencê-la a sair do quarto.

– Não! – grita ela. Rompendo num súbito jorro de soluços desconsolados, ela se vira freneticamente para mim, seu lábio inferior manchado de sangue. Lábios que uma vez tocaram os meus com tanto carinho, lábios que conheço tão bem, que amo tanto, lábios que jamais pensaria em ferir. Mas agora, com o lábio cortado e o rosto lavado de lágrimas, ela parece tão chocada e exausta que mesmo que perdesse a força de vontade e contasse a verdade, tenho quase certeza de que não seria acreditada. Seus olhos encontram os meus, mas sob o olhar atento dos guardas não posso fazer o menor sinal para tranquilizá-la. *Vai, meu amor,* peço a ela com o olhar. *Segue o plano. Faz isso. Faz isso por mim.*

Quando ela se vira, seu rosto se contrai e eu contenho o impulso de gritar seu nome.

Assim que Maya sai do caminho, os dois guardas caem em cima de mim. Cada um segurando um de meus braços, eles me instruem a levantar devagar. Faço isso, retesando cada músculo e trincando os dentes, numa tentativa de parar de tremer. Um guarda corpulento, de olhos miúdos e rosto flácido, dá um sorrisinho cruel quando me levanto da cama e o lençol cai e fico exposto só de cueca.

— Acho que não vamos precisar revistar esse aí — diz, com uma risada.

Posso ouvir Maya chorando no andar de baixo.

— O que vão fazer com ele? O que vão fazer com ele? — ela não para de gritar.

A resposta é repetida uma vez atrás da outra por uma voz feminina que tenta acalmá-la:

— Não se preocupe. Você está segura agora. Ele não vai poder machucá-la de novo.

— Você tem o que vestir? — pergunta o outro guarda. Não parece ser muito mais velho do que eu. Há quanto tempo estará na polícia? Será que já esteve envolvido em algum caso sórdido desses?

— No meu q-quarto...

Ele me segue até lá e fica vigiando enquanto me visto, seu rádio chiando no silêncio. Sinto seus olhos nas minhas costas, no meu corpo, e fico morto de nojo. Não consigo encontrar uma roupa limpa. Por algum motivo irracional, sinto a necessidade de vestir alguma coisa recém-lavada. A única à mão é o uniforme da escola. Sinto a impaciência do cara na porta às minhas costas, mas estou tão desesperado para cobrir o corpo que nem consigo pensar direito, não consigo lembrar onde guardo as coisas. Finalmente visto uma camiseta e uma calça jeans, enfiando os pés nos tênis antes de perceber que a camiseta está ao avesso.

O policial corpulento aparece no quarto. Eles parecem imensos nesse espaço apertado. Estou morto de vergonha da cama desfeita, das meias e cuecas atulhando o carpete. Do trilho das cortinas quebrado, da velha escrivaninha cheia de arranhões, das paredes descascadas. Sinto vergonha de tudo. Dou uma olhada no pequeno retrato de família ainda preso por uma tachinha à parede acima da cama, de repente desejando poder levá-lo comigo. Alguma coisa, qualquer coisa para me lembrar de todos eles.

O policial mais velho me faz algumas perguntas básicas: nome, data de nascimento, nacionalidade... Minha voz ainda treme, apesar de todos os meus esforços para mantê-la firme. Quanto mais tento não gaguejar, pior. Quando tenho um branco e não consigo lembrar nem meu aniversário, eles me olham de cima, como se achassem que estou deliberadamente omitindo essa informação. Presto atenção para ver se escuto a voz de Maya, mas não ouço nada. O que terão feito com ela? Para onde a terão levado?

— Lochan Whitely — começa o policial num tom impessoal, mecânico. — Uma denúncia foi feita à polícia de que você estuprou a sua irmã de dezesseis anos de idade. Você está sendo detido por infringir a Seção Vinte e Cinco da Lei dos Crimes Sexuais e praticar o ato sexual com uma criança da família.

A acusação me atinge como um soco no estômago. Isso me faz parecer mais do que um estuprador: um pedófilo. Maya, uma criança? Ela não é criança há anos. E nem está abaixo da idade mínima estipulada pela lei para se fazer sexo! De repente, entendo com a maior clareza: mesmo faltando duas semanas para o seu aniversário de dezessete anos, ela ainda é uma criança aos olhos da lei, enquanto eu, aos dezoito, já sou um adulto. Treze meses. Tanto faria se fossem treze anos... O oficial agora está lendo os meus direitos.

— Você não é obrigado a dizer nada. No entanto, poderá prejudicar a sua defesa se omitir, ao ser interrogado, qualquer coisa que declare posteriormente durante o julgamento. Tudo que disser poderá ser usado como evidência. — Sua voz é deliberada, fria, destituída de qualquer emoção. Mas isso não é um seriado policial. Isso é a vida real. Eu cometi um crime real.

O policial mais jovem me informa que agora vou ser levado para a "viatura". O corredor é muito estreito para nós três. O policial grandalhão segue à frente, seu andar lento e pesado. O outro aperta meu braço acima do cotovelo com força. Consegui esconder o medo até agora, mas quando nos aproximamos da escada, de repente me sinto à beira de uma crise de pânico. O motivo não poderia ser mais prosaico: a simples vontade de urinar. Mas de repente percebo que é imperiosa, e não faço a menor ideia de quando vou ter a próxima chance. Depois de horas de interrogatório, trancado em alguma cela, na frente de um bando de prisioneiros? Paro de andar, cambaleando, no alto da escada.

— Vamos em frente. — Sinto o empurrão de uma mão firme entre as minhas espáduas.

— Posso... posso por favor usar o banheiro antes de sair? — Minha voz sai apavorada e frenética. Sinto o rosto arder, e assim que as palavras saem da boca, gostaria de poder retirá-las. Que vexame.

Eles se entreolham. O cara corpulento suspira, balançando a cabeça. Eles me deixam entrar no banheiro. O policial mais jovem fica parado diante da porta aberta.

As algemas não facilitam em nada as coisas. Sinto a presença do cara enchendo o pequeno banheiro. Vou girando o corpo de mau jeito até ficar de costas para ele, e tenho um trabalho enorme para desabotoar a calça. O suor começa a escorrer pelo pescoço, pelas costas, colando a camiseta à pele. Os músculos dos joelhos parecem vibrar. Fecho os olhos e tento relaxar, mas a vontade é tão forte que é impossível. Não consigo. Não consigo, e ponto final. Não desse jeito.

— Não temos o dia inteiro. — A voz atrás de mim me faz estremecer. Aboto a calça e dou a descarga no vaso vazio. Volto a me virar para ele, envergonhado demais até para levantar a cabeça.

Enquanto descemos de mau jeito pela escada estreita, o policial mais jovem diz, num tom mais brando:

— A delegacia não fica muito longe. Lá você vai ter mais privacidade.

Suas palavras me derrubam. Uma gota de bondade, uma migalha de compaixão, apesar do crime terrível que cometi. Sinto minha máscara começar a escorregar. Respirando fundo, mordo o lábio com força. Para o caso de Maya me ver, é fundamental que eu saia de casa sem chorar.

Vozes se elevam e abaixam na cozinha. A porta está fechada. Então, foi para lá que a levaram. Espero de coração que ainda a estejam tratando como a vítima, confortando-a, e não a bombardeando de perguntas. Tenho que trincar os dentes, contrair cada músculo no corpo para não correr até ela, abraçá-la, beijá-la uma última vez.

Noto uma corda de pular cor-de-rosa pendurada no corrimão. Uma bala de gelatina da noite passada no carpete. Pequenos sapatos espalhados em volta do cabideiro diante da porta. As sandálias brancas de Willa, e os tênis que finalmente aprendeu a amarrar — tudo tão miudinho. Os sapatos da escola gastos de Tiffin, suas amadas chuteiras, luvas e bola "da sorte". Acima, os blazers da escola pendurados, vazios, como fantasmas das pessoas que eles são. Eu os quero de volta, quero minhas crianças de volta. Sinto uma saudade excruciante delas, a dor uma punhalada no coração. Estavam tão afoitas para sair que nem tive tempo de abraçá-las. Não cheguei a me despedir.

No momento em que sou empurrado pela porta, um movimento me chama a atenção e eu paro. Viro a cabeça em direção a uma figura na poltrona e, chocado, reconheço Kit. Ele está pálido e imóvel, ao lado de uma policial, suas malas feitas com tanto cuidado para a excursão à Ilha de Wight jogadas de qualquer jeito aos seus pés. Quando ele se vira devagar para mim, eu o encaro, compreendendo. Levo um empurrão nas costas, me dizem para "me mexer". Cambaleio, batendo na ombreira da porta, meus olhos implorando a Kit por uma explicação.

— O que está fazendo aqui? — Não posso acreditar que ele esteja presenciando tudo isso. Não posso acreditar que tenham dado um jeito de encontrá-lo antes de viajar e o envolvido nisso. Ele só tem treze anos, pelo amor de Deus! Tenho vontade de gritar. Ele deveria estar curtindo a viagem da sua vida, não assistindo ao irmão ser preso por abusar sexualmente da irmã. Tenho vontade de começar a chutá-los de fúria, obrigá-los a deixar meu irmão ir em paz.

Seus olhos descem do meu rosto até as algemas que rodeiam meus pulsos, e então para os policiais que tentam me arrastar. Seu rosto está pálido, chocado.

— Você contou pra ele! — grita de repente, me dando um susto.

Olho para ele, aturdido.

— O quê...?

— O Professor Wilson, de educação física! Você contou pra ele que eu tinha medo de altura! — De repente ele está gritando comigo, seu rosto contorcido de fúria. — Assim que eu cheguei à escola, ele me tirou da lista de rapel na frente da turma inteira! Todo mundo riu de mim, até meus amigos! Você estragou aquela que ia ser a melhor semana da minha vida!

Eu me obrigo a parar de respirar, sentindo o coração começar a martelar.

— Foi você? — sussurro, ofegante. — Você sabia? Sobre Maya e eu? Você *sabia*?

Ele faz que sim, em silêncio.

— Sr. Whitely, o senhor precisa vir conosco agora!

O comentário sobre Maya e eu ficarmos sozinhos em casa, o barulho na porta quando estávamos nos beijando na cozinha... Mas por que ele não nos confrontou? Por que esperou até agora para nos dedurar?

Porque ele não queria ser mandado para uma instituição. Porque não tinha a menor intenção de nos dedurar.

Por algum estranho motivo, fico desesperado para que ele saiba que nunca pedi que fosse cortado da lista de rapel, que jamais sonhei que poderia ser humilhado na frente dos amigos, que *jamais* quis estragar a sua primeira viagem, o dia mais feliz da sua vida. Mas os policiais estão gritando comigo, me empurrando pela porta, agora com uma força considerável, sem se importar se meus ombros batem nas paredes, me arrastando para a viatura que me aguarda. Consigo virar a cabeça, freneticamente tentando falar com ele.

Os vizinhos foram em peso para a rua, se aglomerando ao redor da viatura, olhando com ar fascinado enquanto sou empurrado para o banco traseiro. O cinto é traspassado no meu peito e a porta batida. O policial grandalhão senta na frente, seu rádio ainda crepitando, e o mais jovem senta na traseira comigo. Os vizinhos se aproximam como uma lenta onda, se inclinando, espiando, apontando, suas bocas se abrindo e fechando com perguntas silenciosas.

De repente, escuto uma pancada violenta na porta ao meu lado. Viro a cabeça a tempo de ver Kit dando tapas frenéticos na janela.

– Me perdoa! – grita ele, o som quase totalmente abafado pelo vidro blindado. – Lochie, me perdoa, me perdoa, me perdoa! Eu não pensei nas consequências… Nunca imaginei que ela fosse ligar pra polícia! – Ele está chorando convulsivamente, como não faz há anos, as lágrimas fustigando o rosto. Seu corpo se sacode de soluços violentos e ele dá socos na vidraça, numa tentativa enlouquecida de me libertar. – Volta! – grita. – Volta!

Luto com a porta trancada, desesperado para lhe dizer que está tudo bem, que vou voltar em breve – embora saiba muito bem que não é verdade. No entanto, mais do que qualquer outra coisa, quero lhe dizer que está tudo bem, que sei que ele nunca pretendeu que as coisas chegassem a esse ponto, que entendo que apenas cedeu ao impulso de revidar num momento de mágoa, raiva e amarga decepção. Quero dizer a ele que é claro que o perdoo, que ele não teve a menor culpa pelo que aconteceu, que eu o amo, que sempre o amei, apesar dos pesares…

Um vizinho o arrasta, e o carro começa a se afastar do meio-fio. Quando ganha velocidade, viro a cabeça para olhá-lo uma última vez e, pelo vidro fumê, vejo Kit correndo atrás de nós, suas pernas compridas batendo no asfalto, o velho olhar de cega obstinação no rosto – a mesma determinação que demonstrava durante todas as peladas, partidas de pique e buldogue que costumávamos disputar... Ele consegue acompanhar o carro até chegarmos ao fim da ruela estreita. Virando a cabeça para trás, desesperado para não perdê-lo de vista, vejo-o finalmente parar, os braços caídos ao longo do corpo: derrotado, chorando.

Nunca deixem Kit perder!, tenho vontade de gritar para os policiais. *Nunca deixem nenhum deles perder! Mesmo que antes deem uma canseira neles, vocês sempre, sempre têm que deixá-los vencer no final.*

Ele fica lá parado, olhando, como se implorasse para voltarmos, enquanto o vejo encolher rapidamente à medida que o espaço entre nós aumenta. Logo, meu irmãozinho é apenas um ponto minúsculo a distância – até que, por fim, não posso mais vê-lo.

LOCHAN

Paramos em um amplo estacionamento lotado de tipos diferentes de viaturas policiais. Mais uma vez seguram meu braço com força e me puxam do carro. A bexiga dolorida me faz estremecer quando fico em pé, a brisa nos meus braços me levando a tiritar. Depois de cruzar o asfalto, sou conduzido por uma espécie de entrada nos fundos, e de lá por um curto corredor e uma porta onde se vê uma placa com os dizeres SALA DE OCORRÊNCIAS. Um policial uniformizado está sentado atrás de uma escrivaninha alta. Os dois ao meu lado o chamam de Sargento e o informam sobre o meu delito, mas para meu grande alívio ele mal olha para mim, digitando mecanicamente meus dados no computador. A acusação é lida para mim mais uma vez, mas quando me perguntam se a entendo, não aceitam que eu apenas concorde com a cabeça. A pergunta é repetida e eu sou obrigado a usar a voz.

— Entendo — consigo sussurrar. Longe de casa e do perigo de deixar Maya ainda mais abalada, sinto que começo a perder as forças: sucumbindo ao choque, ao horror, ao pânico cego da situação.

Mais perguntas se seguem. Novamente me mandam repetir o nome, o endereço, a data de nascimento. Eu me esforço para responder, meu cérebro parecendo pouco a pouco se desligar. Quando perguntam minha ocupação, hesito.

— Eu não... tenho uma.

— Está recebendo o seguro-desemprego?

— Não. Ainda... ainda estou na escola.

Só então o sargento levanta os olhos para mim. Meu rosto arde sob seu olhar penetrante.

Em seguida vêm as perguntas sobre minha saúde, e meu estado mental também é indagado – sem dúvida pensam que só um psicopata seria capaz de cometer um crime desses. Perguntam se quero um advogado e na mesma hora faço que não. A última coisa de que preciso é de mais alguém metido nessa história, para ouvir todas as coisas horríveis que fiz. Seja como for, estou tentando provar minha culpa, não minha inocência.

Depois de retirarem as algemas, pedem que eu entregue meus pertences. Felizmente não tenho nenhum e me sinto aliviado por não ter trazido a foto da parede do quarto. Talvez Maya se lembre dela e consiga salvá-la. Mas não posso deixar de torcer para que recorte os dois adultos sentados em cada ponta do banco e deixe apenas as cinco crianças espremidas no meio. Porque, em última análise, aquela foi a família que nos tornamos. No fim, fomos nós que nos amamos, nós que demos o couro e o sangue para continuarmos juntos. E isso foi o bastante, mais do que o bastante.

Eles me mandam esvaziar os bolsos, retirar os cadarços do tênis. Mais uma vez o tremor nas mãos me trai, e quando me ajoelho entre as pernas uniformizadas no piso de vinil imundo, sinto a impaciência dos policiais, todo o seu desprezo. Os cadarços são postos em um envelope e sou obrigado a assinar uma declaração de que me pertencem, o que me parece absurdo. Segue-se uma revista corporal, e ao sentir as mãos do policial percorrendo meu corpo, apalpando minhas pernas nas duas direções, começo a tremer violentamente, tendo que me segurar à beira da mesa para me equilibrar.

Em uma pequena antessala, sento numa cadeira: minha foto é tirada, um cotonete esfregado dentro da minha boca. Enquanto meus dedos são pressionados um por um num coletor de impressões digitais e depois numa planilha, um sentimento de total alienação toma conta de mim. Sou um mero objeto para essas pessoas. Já não sou mais humano.

Fico aliviado quando finalmente me empurram para uma cela e batem a porta pesada às minhas costas. Para meu alívio, está vazia; é pequena a ponto de dar claustrofobia, sem conter nada além de uma cama estreita de alvenaria, embutida na parede. Há uma janela com barras perto do teto, mas a luz que enche a cela é exclusivamente artificial, agressiva, forte demais. Grafites e manchas de fezes imundiçam as paredes. O fedor é insuportável – muito pior do que o mais nojento dos mictórios públicos – e sou obrigado a respirar pela boca para não ter engulhos.

Demoro muito tempo para relaxar e conseguir esvaziar a bexiga no vaso de metal. Agora, finalmente longe de olhos vigilantes, não consigo parar de tremer. Tenho medo de que um guarda entre a qualquer momento, não consigo me esquecer da janelinha no alto da porta, nem da portinhola móvel na parte inferior. Como vou saber que não estou sendo vigiado neste exato momento? Normalmente não sou tão puritano assim, mas depois de ser arrancado da cama de cueca, arrastado para o banheiro por dois policiais e forçado a me vestir na frente deles, gostaria que houvesse um jeito de me cobrir para sempre. Desde que ouvi a acusação horrível, sinto a mais extrema vergonha do meu corpo, do que ele fez – do que os outros acreditam que ele fez.

Dando a descarga, volto à pesada porta de metal e encosto o ouvido nela. Gritos ecoam pelo corredor, palavrões de um bêbado, um berreiro que não acaba nunca, mas parece vir de uma distância considerável. Se eu ficar de costas para a porta, mesmo que algum guarda me espie pela janelinha, pelo menos não vai poder ver meu rosto.

Mal descubro que finalmente tenho uma certa privacidade, a válvula de segurança da minha mente, que me mantivera funcionando até agora, é aberta como que à força, e sou inundado por imagens e lembranças. Corro para a cama, mas meus joelhos cedem antes de alcançá-la. Corpo arriado no chão de concreto, cravo as unhas no grosso lençol de plástico costurado ao colchão e me dobro em dois, enfiando o rosto com força na cama fétida, abafando o nariz e a boca o máximo possível. Os soluços devastadores sacodem meu corpo inteiro, ameaçando me desintegrar com a sua força. O colchão inteiro se sacode, meu peito tremendo contra o estrado duro, e eu me asfixiando, me sufocando, me privando de oxigênio, mas incapaz de levantar a cabeça para respirar por medo de emitir um som. Nunca chorar doeu tanto. Tento rastejar para baixo da cama, para o caso de alguém olhar e me ver neste estado, mas o espaço é muito pequeno. Não consigo nem tirar o lençol para me cobrir; simplesmente não há onde me esconder.

Relembro os gritos angustiados de Kit, seus punhos esmurrando a vidraça, sua figurinha magra correndo ao lado do carro, seu corpo inteiro se rendendo, derrotado, quando compreendeu que não tinha como me salvar. Penso em Tiffin e Willa brincando na casa de Freddie, correndo com os amiguinhos, eufóricos, alheios ao que os aguarda na volta. Será que vão contar a eles o que fiz? Será que vão interrogá-los a meu respeito também – sobre como eu os pegava no colo, lhes dava banho, punha para dormir, fazia cócegas, rolava no chão com eles? Será que vão ser submetidos a uma lavagem cerebral e convencidos de que abusei deles? E nos próximos anos, se tivermos a oportunidade de nos reencontrar já adultos, será que aceitarão me ver? Tiffin vai ter uma vaga lembrança de mim, mas Willa só vai ter convivido comigo durante os cinco primeiros anos de sua vida; que lembranças, se é que alguma, irá guardar?

Finalmente, fraco demais para continuar reprimindo as lembranças, penso em Maya. Maya, Maya, Maya. Abafo seu nome chamando-o dentro das mãos, esperando que o som me traga algum conforto. Nunca, jamais deveria ter posto a sua felicidade em risco desse jeito. Por ela, pelas crianças, nunca deveria ter permitido que nossa amizade evoluísse. Por mim, não posso me arrepender – não há nada que eu não teria suportado em troca dos meses que passamos juntos. Mas nunca pensei no perigo que isso representava para ela, os horrores a que seria submetida.

Estou apavorado com o que possam estar fazendo com ela neste exato momento – bombardeando-a de perguntas que ela vai ter que se esforçar para responder, dividida entre o impulso de contar a verdade para me proteger e a necessidade de me acusar de estupro para proteger as crianças. Como pude colocá-la numa situação dessas? Como pude lhe pedir para fazer uma escolha dessas?

O tilintar das chaves e trancas de metal me dá um susto, e eu mergulho num estado de confusão e pânico. Um guarda me manda levantar, informando que vou ser levado para a sala de entrevistas. Antes mesmo que meu corpo possa obedecer, sou segurado pelo braço e posto de pé. Eu me afasto por um momento, desesperado para pôr os pensamentos em ordem – só preciso de um momento para clarear as ideias e me lembrar do que devo dizer. Essa pode ser a minha única chance e não posso cometer erros, nenhum erro, para que não haja a menor discrepância entre o depoimento de Maya e o meu.

Sou algemado novamente e conduzido por vários corredores longos, excessivamente iluminados. Ignoro quanto tempo se passou desde que fui jogado naquela cela – o tempo deixou de existir: não há janelas, nem sei que horas são do dia ou da noite. Estou tonto de dor e medo: uma palavra errada, um gesto em falso e posso estragar tudo, deixar escapar algo que implicaria Maya no que aconteceu.

Como a minha cela, a sala de entrevistas tem uma iluminação agressiva: fortes lâmpadas fluorescentes tingem o ambiente com um amarelo fantasmagórico. Não é muito maior do que a cela, mas agora o fedor de urina é substituído pelo cheiro de suor e ar estagnado, as paredes são nuas e o chão acarpetado. Os únicos móveis são uma mesa estreita e três cadeiras. Dois policiais estão sentados perto da cabeceira: um homem e uma mulher. O homem parece ter seus quarenta e poucos anos, com um rosto fino e cabelo curto. A dureza dos olhos, a expressão séria e a contração do queixo sugerem que ele já passou por isso muitas vezes e já fez muitos criminosos abaixarem a crista – ele parece atilado e astuto, e há algo duro e intimidante no seu jeito. A mulher, por outro lado, parece mais velha e mais comum, com o cabelo preso num rabo de cavalo e uma expressão de quem está farta da vida, mas seus olhos têm o mesmo brilho astuto. Os dois parecem ter sido bem treinados na arte de manipular, ameaçar, bajular ou mesmo mentir para conseguir o que querem dos suspeitos. Mesmo no meu estado de confusão e atordoamento, sinto na hora que eles são competentes no que fazem.

Sou levado até uma cadeira de plástico cinza colocada em frente a eles, a menos de meio metro da mesa e com as costas para a parede. Não faria muita diferença se estivéssemos os três espremidos numa jaula: a mesa não é muito larga e tudo parece próximo demais, o que é angustiante. Tenho consciência do meu rosto pegajoso, dos cabelos grudados na testa, da camiseta colada à pele, das manchas de suor visíveis no tecido fino. Estou me sentindo imundo, nojento, o gosto da bílis na garganta, do sangue azedo na boca, e apesar da expressão impassível dos detetives, sua repulsa é quase ostensiva nesse espaço pequeno e enclausurado.

O homem não levantou a cabeça desde que fui trazido, apenas escrevendo sem parar numa ficha. Quando finalmente ergue os olhos, tremo nas bases e automaticamente tento arrastar a cadeira para trás, mas ela não sai do lugar.

– Esta entrevista vai ser gravada e filmada. – Olhos duros como pedrinhas cinzentas perfuram os meus. – Tem algum problema para você?

Como se eu tivesse escolha.

— Não. — Noto uma câmera discreta no canto da sala, virada para o meu rosto. Mais gotas de suor brotam na minha testa.

O homem empurra uma chavinha em algum tipo de gravador e lê em voz alta o número do caso, seguido pela data e a hora. Então, diz:

— Estamos presentes eu, Detetive Inspetor Sutton; à minha direita, a Detetive Inspetora Kaye; e à nossa frente, o suspeito. Quer se identificar, por favor? — A quem exatamente ele está se dirigindo? A outros policiais, a repórteres, ao juiz e ao júri? Será que essa entrevista vai ser exibida no tribunal? Será que minhas próprias descrições do crime hediondo que cometi vão ser apresentadas à minha família? Será que Maya vai ser obrigada a me ouvir gaguejar e me enrolar todo durante esse interrogatório, para então exigirem que confirme se eu disse a verdade?

Por Deus, não pense nisso agora. Pare de pensar nisso — as duas únicas coisas em que você deve se concentrar são seu comportamento e suas palavras. Tudo que sair da sua boca tem que ser totalmente convincente.

— Lochan James Whi... — Pigarreio; minha voz sai fraca e mal modulada. — Lochan James Whitely.

Em seguida, vêm as perguntas de praxe: data de nascimento? Nacionalidade? Endereço? O Detetive Sutton mal ergue os olhos, ora tomando notas na ficha, ora folheando meus dados, os olhos indo depressa de um lado para o outro.

— Você sabe por que está aqui? — Seus olhos se cravam nos meus de repente, me dando um susto.

Faço que sim. Engulo em seco.

— Sei.

Caneta em riste, ele continua a me encarar, parecendo esperar que eu continue.

— Por... por abusar sexualmente da minha irmã — digo, a voz tensa mas firme.

As palavras pairam no ar como furos de agulhadas sangrando na pele. Sinto a atmosfera se espessar, se estreitar. Embora esses detetives já tenham tudo escrito à sua frente, a admissão em voz alta, diante de uma câmera e um gravador, torna tudo irrevogável. Não me sinto mais como se estivesse mentindo. Talvez não haja uma verdade universal. O que é incesto consensual para mim é abuso sexual de uma criança da família para eles. Talvez ambos os rótulos estejam certos.

E então, as perguntas começam.

No começo, são apenas sobre coisas secundárias. As minúcias tediosas, intermináveis: onde nasci, os membros de minha família, as datas de nascimento de todos, os detalhes a respeito de nosso pai, de meu relacionamento com ele, com meus irmãos, com minha mãe. Procuro ser o mais fiel possível aos fatos, contando até mesmo que nossa mãe trabalha até tarde num restaurante e que namora Dave. Tenho o cuidado de omitir as partes que, espero, ela e Kit também terão o bom-senso de omitir: seu problema com a bebida, as brigas por dinheiro, a mudança para a casa de Dave, e finalmente o abandono quase total da família. Em vez disso, conto a eles que só recentemente ela começou a trabalhar até mais tarde e que eu faço bicos como baby sitter à noite, mas só depois que as crianças já estão dormindo. Até agora, tudo bem. Não é a estrutura familiar ideal, mas pelo menos se encaixa dentro dos limites da normalidade. E então, quando já entrei nos menores detalhes, do número de cômodos na nossa casa até nossas notas e atividades extracurriculares, a pergunta é finalmente feita:

— Quando foi a primeira vez que você teve qualquer tipo de contato sexual com Maya? — O olhar do policial é direto e sua voz tão sem entonação quanto antes, mas de repente ele parece estar me observando com atenção, à espera da menor mudança no meu rosto.

O silêncio engrossa o ar, drenando-o de oxigênio, e tomo consciência do som de minha respiração ofegante, os pulmões automaticamente implorando por mais ar. Também percebo o suor escorrendo dos lados do rosto, e tenho certeza de que ele vê o medo em meus olhos. Estou exausto, sentindo dor e desesperado para urinar de novo, mas obviamente ainda falta muito para a entrevista terminar.

— Quando... quando o senhor diz 'contato sexual', está se referindo a... a *sentimentos*, ou à primeira vez que nós... quer dizer, à primeira vez que eu t-toquei nela, ou...?

— A primeira vez que vocês se expuseram de maneira inapropriada ou tiveram qualquer tipo de contato. — Sua voz endureceu, o queixo se contraiu e as palavras dispararam como balas de sua boca.

Lutando com a confusão mental e o pânico, tento elaborar a resposta certa. É fundamental que eu não erre uma palavra, para que meu depoimento bata exatamente com o de Maya. "Contato sexual". Mas o que isso quer dizer exatamente? Aquele primeiro beijo na noite em que ela saiu com DiMarco? Ou antes, quando dançamos na sala?

— Quer responder à pergunta! – A temperatura está subindo. Ele acha que estou embromando para poder me eximir de qualquer responsabilidade, quando na realidade é o contrário.

— Eu... eu não me lembro exatamente da data. D-deve ter sido em meados de novembro. S-sim, novembro... – Ou terá sido outubro? Ah, meu Deus, já comecei a estragar tudo.

— Me conte o que aconteceu.

— OK. Ela... chegou em casa depois de um encontro com um cara da escola. Nós... tivemos uma discussão porque eu a crivei de perguntas. Eu estava preocupado... quer dizer, irritado, querendo saber se ela tinha dormido com ele. Aí eu fiquei transtornado...

— O que quer dizer com "transtornado"?

Não. Por favor.

— Eu comecei... comecei a chorar... – Exatamente como vou fazer agora, à simples lembrança da dor que senti aquela noite. Virando a cabeça em direção à parede, mordo a língua com força, mas nem a dor dos dentes cortando a carne surte mais qualquer efeito. Nenhum nível de dor física consegue se sobrepor à agonia mental. Em cinco minutos de interrogatório, já estou desmoronando. É inútil, tudo é inútil, eu sou um inútil, vou falhar com Maya, com todos eles.

— E depois, o que aconteceu?

Recorro a todos os truques possíveis para manter as lágrimas sob controle, mas nada adianta. A pressão aumenta, e vejo pela expressão de Sutton que ele acha que estou tentando ganhar tempo, fingindo sentir remorso, mentindo.

— E depois, o que aconteceu? – Dessa vez, ele levanta a voz.

Estremeço.

— Eu disse a ela... eu tentei... disse a ela que tinha... eu a forcei a...

Não consigo pronunciar as palavras, embora esteja tentando desesperadamente, desejando poder gritá-las para o mundo inteiro ouvir. É como ser forçado a ficar na frente da turma outra vez, as palavras obstruindo a garganta, o rosto ardendo de vergonha. Só que dessa vez não me pedem para ler uma redação em voz alta e sim me interrogam sobre os detalhes mais íntimos e pessoais da minha vida, todos os doces momentos passados com Maya, todas as horas preciosas que fizeram dos últimos três meses os mais felizes da minha vida. E agora eles são esfregados na nossa família como fezes na parede da cela – uma sordidez podre, imunda, hedionda, e eu no papel do perpetrador, forçando minha irmã a cometer os atos sexuais mais torpes.

– Lochan. Sugiro que pare de desperdiçar nosso tempo e comece a colaborar. Como tenho certeza de que você já sabe, no Reino Unido a pena máxima de reclusão para estupro é prisão perpétua. Agora, se você colaborar e se mostrar arrependido pelo que fez, é quase certo que essa pena será reduzida, talvez mesmo a um período de reclusão tão curto quanto sete anos. Mas se mentir ou tentar negar qualquer coisa, vamos descobrir de um jeito ou de outro, e o juiz será muito menos leniente.

Mais uma vez tento responder, e mais uma vez falho. Eu me vejo pelos olhos deles – um viciado em sexo, pervertido, desajustado, grotesco, reduzido a abusar da irmã mais nova com quem brincava na infância, sua própria carne, seu próprio sangue.

– Lochan... – A detetive se inclina para mim, mãos entrelaçadas, braços estendidos sobre a mesa. – Posso ver o quanto você se sente mal pelo que aconteceu. E isso é bom. Significa que está começando a assumir a responsabilidade pelos seus atos. Talvez você não acreditasse que se relacionar sexualmente com a sua irmã faria mal a ela, talvez nem tenha falado sério quando ameaçou matá-la, mas você precisa nos contar exatamente o que aconteceu, exatamente o que fez e disse. Se tentar distorcer ou omitir algo, embromar ou mentir, as coisas vão ficar muito mais complicadas para você.

Respirando fundo, faço que sim, me esforçando ao máximo para mostrar a eles que estou disposto a colaborar, que não precisam recorrer a essa jogada do "tira bom, tira mau" para me fazer confessar. Só preciso de forças para me recompor, trancar as lágrimas e encontrar as palavras certas para descrever tudo que forcei Maya a fazer comigo, tudo que a forcei a suportar.

– Lochan, você tem um apelido?

A Detetive Kaye ainda está desempenhando o papel da "amigona", fingindo me confortar e me dar força, na esperança de que eu confie nela e relaxe, me acalme e acredite que ela está tentando mesmo ajudar e não extrair uma confissão.

– Loch... – digo sem pensar. – Lochie... – Ah, não. Só a minha família me chama assim. Só a minha família!

– Lochie, preste atenção. Se você colaborar conosco, se nos contar tudo que aconteceu, vai fazer uma diferença enorme no resultado disso tudo. Afinal, somos todos humanos. Todos cometemos erros, não é? Você só tem dezoito anos. Tenho certeza de que não se deu conta da gravidade do que estava fazendo, e o juiz vai levar isso em consideração.

Tá legal. Pensa que eu sou tão burro assim? Tenho dezoito anos e vou ser julgado como adulto. Guarde suas mentiras manipuladoras para os que estão realmente tentando esconder os seus atos.

Faço que sim e seco os olhos na manga. Puxando os cabelos com as mãos algemadas acima da cabeça, começo a falar.

As mentiras são a parte mais fácil – forçar Maya a faltar às aulas, ir para a cama com ela todas as noites, repetir a mesma ameaça sempre que ela me implorava para deixá-la em paz. É quando chega a hora de contar a verdade que as palavras me fogem – é a nossa verdade, os nossos segredos mais íntimos, os nossos momentos mais privados, os preciosos detalhes das breves e idílicas horas que passamos juntos. Essas são as partes que me fazem gaguejar e tremer. Mas eu me obrigo a continuar, embora não consiga mais conter as lágrimas, mesmo quando elas começam a escorrer pelo meu rosto e minha voz a tremer pelos soluços reprimidos, mesmo quando sinto a repulsa em seus olhares começar a se misturar com pena.

Eles querem saber tudo, nos seus mínimos detalhes. Aquela tarde na cama, nossa primeira noite juntos. O que eu fiz, o que ela fez, o que eu disse, o que ela disse. Como eu me senti... Como reagi... Como *meu corpo* reagiu... Conto a verdade, e é como se alguém enfiasse a mão dentro do meu peito e começasse lentamente a me estraçalhar. Quando finalmente chegamos aos acontecimentos da manhã, quando chegamos ao ponto a que eles se referem como "penetração", tenho vontade de morrer, tamanha é a minha dor. Eles perguntam se usei alguma proteção, se Maya chorou de dor, quanto tempo durou... Dói tanto, é uma coisa tão humilhante, tão degradante, que chega a me dar ânsia de vômito.

O interrogatório parece se estender por horas a fio. Tenho a sensação de ser de madrugada e estarmos trancados nessa sala minúscula e sem ar por toda a eternidade. Eles se revezam indo pegar café ou biscoitos. Perguntam se quero um copo d'água, mas recuso. Por fim, estou tão destroçado que só consigo ficar chupando os dois dedos médios como fazia em pequeno, encostado de lado na parede, a voz totalmente rouca, o rosto pegajoso de suor e lágrimas congeladas. Em meio a um denso nevoeiro, escuto os dois me informando que vou ser levado de novo à cela, e que a entrevista vai continuar amanhã.

O gravador é desligado, outro guarda vem me buscar, mas por alguns momentos não consigo me levantar. O Detetive Sutton – que permaneceu frio e impassível a maior parte do tempo – suspira e balança a cabeça com um olhar quase de pena.

— Sabe, Lochan, estou neste emprego há muitos anos, e posso ver que você sente remorso pelo que fez. Mas tenho medo de que seja um pouco tarde demais. Não apenas você foi acusado de cometer um crime muito grave, como suas ameaças parecem ter apavorado tanto a sua irmã, que ela deu um depoimento formal afirmando que o relacionamento sexual de vocês foi plenamente consensual e instigado por ela.

Todo o ar sai do meu corpo. Minha exaustão evapora. De repente, só as batidas do meu coração horrorizado enchem o ar. Ela contou a verdade a eles? *Ela contou a verdade a eles?*

— Um depoimento formal... Mas isso não tem mais qualquer valor, não é? Agora que eu confessei tudo, que disse a vocês exatamente o que aconteceu. Vocês sabem que ela só disse essas coisas porque foi o que eu a mandei dizer, porque disse que mandaria matá-la se eu fosse para a cadeia. Quer dizer, ninguém está acreditando nela, está? Agora que eu confessei! – Minha voz rachada e seca está tremendo muito, mas preciso me manter calmo. Mostrar remorso é uma coisa, mas tenho que disfarçar a extensão do meu horror e incredulidade.

— Isso vai depender de como o juiz interpretar a situação.

— O juiz? – Agora estou aos berros, minha voz beirando a histeria. – Mas não é Maya que está sendo acusada de estupro!

— Não, mas mesmo o incesto consensual é delituoso. Com base na Seção Sessenta e Cinco da Lei dos Crimes Sexuais, sua irmã pode ser julgada por "consentir em ser penetrada por um parente adulto", o que pode ser punido com uma pena de até dois anos de reclusão.

Fico olhando para ele. Mudo. Atônito. Não pode ser. *Não pode ser.*

O detetive suspira e atira a ficha na mesa, num súbito gesto de cansaço.

— Portanto, a menos que sua irmã anule o depoimento, ela também corre o risco de ser presa.

Por que, Maya, meu amor? Por que, por que, por quê?

Jogado no chão, meio encostado na porta de metal, olho sem enxergar a parede à minha frente. Meu corpo inteiro está doendo por ficar totalmente imóvel por um espaço de tempo que calculo ser de horas a fio. Não tenho mais forças para continuar batendo com a cabeça na porta numa tentativa desesperada, enlouquecida de pensar num jeito de fazer com que Maya anule o seu depoimento. Depois de ficar gritando sem parar, implorando aos guardas que me deixassem ligar para casa, acabei por perder totalmente a voz. Nunca mais vão permitir que Maya e eu tenhamos qualquer contato — pelo menos até que eu cumpra a minha pena, o que, de acordo com aquele detetive que me interrogou, pode ser daqui a uma década!

Minha mente está se desintegrando e mal consigo pensar, mas pelo que entendo, o fato concreto é que, a menos que Maya anule o depoimento, ela vai ser presa como eu, talvez até na frente de Tiffin e Willa. Sem ninguém para cuidar deles, ninguém para encobrir o alcoolismo e a negligência de nossa mãe, as três crianças provavelmente vão ser mandadas para uma instituição. E Maya será trazida para a delegacia, submetida às mesmas humilhações, aos mesmos interrogatórios, e acusada, como eu, de cometer um crime sexual. Mesmo com minha palavra contra a dela, vai haver pouco que eu possa fazer. Se continuar a insistir que fui eu que cometi o abuso, eles vão imediatamente perguntar por que, de uma hora para outra, estou tão desesperado para eximir Maya de qualquer responsabilidade — ainda mais depois de ter abusado dela várias vezes *e* de ameaçar matá-la se contasse a alguém. Vou ser encurralado, ficar de mãos atadas para protegê-la, pois quanto mais insistir que Maya é inocente e eu culpado, mais provável vai ser que acreditem na confissão dela. Não vão demorar muito para descobrir que estou apenas me incriminando para protegê-la, que estou mentindo porque a amo e nunca abusaria, ameaçaria ou faria qualquer mal a ela. E, é claro, ainda resta

Kit – a única testemunha. Mesmo Tiffin e Willa, se forem interrogados, vão insistir que em nenhuma ocasião Maya pareceu sentir medo de mim – que estava sempre sorrindo para mim, rindo comigo, segurando minha mão, até mesmo me abraçando. E eles vão entender que Maya é tão cúmplice nesse crime quanto eu.

O que quer que eu tente fazer agora é inútil, ainda mais porque qualquer tentativa de pegar Maya em uma mentira não vai dar em nada, pois será ela quem estará dizendo a verdade. Vai ser fácil para ela explicar o tapa que provocou o corte em seu lábio como sendo uma última tentativa desesperada de fazer com que eu parecesse estar abusando dela.

Maya vai ser julgada e condenada a dois anos de prisão. Vai começar sua vida adulta atrás das grades, separada não apenas de mim, mas de Kit, Tiffin e Willa, que a amam tanto. Mesmo depois de cumprir sua pena, ela vai ser uma mulher emocionalmente marcada pelo resto da vida. Impedida de ver os irmãos por causa de seu crime, vai ficar totalmente sozinha no mundo, abandonada pelos amigos, enquanto eu continuo trancado cumprindo uma pena consideravelmente mais longa por ter sido julgado como adulto. A ideia disso tudo é, em poucas palavras, mais do que posso suportar. E sei que, a menos que consiga dar um jeito de me comunicar com ela, a teimosa e passional Maya, que me ama tanto, não vai voltar atrás. Ela já fez a sua escolha. Como gostaria de poder lhe dizer que preferiria passar o resto da vida na prisão a permitir que ela seja submetida a qualquer um desses horrores...

Mas não adianta ficar sentado aqui e me entregar. Nada disso pode acontecer. *Não vou deixar que aconteça.* Ainda assim, apesar de refletir por horas a fio, de tempos em tempos dando socos de total frustração no frio concreto que me cerca, não consigo pensar em nenhuma maneira de fazer com que Maya mude de ideia.

Estou começando a me dar conta de que nada vai fazer com que Maya anule o seu depoimento e me acuse de estupro. A essa altura ela já deve ter tido tempo de concluir que, se fizer isso, vai me mandar para a prisão. Se eu fugisse, como ela sugeriu no começo, se por algum milagre eu conseguisse não ser pego, ela teria mentido sem pensar duas vezes, pelo bem das crianças. Mas, sabendo que estou aqui, trancado numa cela de delegacia, minha vida inteira dependendo de sua acusação ou confissão, ela nunca vai voltar atrás.

Agora vejo isso com uma certeza esmagadora. Ela me ama muito. Ela me ama *demais*. Eu queria tanto o seu amor, todo ele. Realizei meu desejo… e agora nós dois estamos pagando o preço. Como fui estúpido por pedir que ela fizesse isso, compreendo agora, por esperar que sacrificasse minha liberdade para proteger a dela. Minha felicidade significava tudo para ela, tanto quanto a dela para mim. Se a situação se invertesse, será que eu chegaria sequer a *pensar* em acusar Maya em falso para não ser punido?

O remorso não para de me roer por dentro. Se eu tivesse fugido quando a chance existia, se tivesse ido embora e me livrado de ser preso, Maya não teria confessado. Nada se ganharia em contar a verdade, só teria servido para prejudicar as crianças. Ela nunca teria confessado se eu não tivesse sido preso…

Meu olhar segue lentamente pela parede até a pequena janela na aresta, pouco abaixo do teto. E de repente a solução está bem diante de mim. Se quero que Maya anule sua confissão, não posso estar aqui para ser levado a julgamento, não posso ficar preso numa cela de delegacia esperando ser condenado. Tenho que cair fora.

Desfazer as costuras do lençol preso ao colchão não demora a me deixar com as mãos rígidas e os dedos dormentes. Conto os segundos entre uma e outra checada do guarda, em voz baixa e ritmada, enquanto vou rompendo as costuras de maneira meticulosa e metódica. Quem projetou essas celas soube garantir sua segurança. A pequena janela fica tão longe do chão que seria preciso uma escada de três metros para alcançá-la. Também é gradeada, claro, mas as barras são salientes no alto. Com um arremesso preciso, acredito que vou conseguir laçar um dos espetos de ferro para que as tiras amarradas do lençol rasgado caiam baixo o bastante para eu alcançar, como aquelas cordas que costumávamos usar para escalar paredes nas aulas de educação física. Lembro que eu era bom nisso, sempre o primeiro a chegar ao alto. Se conseguir um resultado semelhante dessa vez, vou alcançar a janela, aquele pedacinho de luz do sol, meu portal para a liberdade. É um plano doido, eu sei. Um plano desesperado. Mas eu *estou* desesperado. Não resta nenhuma opção. Tenho que ir. Tenho que desaparecer.

As barras que protegem a vidraça mostram sinais de ferrugem e não parecem muito fortes. Se não se quebrarem antes de eu chegar à janela, isso é capaz de dar certo.

Seiscentos e vinte e três segundos desde que ouvi os passos pela última vez diante da porta da cela. Quando estiver pronto, vou ter uns dez minutos mais ou menos para agir. Li que já houve quem conseguisse fazer isso – não é algo que acontece apenas nos seriados policiais. É possível. *Tem* que ser.

Depois de finalmente despregar toda a bainha ao redor do lençol de plástico, dou um pequeno puxão nele e sinto que se move embaixo de mim, não mais preso ao colchão. Estendendo-o à minha frente, uso os dentes para dar o primeiro talho e então começo a rasgá-lo, pedaço por pedaço. Calculando por alto, estimo que três tiras dele amarradas devam ficar do comprimento certo. O plástico é resistente e minhas mãos estão doendo, mas não posso me arriscar a rasgá-lo de uma maneira barulhenta por medo de ser ouvido. Já estou com as unhas quebradas e as pontas dos dedos sangrando quando finalmente consigo dividir o tecido em três partes iguais. Mas agora, só preciso esperar que o guarda passe.

Os passos começam a se aproximar, e de repente tenho uma tremedeira. É tão forte que mal consigo pensar. Não vou conseguir levar isso adiante. Sou covarde demais, estou apavorado demais. Meu plano é ridículo – vou ser apanhado, vou me dar mal. As barras parecem muito frouxas. E se elas se quebrarem *antes* de eu chegar à janela?

Os passos se afastam e na mesma hora começo a emendar as tiras. Os nós têm que ser apertados, muito apertados – o bastante para suportar o peso do meu corpo. Tomo um banho de suor, que começa a escorrer para os olhos, embaçando a visão. Tenho que andar depressa, depressa, depressa, mas as mãos não param de tremer. Meu corpo, aos gritos, me manda parar, desistir. Mas a cabeça me manda ir em frente. Nunca senti tanto medo na vida.

Mas eu erro. Uma vez atrás da outra. Apesar do peso do plástico e do laço apertado na ponta, não consigo fazer com que fique preso em um dos espetos de ferro. Fiz o laço pequeno demais. Superestimei minha capacidade de atingir um alvo num momento de pânico, com as mãos trêmulas. Finalmente, num louco arroubo de desespero, atiro o laço para o teto e, para meu espanto, ele cai em cima de um único espeto, as tiras emendadas caindo rentes à parede como uma corda grossa. Fico olhando para ela por um momento em total estado de choque: está lá, esperando para que eu suba, meu caminho para a liberdade. Com o coração aos pulos, levanto os braços para me segurar no ponto mais alto possível. Me alçando com os braços, levanto as pernas, dobro os joelhos e cruzo os tornozelos para prender a corda entre os pés e começar a subir.

Chegar ao alto demora muito mais do que eu tinha imaginado. As palmas das mãos estão suadas, os dedos fracos de ficar descosturando e rasgando o lençol e, ao contrário das cordas da escola, as tiras emendadas quase não oferecem apoio para as mãos. Assim que chego ao alto, enlaço os braços nas barras, meus pés se agitando à procura de uma base na parede áspera, irregular. O dedo do meu sapato encontra uma pequena protuberância, e graças à resistência do solado do tênis, consigo me manter. Chegou a hora H. Será que minha subida afrouxou as barras? Será que um último puxão violento para baixo irá levá-las a se desprender da parede?

Não tenho tempo de inspecionar a ferrugem em volta dos parafusos. Como um alpinista à beira de um penhasco, eu me seguro às barras com as mãos e me apoio à parede com os pés, cada músculo do corpo lutando contra a força da gravidade. Se me pegarem agora, vai estar tudo acabado. Mas eu ainda hesito. Será que as barras vão se quebrar? *Será que vão se quebrar?* Por um breve momento sinto a luz dourada do poente banhar meu rosto pela vidraça empoeirada. Para além dela, está a liberdade. Fechado nessa caixa sem ar, tenho um vislumbre do mundo lá fora, o vento agitando as árvores verdes a distância. O vidro grosso é como uma parede, me separando de tudo que é real, está vivo e é necessário. Em que altura você desiste – e decide que já basta? Só há uma resposta. Nunca.

O momento chegou: se eu falhar, vão me ouvir e me pôr sob vigilância ou me transferir para uma cela mais segura, por isso tenho plena consciência de que essa é a minha única chance. Um soluço de pavor ameaça escapar. Estou começando a chorar – alguém vai ouvir. Mas eu não quero fazer isso. Estou com medo. Com muito medo.

Com o braço esquerdo ainda enlaçando as barras, sustentando quase o peso inteiro do corpo – o metal cortando a carne, afundando até o osso –, solto uma das mãos para pegar o lençol pendurado abaixo de mim. E então percebo que não há mais tempo. O guarda vai voltar pelo corredor a qualquer momento. Não tenho mais desculpas. Apesar do terror, do terror de uma brancura cegante, passo o segundo laço que fiz pelo pescoço. Aperto o nó. Um soluço agudo vara o silêncio. E então, eu me solto.

Os grandes olhos azuis de Willa, seu sorriso entre covinhas. A juba loura arrepiada de Tiffin, seu sorriso petulante. Os gritos eufóricos de Kit, seu ar orgulhoso. O rosto de Maya, os beijos de Maya, o amor de Maya.

Maya, Maya, Maya...

EPÍLOGO

MAYA

Olho para minha imagem no espelho que fica na parede do quarto. Posso me ver com nitidez, mas é como se eu não estivesse ali. O reflexo que o vidro me devolve é de outra pessoa, uma sósia, uma estranha. Alguém que se assemelha a mim, mas parece muito normal, muito concreta, muito viva. Meu cabelo está preso num rabo de cavalo bem-feito, mas o rosto parece chocantemente familiar, e os olhos são os mesmos – grandes, azuis. Minha expressão é impassível – calma, composta, quase serena. Uma aparência de uma banalidade chocante, de uma normalidade devastadora. Só a palidez e as olheiras fundas traem as noites de insônia, as horas e horas de escuridão olhando para o teto familiar, minha cama um túmulo frio no qual agora jazo sozinha. Os tranquilizantes já foram suspensos, a ameaça de internação abandonada, agora que estou conseguindo me alimentar novamente, agora que recuperei a voz, que encontrei um jeito de fazer os músculos se contraírem e relaxarem para poder me movimentar, andar, funcionar. As coisas quase voltaram ao normal. Mamãe parou de tentar me alimentar à força, Dave parou de mentir para protegê-la das autoridades, e os dois já voltaram a morar do outro lado da cidade, depois de porem um mínimo de ordem na casa e fazerem uma encenação convincente para a Agência de Serviço Social. E eu voltei ao papel familiar de cuidadora, só que nada mais me é familiar, principalmente eu mesma.

Uma rotina básica foi retomada: acordar, tomar banho, me vestir, fazer compras, cozinhar, limpar a casa, tentar manter Tiffin, Willa e até mesmo Kit tão ocupados quanto possível. Eles grudam em mim como cracas – na maioria das noites acabamos nos deitando os quatro naquela que era a cama de nossa mãe. Até Kit voltou a ser uma criança assustada, embora seus esforços sinceros para ajudar e me apoiar me deixem devastada. Aconchegados debaixo do edredom na grande cama de casal, às vezes eles querem conversar; mas, na maioria das vezes, querem apenas chorar e eu os conforto o melhor que posso, embora saiba que nada vai ser o bastante, que nenhuma palavra vai compensá-los pelo que aconteceu, pelo que os fiz sofrer.

Durante o dia há muito a fazer: falar com os professores deles sobre sua volta à escola, ir às sessões com a orientadora e prestar contas à assistente social, cuidar para que eles estejam limpos, alimentados e saudáveis… Sou forçada a manter uma lista, me lembrar do que devo fazer em cada ponto do dia – a que hora acordá-los, a que hora servir as refeições, a que hora pô-los na cama… Tenho que dividir cada tarefa em pequenos passos, se não quiser me pegar no meio da cozinha com uma panela na mão, desorientada, perdida, sem saber por que estou lá ou o que devo fazer em seguida. Começo as frases e não consigo terminá-las, peço a Kit para me fazer um favor e então esqueço o que ia pedir. Ele tenta me ajudar, tenta tomar as rédeas e fazer tudo, mas então fico com medo de que ele esteja fazendo demais, que também acabe sofrendo algum tipo de colapso, e acabo pedindo que pare. Mas ao mesmo tempo compreendo que ele precisa se manter ocupado, sentir que está me ajudando e que preciso dessa ajuda.

Desde o dia em que aconteceu, o dia em que a notícia chegou, cada minuto tem sido uma agonia em sua forma mais simples e extrema, como se eu enfiasse a mão numa fornalha e contasse os segundos sabendo que jamais terminariam, me perguntando como posso suportar mais um, e mais outro, atônita por ver que apesar da tortura continuo respirando, continuo me movimentando, embora saiba que desse jeito a dor jamais vai passar. Mas eu mantive a mão na fornalha da vida por uma única razão – as crianças. Encobri a negligência de nossa mãe, menti por nossa mãe, até mesmo instruí as crianças sobre o que dizer antes de a assistente social chegar – mas isso foi quando eu ainda tinha a arrogância, a ridícula e vergonhosa arrogância de acreditar que elas estariam melhor *comigo* do que com uma família adotiva.

Agora vejo as coisas de modo diferente. Embora tenha pouco a pouco restabelecido uma espécie de rotina, uma fachada de serenidade, eu me transformei num robô e mal posso cuidar de mim mesma, que dirá de três crianças traumatizadas. Elas merecem um lar normal, com uma família normal que as mantenha juntas e possa orientá-las e apoiá-las. Merecem começar de novo – embarcar numa nova vida onde as pessoas que lhes querem bem sigam as normas da sociedade, onde os entes amados não as abandonem, percam a razão ou morram. Elas merecem coisa muito melhor. Sem dúvida, sempre mereceram.

Eu sinceramente acredito em tudo isso agora. Demorei alguns dias para me convencer plenamente, mas por fim cheguei à conclusão de que não tinha escolha: na verdade não havia uma decisão a tomar, nenhuma opção, a não ser aceitar os fatos. Não tenho forças para continuar a viver desse jeito, não posso suportar mais um dia: a única maneira de enfrentar uma culpa tão esmagadora é me convencer de que, pelo seu próprio bem, as crianças vão estar melhor em outro lugar. Não vou me permitir pensar que eu também as estou abandonando.

Meu reflexo não se alterou. Não sei há quanto tempo estou parada aqui, mas tenho consciência de que algum tempo se passou porque estou começando a sentir muito frio outra vez. Esse é um sinal já meu conhecido de que cheguei a um limite, ao fim do passo atual, e de que esqueci como se faz a transição para o próximo. Mas talvez agora o atraso seja deliberado. O próximo passo vai ser o mais difícil de todos.

O conjunto que comprei para a ocasião é bonito sem ser excessivamente formal. O blazer azul-marinho dá um toque de sobriedade a ele, como convém. Azul porque é a cor favorita de Lochan. *Era* a cor favorita de Lochan. Mordo o lábio e o sangue aflora à pele. Chorar é bom para as crianças – alguém me disse isso, não lembro quem –, mas aprendi que, para mim, como tudo que faço agora, perdeu totalmente o sentido. Nem chorar, nem rir, nem gritar, nem pedir. Nada pode mudar a dor. Nada pode trazê-lo de volta. Os mortos continuam mortos.

Lochan teria achado graça das minhas roupas. Ele nunca me viu usar nada tão fino e caro. Teria brincado que eu estava parecendo a diretora de algum banco importante. Mas então teria parado de rir e dito que eu estava linda. Teria rido baixinho ao ver Kit num terno tão elegante, de repente parecendo tão mais velho do que seus treze anos. Teria implicado com a gente por comprar um terno para Tiffin também, mas teria gostado da gravata estampada com bolas de futebol em cores vibrantes, o toque pessoal de Tiffin.

No entanto, teria que fazer um grande esforço para rir da roupa escolhida por Willa. Acho que vê-la com o seu adorado "vestido de princesa" roxo, nosso presente de Natal para ela, o teria deixado à beira das lágrimas.

Demorou muito – quase um mês por causa da autópsia, do inquérito e todo o resto –, mas finalmente a hora chegou. Nossa mãe decidiu não comparecer, portanto vamos ser só nós quatro na igrejinha bonita que fica no alto de Millwood Hill – a fria penumbra do seu interior deserta, ecoante e silenciosa. Só nós quatro e o caixão. O Reverendo Dawes vai pensar que Lochan Whitely não tinha amigos, mas vai estar errado – ele tinha a mim, tinha a todos nós... Vai pensar que Lochan não era amado, mas era, muito mais do que a maioria das pessoas em uma vida inteira...

Depois do curto serviço, vamos voltar para casa e nos confortar uns aos outros. Passado um tempo, vou para o quarto escrever as cartas – uma para cada um deles, explicando a razão, dizendo o quanto os amo e pedindo perdão de todo coração. Garantindo a eles que serão bem cuidados por outra família, tentando convencê-los, como convenci a mim mesma, de que vão ficar muito melhor sem mim, muito melhor começando uma nova vida. Então o resto vai ser fácil, egoísta, mas fácil – já está tudo cuidadosamente planejado há mais de uma semana. Obviamente não posso continuar em casa e deixar que as crianças me encontrem, por isso vou para o meu refúgio em Ashmoore Park, o lugar que chamei de Paraíso e um dia compartilhei com Lochan. Só que, dessa vez, não vou voltar.

A faca de cozinha que deixei guardada debaixo da pilha de papéis na gaveta da escrivaninha vai estar escondida debaixo do meu casaco. Vou me deitar na grama úmida, olhar para o céu cravejado de estrelas e então levantar a faca. Sei exatamente o que fazer para que tudo acabe depressa, muito depressa – do mesmo jeito que espero que tenha sido para Lochan. Lochie. O homem que um dia amei. O homem que ainda amo. O homem que vou continuar amando, mesmo quando minha participação neste mundo chegar ao fim. Ele sacrificou sua vida para me poupar de anos de prisão. Pensou que eu poderia cuidar das crianças. Pensou que eu era a mais forte de nós dois – forte o bastante para seguir em frente sem ele. Pensou que me conhecia. Mas se enganou.

Willa irrompe pelo quarto adentro, me dando um susto. Kit penteou seus longos cabelos dourados e lavou seu rosto e suas mãos depois do café. Seu rostinho de bebê ainda é tão doce e inocente que me dói olhar para ela. Fico imaginando se quando tiver minha idade ainda se parecerá comigo. Espero que alguém lhe mostre um retrato. Espero que alguém lhe diga o quanto foi amada – por Lochan, por mim –, embora ela não vá poder se lembrar por si mesma. Das três crianças, é a que tem mais chances de se recuperar totalmente, mais chances de esquecer, como espero que aconteça. Talvez, se lhe permitirem guardar pelo menos um retrato, alguma parte dele desperte suas lembranças. Talvez ela se lembre de alguma brincadeira nossa ou das vozes engraçadas que eu fazia para os diferentes personagens nos livros que lia para ela na hora de dormir.

Ela hesita na porta, sem saber se avança ou recua, louca para me dizer algo, mas com medo.

— O que é, meu bem? Você está tão bonita com esse vestido. Está pronta para ir?

Ela me olha fixamente, como se tentasse prever minha reação, e então balança a cabeça devagar, seus olhos grandes se enchendo de lágrimas.

Fico de joelhos, estendendo os braços, e ela se joga neles, suas mãozinhas apertando os olhos.

— N-não quero… não quero ir! Não quero! Não quero! Não quero dizer adeus pro Lochie!

Eu a aperto mais, seu pequeno corpo soluçando baixinho contra o meu, dou um beijo no seu rosto molhado, aliso seu cabelo e a embalo contra o corpo.

— Eu sei que não, Willa. E nem eu. Nenhum de nós quer. Mas nós precisamos fazer isso, precisamos dizer adeus. Não significa que não possamos visitar o túmulo dele no cemitério, ou pensar nele e conversar sobre ele sempre que quisermos.

— Mas eu não quero ir, Maya! — chora ela, sua voz recortada por soluços, quase suplicante. — Eu não vou dizer adeus, não quero que ele vá embora! Não quero, não quero, não quero! — Ela começa a se debater nos meus braços, tentando se libertar, desesperada para escapar do tormento, da finalidade do fato.

Abraço-a com mais força, tentando aquietá-la.

— Willa, presta atenção. Lochie quer que você vá se despedir. Ele quer muito isso. Ele te adora, você sabe disso. Você é a menininha que ele mais adora no mundo. Ele sabe que você está muito triste e muito revoltada no momento, mas espera que um dia você não se sinta mais tão mal assim.

Ela vai parando de se debater aos poucos, o corpo enfraquecendo, as lágrimas aumentando.

— Q-que mais que ele quer?

Tento às pressas pensar em alguma coisa. *Que algum dia você consiga perdoá-lo. Que esqueça a dor que ele te causou, mesmo que para isso tenha que esquecê-lo. Que toque em frente e leve uma vida da mais extrema felicidade...*

— Bom... ele adorava os seus desenhos, lembra? Tenho certeza de que adoraria que você fizesse alguma coisa para ele. Um cartãozinho com uma imagem especial, de repente. Você pode escrever uma mensagem dentro, se quiser, ou só o seu nome. Depois a gente manda plastificar, e aí, mesmo que chova, não vai molhar. E você pode levar quando for visitar o túmulo dele.

— Mas se ele vai dormir pra sempre, como vai saber que está lá? Como vai ver o cartão?

Respirando fundo, fecho os olhos.

— Não sei, Willa. Honestamente, não sei. Mas talvez... ele veja, talvez ele saiba. Então, para o caso de ele ver...

— T-tá. — Ela se afasta um pouco, o rosto ainda rosado e úmido de lágrimas, mas com uma centelhinha de esperança nos olhos. — Acho que ele vai ver, Maya — diz, como se me pedisse para concordar. — Eu acho que vai. E você?

Faço que sim devagar, mordendo os lábios com força.

— Também acho.

Willa soluça e funga mais uma vez, mas posso ver que já está pensando na obra de arte que vai criar. Ela solta meus braços e se dirige para a porta, mas então, como se uma súbita lembrança a assaltasse, torna a se virar.

— Mas e você?

Fico tensa.

— Como assim?

— E *você*? — repete ela. — O que vai dar pra ele?

— Ah... acho que umas flores, alguma coisa assim. Não sou uma artista como você. Não acho que ele iria querer um desenho meu.

Willa me olha longamente.

— Não acho que Lochie quer que você dê flores pra ele. Acho que ele quer que você faça uma coisa *mais melhor*.

Eu me viro bruscamente, vou até a janela e dou uma olhada no céu sem nuvens, fingindo procurar sinais de chuva.

— Olha só, por que não vai logo começando a fazer o cartão? Eu vou descer em um minuto, e aí nós podemos sair todos juntos. E não se esqueça, na volta vamos lanchar na...

— Isso não é justo! — grita Willa de repente. — Lochie te ama! Ele quer que você faça alguma coisa pra ele também!

Ela sai correndo do quarto e pouco depois escuto o som familiar dos pezinhos batendo com força na escada. Ansiosa, sigo-a até o fim do corredor, mas quando a escuto pedir ajuda a Kit para procurar os pilôs, relaxo.

Volto para o quarto. Volto para o espelho, que pareço não largar mais. Se continuar me olhando, posso me convencer de que ainda estou aqui, pelo menos por hoje. Tenho que estar aqui hoje pelas crianças, por Lochie. Tenho que desligar o interruptor só pelas próximas horas. Tenho que me permitir sentir, só por ora, só durante o enterro. Mas agora que minha mente está degelando, voltando à vida, a dor começa a crescer novamente, e as palavras de Willa não me dão trégua. Por que ela ficou tão zangada? Será que intuiu que desisti de tudo? Será que pensa que, porque Lochie se foi, eu não me importo mais com o que ele teria desejado de nós, *para* nós?

De repente, eu me apoio aos lados do espelho. Estou pisando em terreno perigoso; essa é uma linha de raciocínio que não posso me dar ao luxo de seguir. Willa amava Lochan tanto quanto eu, mas não está se escondendo por trás de um anestésico; ela está sofrendo tanto quanto eu, mas procurando maneiras de enfrentar esse sofrimento, embora só tenha cinco anos. No momento ela não está pensando em si mesma e na sua dor, e sim em Lochie, no que pode fazer *por ele*. O mínimo que posso fazer é me perguntar o mesmo: se Lochie pudesse me ver agora, o que me pediria?

Mas é claro que já sei a resposta. Sempre soube, o tempo inteiro. Que é a razão por que tive o cuidado de não pensar no assunto até agora... Vejo os olhos da menina no espelho se encherem de lágrimas. *Não, Lochie*, digo a ele, em desespero. *Não! Por favor, por favor. Você não pode me pedir isso, não pode. Eu não posso, não sem você. É difícil demais. Difícil demais! Doloroso demais! Eu te amava demais!*

Mas será que uma pessoa tão bondosa como Lochie pode ser amada demais? Será que o nosso amor estava realmente destinado a causar tanta infelicidade, tanta destruição e desespero? No fim, será que foi errado? Se ainda estou aqui, não quererá isso dizer que tenho uma chance de manter o nosso amor vivo? Não quererá dizer que ainda tenho uma oportunidade de extrair algo de bom disso tudo e não perpetuar a tragédia?

Ele sacrificou a vida para salvar a minha, para salvar as crianças. Era o que ele queria, foi a sua escolha, o preço que se mostrou disposto a pagar para que eu continuasse vivendo, para que tivesse uma vida que valesse a pena ser vivida. Se eu morrer também, seu sacrifício extremo terá sido em vão.

Eu me inclino para o espelho até a testa tocar no vidro frio. Fecho os olhos e começo a chorar, lágrimas silenciosas descendo pelo rosto. *Lochie, eu posso ir para a prisão por você, posso morrer por você. Mas a única coisa que sei que você quer, não posso fazer. Não posso continuar vivendo por você.*

— Maya, a gente tem que ir andando. Vamos chegar atrasados! — a voz de Kit me chama do corredor. Estão todos esperando, esperando para se despedir dele, para dar o primeiro passo rumo à superação. Se eu viver, vou ter que começar a superar a perda também. Superar a perda de Lochie. Como, mesmo em mil anos, eu poderia fazer isso?

Olho meu rosto mais uma vez. Os olhos que Lochie dizia que eram azuis como o oceano. Há apenas alguns momentos eu disse a mim mesma que ele nunca me conheceu se achou, por um segundo, que eu poderia sobreviver sem ele. Mas e se for *eu* que estiver errada? Lochie morreu para nos salvar, para salvar a família, para me salvar. Não teria feito isso se tivesse achado, por um momento, que eu não era forte o bastante para seguir em frente sem ele. Talvez, apenas talvez, no fim das contas ele estivesse certo e eu errada. Talvez eu jamais tenha me conhecido tão bem quanto ele me conhecia.

Caminho em passos lentos até a escrivaninha e abro a gaveta. Enfio a mão sob a pilha de papéis e fecho os dedos em volta do cabo da faca. Retiro-a, seu gume afiado cintilando ao sol. Escondo-a debaixo do blazer e desço a escada. Na cozinha, abro a gaveta de talheres e a coloco bem no fundo, longe da minha vista. Então, fecho a gaveta com força.

Um soluço violento me escapa. Apertando o pulso na boca, meus lábios encontram a prata fria do presente de Lochan. Agora, é a minha vez. Fechando os olhos para afastar as lágrimas, respiro muito fundo e sussurro:

— Tudo bem, eu vou tentar. É só o que posso te prometer no momento, Lochie, mas eu vou tentar.

Quando saímos de casa, todos estão discutindo e reclamando: Willa perdeu o prendedor em formato de borboleta, Tiffin reclama que a gravata está muito apertada, Kit se queixa de que o chororô de Willa vai nos atrasar... Atravessamos o portão quebrado em fila indiana para a rua, vestindo as roupas mais elegantes que já tivemos. Tanto Tiffin quanto Willa querem me dar a mão. Kit fica para trás. Sugiro que ele segure a outra mão de Willa para podermos balançá-la entre nós. Ele faz isso, e quando a suspendemos bem alto, o vento levanta a saia do seu vestido, revelando uma calcinha rosa-choque. Quando ela pede que façamos de novo, os olhos de Kit encontram os meus com um sorriso divertido.

Caminhamos pelo meio da rua de mãos dadas, a calçada estreita demais para os quatro juntos. Uma brisa quente sopra em nossos rostos, trazendo o cheiro de madressilva de um jardim. O sol de meio-dia brilha no céu turquesa, a luz cintilando entre as folhas, espalhando confete dourado sobre nós.

— Ei! — exclama Tiffin, sua voz surpresa. — Já é quase verão!

Papel: Polém soft 70g
Tipo: Bembo
www.editoravalentina.com.br